COLLECTION FOLIO

Emmanuel Carrère

D'autres vies que la mienne

P.O.L

Emmanuel Carrère est né en 1957. D'abord journaliste, il a publié un essai sur le cinéaste Werner Herzog en 1982, puis *L'amie du jaguar*, *Bravoure* (prix Passion 1984, prix de la Vocation 1985), *Le Détroit de Behring*, essai sur l'Histoire imaginaire (prix Valery Larbaud et Grand Prix de la science-fiction française 1987), *Hors d'atteinte ?* (Folio n° 2116) et une biographie du romancier Philip K. Dick, *Je suis vivant et vous êtes morts*. *La classe de neige* (Folio n° 2908), prix Femina 1995, a été porté à l'écran par Claude Miller, et *L'Adversaire* (Folio n° 3520) par Nicole Garcia. En 2003, Emmanuel Carrère réalise un documentaire, *Retour à Kotelnitch*, et adapte lui-même en 2004 *La moustache* (Folio n° 1883), co-écrit avec Jérôme Beaujour, interprété par Vincent Lindon et Emmanuelle Devos. Il a depuis écrit *Un roman russe* (Folio n° 4771), *D'autres vies que la mienne* (Folio n° 5131), *Limonov* (Folio n° 5560), prix Renaudot 2011, *Le Royaume* (Folio n° 6169, prix littéraire *Le Monde*, lauréat-palmarès *Le Point*, Meilleur Livre de l'année *Lire* 2014, et *Il est avantageux d'avoir où aller*. Ses livres sont traduits dans une vingtaine de langues.

La nuit d'avant la vague, je me rappelle qu'Hélène et moi avons parlé de nous séparer. Ce n'était pas compliqué : nous n'habitions pas sous le même toit, n'avions pas d'enfant ensemble, nous pouvions même envisager de rester amis ; pourtant c'était triste. Nous gardions en mémoire une autre nuit, juste après notre rencontre, passée tout entière à nous répéter que nous nous étions trouvés, que nous allions vivre le reste de notre vie ensemble, vieillir ensemble, et même que nous aurions une petite fille. Plus tard nous avons eu une petite fille, à l'heure où j'écris nous espérons toujours vieillir ensemble et nous aimons penser que nous avions dès le début tout compris. Mais il s'était écoulé depuis ce début une année compliquée, chaotique, et ce qui nous paraissait certain à l'automne 2003, dans l'émerveillement du coup de foudre amoureux, ce qui nous paraît certain, en tout cas désirable, cinq ans plus tard, ne nous paraissait plus certain du tout, ni désirable, cette nuit de Noël 2004, dans notre bungalow de l'hôtel Eva Lanka. Nous étions certains au contraire que ces vacances étaient les dernières que nous passions ensemble et que malgré notre bonne volonté elles étaient une erreur. Allongés l'un contre l'autre, nous n'osions pas parler de la première fois, de cette promesse à laquelle nous avions tous les deux cru avec tant de ferveur et qui, de toute évidence, ne serait pas tenue. Il n'y avait pas entre nous d'hostilité, nous nous regardions seulement nous éloigner l'un de l'autre avec regret : c'était dommage. Je ressassais mon impuissance à aimer, d'autant plus criante qu'Hélène est vraiment quelqu'un d'aimable. Je pensais que j'allais vieillir seul. Hélène, elle, pensait à autre chose : à sa sœur Juliette qui, juste avant notre départ, avait été hospitalisée pour une embolie pulmonaire. Elle avait peur qu'elle tombe gravement malade, peur qu'elle meure. J'objectais que cette peur n'était pas rationnelle mais elle a bientôt pris toute la place dans l'esprit d'Hélène et je lui en ai voulu de se laisser absorber par quelque chose à quoi je n'avais aucune part. Elle est allée fumer une cigarette sur la terrasse du bungalow. Je l'ai attendue, couché sur le lit, en me disant : si elle revient bientôt, si nous faisons l'amour, peut-être que nous ne nous séparerons pas, peut-être que nous vieillirons ensemble. Mais elle n'est pas revenue, elle est restée seule sur la terrasse à regarder le ciel s'éclaircir peu à peu, à écouter les premiers chants d'oiseaux, et je me suis endormi de mon côté, seul et triste, persuadé que ma vie allait tourner de plus en plus mal.

Nous étions inscrits tous les quatre, Hélène et son fils, moi et le mien, pour une leçon de plongée sous-marine au petit club du village voisin. Mais Jean-Baptiste depuis la leçon précédente avait mal à une oreille et ne voulait pas replonger, nous étions quant à nous fatigués par notre nuit presque blanche et avons décidé d'annuler. Rodrigue, le seul qui avait vraiment envie d'y aller, était déçu. Tu n'as qu'à te baigner dans la piscine, lui disait Hélène. Il en avait assez, de se baigner dans la piscine. Il aurait voulu qu'au moins quelqu'un l'accompagne à la plage, en contrebas de l'hôtel, où il n'avait pas le droit d'aller seul parce qu'il y avait des courants dangereux. Mais personne n'a voulu l'accompagner, ni sa mère, ni moi, ni Jean-Baptiste qui préférait lire dans le bungalow. Jean-Baptiste avait alors treize ans, je lui avais plus ou moins imposé ces vacances exotiques en compagnie d'une femme qu'il connaissait peu et d'un garçon beaucoup plus jeune que lui, depuis le début du séjour il s'ennuyait et nous le faisait sentir en restant dans son coin. Quand, agacé, je lui demandais s'il n'était pas content d'être là, au Sri Lanka, il répondait de mauvaise grâce que si, il était content, mais qu'il faisait trop chaud et que là où il se sentait encore le mieux, c'est dans le bungalow, à lire ou jouer à la Game Boy. C'était un préadolescent typique, en somme, et moi un père typique de préadolescent, me surprenant à lui faire, au mot près, les remarques qui quand j'avais son âge m'exaspéraient tellement dans la bouche de mes propres parents : tu devrais sortir, être curieux, c'est bien la peine de t'emmener si loin... Peine perdue. Il a filé dans sa tanière et Rodrigue, esseulé, commencé à tourner en rond et harceler Hélène, qui essayait de somnoler dans une chaise longue au bord de l'immense piscine d'eau de mer où une Allemande âgée mais incroyablement athlétique qui ressemblait à Leni Riefenstahl nageait chaque matin pendant deux heures. Moi, sans cesser de m'apitoyer sur mon impuissance à aimer, je suis allé traîner du côté des ayurvédiques, comme nous appelions le groupe de Suisses allemands qui occupaient des bungalows un peu à l'écart et suivaient un stage de yoga et de massages indiens traditionnels. Quand ils n'étaient pas en séance plénière avec leur maître, il m'arrivait de faire quelques postures avec eux. Je suis revenu ensuite près de la piscine, on avait desservi les derniers petits déjeuners, commencé à dresser les tables pour le déjeuner, bientôt se poserait la question lancinante de ce qu'on allait faire l'après-midi. Trois jours après notre arrivée, nous avions déjà visité le temple dans la forêt, nourri les petits singes, vu les bouddhas couchés et, à moins de nous lancer dans des excursions culturelles plus ambitieuses qui ne tentaient aucun d'entre nous, épuisé les ressources de l'endroit. Ou alors il aurait fallu être de ces gens qui peuvent traîner des jours durant dans un village de pêcheurs en se passionnant pour tout ce que font les autochtones, le marché, les techniques de réparation des filets, les rituels sociaux en tous genres. Je n'en étais pas et me reprochais de ne pas en être, de ne pas transmettre à mes fils cette curiosité généreuse, cette acuité du regard que j'admire par exemple chez Nicolas Bouvier. J'avais apporté avec moi *Poisson-scorpion*, où cet écrivain-voyageur raconte une année passée à Galle, un gros bourg fortifié situé à une trentaine de kilomètres de l'endroit où nous nous trouvions, sur la côte sud de l'île. Ce n'est pas comme *L'Usage du monde*, son récit le plus célèbre, un livre d'émerveillement et de célébration mais de débâcle, de perte, d'abîme plus que frôlé. Ceylan y est décrite comme un sortilège, dans le sens perfide du mot, pas celui des guides touristiques pour routards cool et jeunes mariés. Bouvier a manqué y laisser sa raison et notre séjour à nous, qu'on l'envisage comme un voyage de noces ou comme un examen de passage pour éventuelle famille recomposée, était raté. Mollement raté d'ailleurs, sans tragique et sans risque. Je commençais à avoir hâte de rentrer. En traversant le hall à claire-voie, envahi par les bougainvilliers, j'ai croisé un client de l'hôtel qui s'énervait parce qu'il n'avait pas pu envoyer un fax : l'électricité était coupée. On lui avait parlé à la réception de quelque chose qui s'était produit au village, un accident à l'origine de la coupure, mais il n'avait pas bien compris de quoi il s'agissait, tout ce qu'il espérait c'est que ça n'allait pas durer longtemps parce que son fax, c'était très important. J'ai rejoint Hélène, qui ne dormait plus et m'a dit qu'il se passait quelque chose de bizarre.

L'image suivante, c'est un petit groupe, clients et personnel de l'hôtel, massés sur une terrasse au bout du parc, dominant l'océan. Au premier regard, étrangement, on ne remarque rien. Tout paraît normal. Puis, c'est comme si on faisait le point. On s'avise que l'eau est très loin. Entre la bordure des vagues et le pied de la falaise, la plage en temps normal est large d'une vingtaine de mètres. Là, elle s'étend à perte de vue, grise, plate, scintillante sous le soleil voilé : on se croirait au Mont-Saint-Michel à marée basse. On s'aperçoit aussi qu'elle est jonchée d'objets dont on ne mesure d'abord pas l'échelle. Ce bout de bois tordu, est-ce une branche arrachée ou un arbre ? Un très grand arbre ? Cette barque démantelée, est-ce que ce ne serait pas plus qu'une barque ? Carrément un bateau, un chalutier, rejeté et brisé comme une coquille de noix ? On n'entend aucun bruit, pas un souffle n'agite les plumets des cocotiers. Je ne me rappelle pas les premières paroles prononcées dans le groupe que nous avons rejoint, mais à un moment quelqu'un a murmuré : *two hundred children died at school, in the village.*

Construit sur la falaise surplombant l'océan, l'hôtel est comme emmitouflé dans la surabondance végétale de son parc. Il faut franchir une grille surveillée par un gardien, puis descendre une rampe bétonnée pour atteindre la route qui longe la côte. Au pied de cette rampe attendent habituellement des touk-touks, ces mobylettes bâchées, équipées d'une banquette sur laquelle on peut tenir à deux, trois en se serrant, et qui servent pour les petits déplacements : jusqu'à dix kilomètres, au-delà on réserve un vrai taxi. Il n'y a pas de touk-touk aujourd'hui. Hélène et moi sommes descendus jusqu'à la route, dans l'espoir de comprendre ce qui se passe. Cela semble grave mais, hormis l'homme qui a parlé des deux cents enfants morts à l'école du village et que quelqu'un a contredit en disant que les enfants ne pouvaient pas être à l'école parce que c'était *Poya*, le Nouvel An bouddhiste, personne à l'hôtel n'a l'air d'en savoir plus que nous. Pas de touk-touk, pas de passants non plus. D'habitude, il y en a tout le temps : des femmes qui portent des paquets et cheminent par groupes de deux ou trois, des collégiens en chemises blanches impeccablement repassées, tout ce monde souriant et liant très volontiers conversation. Tant qu'on longe la colline qui la protège de l'océan, la route est normale. Dès qu'on la dépasse et arrive dans la plaine, on découvre que d'un côté rien n'a bougé, arbres, fleurs, murets, petites échoppes, mais que de l'autre tout est dévasté, englué dans une boue noirâtre comme une coulée de lave. Après quelques minutes de marche en direction du village, vient à notre rencontre un grand type blond, hagard, en short et chemise déchirés, couvert de boue et de sang. Il est hollandais, c'est curieusement la première chose qu'il dit, et la seconde c'est que sa femme est blessée. Des paysans l'ont recueillie, il cherche du secours, il pensait en trouver à notre hôtel. Il parle aussi d'une vague immense qui a déferlé et puis s'est retirée en emportant les maisons et les gens. Il semble choqué, plus stupéfait que soulagé d'être en vie. Hélène propose de l'accompagner jusqu'à l'hôtel : le téléphone sera peut-être rétabli et on peut espérer que parmi les résidents il y aura un médecin. Moi, je veux marcher encore un peu, je dis que je les rejoins bientôt. À l'entrée du village, trois kilomètres plus loin, il règne une atmosphère d'angoisse et de confusion. Des groupes se font et se défont, des voitures bâchées manœuvrent, on entend des cris, des gémissements. Je m'engage dans la rue qui descend vers la plage, mais un policier fait barrage. Je lui demande ce qui s'est passé au juste, il répond : *the sea, the water, big water*. Est-ce vrai qu'il y a des morts ? *Yes, many people dead, very dangerous. You stay in hotel ? Which hotel ? Eva Lanka ? Good, good, Eva Lanka, go back there, it is safe. Here, very dangerous*. Le danger semble passé, j'obéis quand même.

Hélène est furieuse contre moi parce que je suis parti en lui laissant les enfants sur les bras alors qu'elle aurait dû aller la première aux nouvelles : c'est son métier. Pendant mon absence, elle a reçu un appel de LCI, la chaîne d'information pour laquelle elle écrit et présente des journaux. Il fait nuit en Europe, ce qui explique que les autres clients de l'hôtel n'aient pas encore été appelés par leurs familles et leurs amis affolés, mais les journalistes de veille savent déjà qu'il s'est produit en Asie du Sud-Est une énorme catastrophe, tout autre chose qu'une inondation locale comme je l'ai d'abord cru. Sachant Hélène en vacances là-bas, ils espéraient un témoignage à chaud et elle n'avait à peu près rien à leur dire. Qu'est-ce que j'ai à dire, moi ? Qu'est-ce que j'ai vu, à Tangalle ? Pas grand-chose, il me faut bien l'avouer. Hélène hausse les épaules. Je bats en retraite dans notre bungalow. J'étais plutôt excité, à mon retour du village, parce qu'au milieu de ces vacances languissantes survenait quelque chose d'extraordinaire, maintenant je suis contrarié par notre fâcherie et par la conscience de n'avoir pas été à la hauteur de la situation. Mécontent de moi, je replonge le nez dans *Le Poisson-scorpion*. Entre deux descriptions d'insectes, cette phrase m'arrête : « J'aurais voulu, ce matin-là, qu'une main étrangère me ferme les paupières. J'étais seul, je les fermai donc moi-même. »

Jean-Baptiste vient me chercher dans le bungalow, bouleversé. Le couple de Français dont nous avons fait la connaissance deux jours plus tôt vient d'arriver à l'hôtel. Leur fille est morte. Il a besoin de moi pour affronter ça. En marchant avec lui sur le chemin qui conduit au bâtiment principal, je me rappelle notre rencontre, dans un des restaurants en paillote de la plage, là où le policier m'a empêché d'aller. Ils occupaient la table voisine de la nôtre. La trentaine, lui un peu plus, elle un peu moins. Tous deux beaux, gais, amicaux, visiblement très amoureux l'un de l'autre et de leur petite fille de quatre ans. Elle est venue jouer avec Rodrigue, c'est ainsi que nous avons engagé la conversation. Contrairement à nous, ils connaissaient très bien le pays, n'habitaient pas l'hôtel mais une petite maison que le père de la jeune femme louait à l'année sur la plage, à deux cents mètres du restaurant. C'était le genre de gens qu'on est content de rencontrer à l'étranger et nous nous sommes quittés en comptant bien nous revoir. Sans fixer de rendez-vous : on se croiserait forcément, au village, à la plage.

Hélène est au bar avec eux et un homme plus âgé que ses cheveux gris bouclés et son visage d'oiseau font ressembler à l'acteur Pierre Richard. Nous n'avons, l'autre jour, pas échangé nos noms, Hélène fait les présentations. Jérôme. Delphine. Philippe. Philippe est le père de Delphine, celui qui loue la maison sur la plage. Et la petite fille qui est morte s'appelait Juliette. Hélène dit ça d'une voix neutre, Jérôme hoche la tête pour confirmer. Son visage et celui de Delphine restent sans expression. Je demande : vous en êtes sûrs ? Jérôme répond que oui, ils viennent de l'hôpital du village où ils sont allés reconnaître le corps. Delphine regarde devant elle, je ne suis pas certain qu'elle nous voie. Nous sommes assis tous les sept, eux trois, nous quatre, dans ces fauteuils et banquettes en teck, aux coussins de couleurs vives, sur la table basse devant nous il y a des jus de fruits, du thé, un serveur passe pour nous demander ce que nous désirons, Jean-Baptiste et moi, et nous passons machinalement commande, puis le silence retombe. Il dure, jusqu'à ce que Philippe se mette tout à coup à parler. Il ne s'adresse à personne en particulier. Sa voix est aiguë, saccadée, elle donne l'impression d'un mécanisme déréglé. Au cours des heures qui suivent, il fera ce récit plusieurs fois, presque identique.

Ce matin, juste après le petit déjeuner, Jérôme et Delphine sont partis au marché et lui resté à la maison pour garder Juliette et Osandi, la fille du patron de la *guesthouse*. Il lisait le journal local, assis dans son fauteuil en rotin sur la terrasse du bungalow, de temps à autre levait les yeux pour surveiller les deux petites filles qui jouaient au bord de l'eau. Elles sautaient en riant dans les vaguelettes. Juliette parlait français, Osandi sri-lankais, mais elles se comprenaient très bien quand même. Des corneilles se disputaient en coassant les miettes du petit déjeuner. Tout était calme, la journée allait être belle, Philippe a pensé qu'il irait peut-être pêcher avec Jérôme, l'après-midi. À un moment, il a pris conscience que les corneilles avaient disparu, qu'on n'entendait plus de chants d'oiseaux. C'est alors que la vague est arrivée. Un instant plus tôt la mer était étale, un instant plus tard c'était un mur aussi haut qu'un gratte-ciel et qui tombait sur lui. Il a pensé, l'espace d'un éclair, qu'il allait mourir et qu'il n'aurait pas le temps de souffrir. Il a été submergé, emporté et roulé pendant un temps qui lui a paru interminable dans le ventre immense de la vague, puis il a rejailli sur son dos. Il est passé comme un surfeur au-dessus des maisons, au-dessus des arbres, au-dessus de la route. Ensuite la vague est repartie en sens inverse, l'aspirant vers le large. Il a vu qu'il fonçait sur des murs explosés contre lesquels il allait se fracasser et il a eu le réflexe de s'accrocher à un cocotier, qu'il a lâché, puis à un autre qu'il aurait aussi lâché si quelque chose de dur, un bout de palissade, ne l'avait pas coincé et plaqué contre le tronc. Autour de lui filaient à toute allure des meubles, des animaux, des gens, des poutres, des blocs de béton. Il a fermé les yeux en s'attendant à être broyé par un de ces énormes débris et il les a gardés fermés jusqu'à ce que le mugissement monstrueux du courant se calme et qu'il entende autre chose, des cris d'hommes et de femmes blessés, et qu'il comprenne que le monde n'avait pas pris fin, qu'il était vivant, que le cauchemar véritable commençait. Il a ouvert les yeux, il s'est laissé glisser le long du tronc jusqu'à la surface de l'eau qui était complètement noire, opaque. Il y avait encore du courant mais on pouvait lui résister. Le corps d'une femme est passé devant lui, la tête dans l'eau, les bras en croix. Dans les décombres, les survivants commençaient à s'appeler, des blessés gémissaient. Philippe a hésité : est-ce qu'il valait mieux se diriger vers la plage ou vers le village ? Juliette et Osandi étaient mortes, de cela il était certain. Il fallait maintenant retrouver Jérôme et Delphine et le leur dire. C'était cela sa tâche, désormais, dans la vie. Philippe avait de l'eau jusqu'à la poitrine, il était en maillot de bain, barbouillé de sang, mais il ne savait pas au juste où il était blessé. Il aurait préféré rester là sans bouger, attendre que des secours arrivent, pourtant il s'est forcé à se mettre en marche. Le sol, sous ses pieds nus, était irrégulier, mou, instable, tapissé d'un magma de choses coupantes qu'il ne pouvait pas voir et à quoi il avait horriblement peur de se blesser. À chaque pas, il tâtait le terrain, sa progression était lente. À cent mètres de sa maison, il ne reconnaissait rien : plus un mur, plus un arbre. Quelquefois, des visages familiers, ceux de voisins qui pataugeaient comme lui, noirs de boue, rouges de sang, les yeux agrandis par l'horreur, et qui comme lui cherchaient ceux qu'ils aimaient. On n'entendait presque plus le bruit de succion des eaux qui refluaient, et de plus en plus fort les cris, les pleurs, les râles. Philippe a fini par atteindre la route et, un peu plus haut, l'endroit où la vague s'était arrêtée. C'était étrange, cette frontière si nettement marquée : en deçà le chaos, au-delà le monde normal, absolument intact, les petites maisons de brique rose ou vert pâle, les chemins de latérite rouge, les échoppes, les mobylettes, les gens habillés, affairés, vivants, qui commençaient seulement à prendre conscience qu'il s'était passé quelque chose d'énorme et d'effroyable mais ne savaient pas quoi au juste. Les zombies qui, comme Philippe, reprenaient pied sur la terre des vivants ne pouvaient que balbutier le mot « vague », et ce mot se propageait dans le village comme a dû se propager le mot « avion » le 11 septembre 2001 à Manhattan. Des ondes de panique portaient les gens dans les deux sens : vers la mer, pour voir ce qui était arrivé et secourir ceux qui pouvaient être secourus ; loin de la mer, le plus loin possible, pour se mettre à l'abri au cas où ça recommencerait. Dans la bousculade et les cris, Philippe a remonté la rue principale jusqu'au marché, où c'était l'heure de plus grande affluence et, alors qu'il se préparait à les chercher longtemps, il a tout de suite vu Delphine et Jérôme, sous la tour de l'horloge. La rumeur de désastre qui venait tout juste de les atteindre était si confuse que Jérôme, à ce moment, croyait qu'un tireur fou avait ouvert le feu quelque part dans Tangalle. Philippe s'est avancé vers eux, il savait que c'étaient leurs dernières secondes de bonheur. Ils l'ont vu approcher, il est arrivé devant eux, couvert de boue et de sang, le visage décomposé, et à ce point de son récit Philippe s'arrête. Il n'arrive pas à continuer. Sa bouche reste ouverte, mais il n'arrive pas à prononcer de nouveau les trois mots qu'il a dû prononcer à cet instant.

Delphine a hurlé, Jérôme non. Il a pris Delphine dans ses bras, il l'a serrée contre lui aussi fort qu'il pouvait tandis qu'elle hurlait, hurlait, hurlait, et à partir de cet instant il a mis en place le programme : je ne peux plus rien pour ma fille, alors je sauve ma femme. Je n'ai pas assisté à la scène, que je raconte d'après le récit de Philippe, mais j'ai assisté à la suite et j'ai vu ce programme tourner. Jérôme n'a pas perdu de temps à espérer encore. Philippe n'était pas seulement son beau-père mais son ami, il lui faisait une totale confiance et il a tout de suite compris que, quels que soient le choc et l'égarement, si Philippe avait prononcé ces trois mots, c'était vrai. Delphine, elle, voulait croire qu'il se trompait. Il en avait réchappé, lui, peut-être que Juliette aussi. Philippe secouait la tête : ce n'est pas possible, Juliette et Osandi étaient juste au bord de l'eau, il n'y a aucune chance. Aucune. Ils l'ont retrouvée à l'hôpital, parmi les dizaines, déjà les centaines de cadavres que l'océan avait rendus et que faute de place on allongeait à même le sol. Osandi et son père étaient là aussi.

L'hôtel, au fil de l'après-midi, se transforme en radeau de la Méduse. Les touristes sinistrés arrivent presque nus, souvent blessés, choqués, on leur a dit qu'ici ils seraient en lieu sûr. Une rumeur circule, selon laquelle il risque d'y avoir une seconde vague. Les gens du pays se réfugient de l'autre côté de la route côtière, aussi loin de l'eau que possible, et les étrangers en hauteur, c'est-à-dire chez nous. Les lignes téléphoniques sont coupées mais en fin de journée les portables des clients de l'hôtel se mettent à sonner : parents, amis qui viennent d'apprendre les nouvelles et appellent, rongés d'inquiétude. On les rassure aussi brièvement qu'on peut, afin de ménager les batteries. Le soir, la direction de l'hôtel met en marche pour quelques heures un groupe électrogène qui permet de les recharger et de suivre les informations à la télévision. Il y a au fond du bar un écran géant qui sert habituellement à regarder les matches de foot car les propriétaires sont italiens ainsi qu'une grande partie de la clientèle. Tout le monde, résidents, personnel, rescapés, se rassemble devant CNN et découvre en même temps l'ampleur de la catastrophe. Les images viennent de Sumatra, de Thaïlande, des Maldives, toute l'Asie du

Sud-Est et l'océan Indien sont touchés. Commencent à défiler en boucle les petits films d'amateurs où on voit de loin la vague approcher, les torrents de boue s'engouffrer dans les maisons, emportant tout. On parle désormais de tsunami comme si on connaissait ce mot depuis toujours.

Nous dînons avec Delphine, Jérôme et Philippe, nous les retrouverons le lendemain au petit déjeuner, puis au déjeuner, puis au dîner encore, jusqu'au retour à Paris nous ne nous quitterons pas. Ils ne se conduisent pas comme des gens anéantis à qui tout est égal et qui ne bougent plus. Ils veulent repartir avec le corps de Juliette et, dès le premier soir, le vertige terrifiant de son absence est tenu en respect par les questions pratiques. Jérôme s'y lance à corps perdu, c'est sa façon de rester en vie, de maintenir Delphine en vie, et Hélène l'y assiste en cherchant à joindre leur compagnie d'assurances pour organiser leur rapatriement et celui du corps. C'est compliqué, évidemment, nos portables marchent mal, il y a la distance, le décalage horaire, tous les standards sont saturés, on la met en attente, il faut pendant de précieuses minutes durant lesquelles les batteries se déchargent écouter des plages de musique apaisante, des voix enregistrées, et quand enfin Hélène tombe sur un être humain il la transfère sur un autre poste, la musique recommence ou bien la communication est coupée. Ces contrariétés ordinaires et qui dans la vie ordinaire sont simplement agaçantes deviennent dans ces circonstances extraordinaires à la fois monstrueuses et secourables parce qu'elles jalonnent une tâche à accomplir, donnent une forme à l'écoulement du temps. Il y a quelque chose à faire, Jérôme le fait, Hélène l'y aide, c'est aussi simple que cela. En même temps, Jérôme regarde Delphine. Delphine regarde dans le vide. Elle ne pleure pas, ne crie pas. Elle mange très peu, un peu quand même. Sa main tremble mais elle est capable de monter vers sa bouche une fourchette chargée de riz au curry. De l'enfourner. De la mastiquer. De redescendre la main et la fourchette. De recommencer le geste. Moi, je regarde Hélène et je me sens empoté, impuissant, inutile. Je lui en veux presque d'être si engagée dans l'action et de ne plus se soucier de moi : c'est comme si je n'existais plus.

Plus tard, nous sommes allongés sur le lit, l'un à côté de l'autre. Du bout des doigts, j'effleure le bout des siens, qui ne me répondent pas. Je voudrais la serrer dans mes bras mais je sais que ce n'est pas possible. Je sais à quoi elle pense, il est impossible de penser à autre chose. À quelques dizaines de mètres de nous, dans un autre bungalow, Jérôme et Delphine doivent être allongés aussi, les yeux ouverts. Est-ce qu'il la serre dans ses bras ou est-ce que ce n'est pas possible pour eux non plus ? C'est la première nuit. La nuit qui suit le jour où leur fille est morte. Ce matin elle était vivante, elle s'est réveillée, elle est venue jouer dans leur lit, elle les appelait papa et maman, elle riait, elle était chaude, elle était ce qui existe de plus beau et de plus chaud et de plus doux sur terre, et maintenant elle est morte. Elle sera toujours morte.

Depuis le début du séjour, je disais que je n'aimais pas l'hôtel Eva Lanka, je proposais que nous déménagions dans une des petites *guest-houses* de la plage, beaucoup moins confortables mais qui me rappelaient mes voyages de routard il y a vingt-cinq, trente ans. Je n'étais pas vraiment sérieux : dans ma description de ces endroits merveilleux, j'insistais à plaisir sur l'absence d'électricité, les moustiquaires trouées, les araignées venimeuses qui vous tombent sur la tête ; Hélène et les enfants poussaient les hauts cris, se moquaient de mes nostalgies de vieux baba, c'était devenu un sketch rituel. Les *guest-houses* de la plage ont été emportées par la vague, et avec elles la plupart de leurs habitants. Je pense : nous aurions pu être parmi eux. Jean-Baptiste et Rodrigue auraient pu descendre sur la plage en contrebas de l'hôtel. Nous aurions pu, c'était prévu, sortir en mer avec le club de plongée sous-marine. Et Delphine et Jérôme doivent penser, de leur côté : nous aurions pu emmener Juliette avec nous au marché. Si nous l'avions fait, elle viendrait ce matin encore nous rejoindre dans notre lit. Le monde serait endeuillé autour de nous mais nous serrerions notre petite fille dans nos bras et nous dirions : Dieu merci, elle est là, c'est tout ce qui compte.

Le matin du deuxième jour, Jérôme dit : je vais voir Juliette. Comme s'il voulait s'assurer qu'on prend bien soin d'elle. Vas-y, dit Delphine. Il part avec Philippe. Hélène prête un maillot à Delphine qui nage longtemps, lentement, la tête bien droite, le regard vide. Autour de la piscine, il y a maintenant trois ou quatre familles de touristes sinistrés, mais ils n'ont perdu que leurs affaires et n'osent pas trop se plaindre devant Delphine des épreuves qu'ils ont endurées. Les Suisses allemands vaquent à leur stage ayurvédique aussi paisiblement que s'ils n'avaient rien remarqué de ce qui se passe autour d'eux. Vers midi, Philippe et Jérôme rentrent, hagards : Juliette n'est plus à l'hôpital de Tangalle, on l'a transférée ailleurs, à Matara selon les uns, à Colombo selon les autres. Il y a trop de cadavres, on en brûle certains, on en évacue d'autres, des rumeurs d'épidémie commencent à circuler. Tout ce qu'on a pu faire pour Jérôme, c'est lui donner un bout de papier sur lequel sont griffonnés quelques mots qu'un employé de l'hôtel lui traduit avec un embarras navré. C'est une sorte de reçu, qui dit seulement : «petite fille blanche, blonde, avec une robe rouge».

Hélène et moi allons à notre tour à Tangalle. Le chauffeur du touk-touk est volubile, *many people dead*, mais sa femme et ses enfants, Dieu merci, sont indemnes. Quand nous approchons de l'hôpital, l'odeur nous assaille. Même si on ne l'a jamais respirée, on la reconnaît. *Dead bodies, many dead bodies*, dit le chauffeur en plaçant un mouchoir devant son nez, et il nous invite à faire comme lui. Dans la cour, des hommes dont quelques-uns seulement sont en blouse d'infirmiers, les autres, en tenue de ville, doivent être des bénévoles, transportent sur des brancards des cadavres qu'ils enfournent à l'arrière d'un camion bâché, les uns sur les autres. Ceux-là partent, d'autres vont arriver. On entre, au rez-de-chaussée, dans une grande salle qui ressemble moins à un hall d'hôpital qu'à un marché de poissons. Le sol en ciment est humide, glissant, on l'inonde régulièrement pour préserver un semblant de fraîcheur. Les corps sont alignés en rangées, j'en compte une quarantaine. Ils sont là depuis hier, beaucoup sont gonflés par le séjour dans l'eau. Pas d'Occidentaux, peut-être ont-ils été comme Juliette évacués en priorité. Les peaux sont moins sombres que grises. Je n'ai encore jamais vu de mort, il me semble étrange, à quarante-sept ans, d'avoir été à ce point préservé. Un bout de tissu pressé contre le nez, nous visitons d'autres salles, montons à l'étage. Il n'y a aucun contrôle, on distingue mal les visiteurs du personnel de l'hôpital, aucune porte n'est fermée, partout gisent des cadavres, grisâtres et ballonnés. Je pense à la rumeur d'épidémie, au Hollandais qui, à l'hôtel, disait avec autorité que si on ne brûlait pas immédiatement tous ces cadavres une catastrophe sanitaire était inévitable : ils empoisonneraient l'eau des puits, les rats porteraient le choléra dans les villages. J'ai peur de respirer par la bouche, mais par le nez aussi, comme si l'odeur atroce était contaminante. Je me demande ce que nous sommes venus faire ici. Voir. Juste voir. Hélène est la seule journaliste sur place, elle a déjà dicté un article hier soir, un autre ce matin, emporté avec elle son appareil photo, mais elle n'a pas le cœur de le sortir. Elle aborde un médecin visiblement épuisé, lui pose des questions en anglais. Il répond, mais nous ne le comprenons pas bien. Quand nous nous retrouvons dehors, le camion rempli de cadavres est parti. Derrière la grille, au bord de la route, il y a un terre-plein d'herbe sèche et coupante, ombragé par un banian immense, et au pied de ce banian une dizaine de personnes. Des Blancs, les vêtements déchirés, couverts de petites blessures qu'ils n'ont pas pris le temps de panser. Nous nous approchons, ils font cercle autour de nous. Tous, ils ont perdu quelqu'un, femme, mari, enfant, ami, mais, contrairement à Delphine et Jérôme, ils ne l'ont pas vu mort et veulent encore espérer. La première qui nous raconte son histoire s'appelle Ruth. Écossaise, rousse, environ vingt-cinq ans. Elle habitait un bungalow sur la plage avec Tom, ils venaient de se marier, c'était leur voyage de noces. Ils étaient à dix mètres l'un de l'autre quand la vague est arrivée. Ruth a été emportée, elle a eu la vie sauve de la même façon que Philippe et depuis elle cherche Tom. Elle l'a cherché partout : sur la plage, parmi les débris, dans le village, au poste de police, puis, quand elle a compris que tous les corps arrivaient à l'hôpital, elle n'en a plus bougé. Elle a visité plusieurs fois l'intérieur, surveillé le déchargement des camions qui apportent de nouveaux cadavres et le chargement de ceux qui les emportent vers les bûchers, elle n'a pas dormi, pas mangé, les gens de l'hôpital lui ont dit d'aller se reposer, promis de la prévenir s'il y avait des nouvelles mais elle ne veut pas partir, elle veut rester ici avec les autres et les autres y restent pour la même raison qu'elle. Ils devinent que les nouvelles ne peuvent plus être que mauvaises. Mais ils veulent être présents quand le corps de celui ou de celle qu'ils aiment sera déchargé du camion. Comme elle est là depuis hier soir, Ruth est très au courant de ce qui se passe : elle confirme que les cadavres de Blancs, s'ils transitent par l'hôpital, sont rapidement transférés à Matara où il y a plus de place et, paraît-il, une chambre froide. Ceux des gens du village, on attend que leurs familles les réclament mais beaucoup de familles, surtout parmi les pêcheurs qui avaient leur maison tout près de l'eau, ont été entièrement détruites et il n'y a plus personne pour venir les chercher, alors on les envoie au bûcher. Tout cela se fait de façon chaotique, bricolée. Comme l'électricité, le téléphone et la route sont coupés, aucune aide ne peut venir de l'extérieur, et cela voudrait dire quoi, l'extérieur, quand toute l'île est touchée ? Personne n'y a échappé, chacun s'occupe de ses morts. Ruth dit cela, elle voit bien pourtant qu'Hélène et moi y avons échappé. Nous sommes indemnes, nous sommes ensemble, nos vêtements sont propres, nous ne cherchons personne en particulier. Après la visite en enfer, nous retournerons à notre hôtel où on nous servira le déjeuner. Nous nous baignerons dans la piscine, nous embrasserons nos enfants en pensant qu'il s'en est fallu de très peu. La mauvaise conscience ne fait rien avancer, je le sais, plutôt perdre du temps et de l'énergie, cela ne m'empêche pas d'en être torturé et d'avoir hâte que ce soit fini. Hélène, en revanche, ne se soucie pas de ses états d'âme. Elle consacre toutes ses forces à faire ce qu'elle peut faire, peu importe que ce soit dérisoire, il faut le faire quand même. Elle est attentive, précise, elle pose des questions, pense à tout ce qui peut être utile. Elle a pris avec elle tout notre argent liquide et le distribue à Ruth et à ses compagnons. Elle note le nom de chacun, puis le nom et le signalement sommaire des disparus : elle va tâcher demain d'aller à Matara, là-bas elle les cherchera. Elle note les numéros de téléphone des familles, en Europe ou en Amérique, pour les appeler et leur dire : j'ai vu Ruth, elle est vivante, j'ai vu Peter, il est vivant. Elle propose de ramener qui veut à l'hôtel, il suffit qu'il en reste un ou deux pour assurer le quart, les autres pourront manger, se laver, être soignés, dormir un peu, téléphoner, ensuite ils reviendront prendre le relais. Mais personne n'accepte de partir avec nous.

De ces Blancs qui veillaient sous le banian, devant l'hôpital, je me rappelle surtout Ruth, parce que c'est avec elle que nous avons le plus parlé et parce que nous l'avons revue ensuite, mais aussi une Anglaise entre deux âges, corpulente, aux cheveux courts, qui avait perdu son amie — elle disait : *my girlfriend*, et j'imagine ce couple de lesbiennes vieillissantes, habitant une petite ville anglaise, engagées dans la vie associative, leur maison arrangée avec amour, leurs voyages chaque année dans des pays lointains, leurs albums de photos, tout cela brisé. Le retour de la survivante, la maison vide. Les mugs au nom de chacune, et l'un des deux ne servira jamais plus, et la grosse femme assise à la table de la cuisine prend sa tête dans ses mains et pleure et se dit qu'à présent elle est seule et qu'elle restera seule jusqu'à sa mort. Dans les mois qui ont suivi notre retour à nous, Hélène a été obsédée par l'idée de reprendre contact avec les membres de ce groupe, de savoir ce qu'ils étaient devenus, si à quelques-uns d'entre eux le miracle avait été accordé. Mais elle a eu beau chercher dans nos bagages le papier sur lequel elle avait tout noté, elle n'a jamais pu le retrouver et il faut nous résoudre à ne plus rien savoir de ces gens. L'image que je garde aujourd'hui de la demi-heure passée avec eux est une image de film d'épouvante. Il y a nous, propres et nets, épargnés, et autour de nous le cercle des lépreux, des irradiés, des naufragés revenus à l'état sauvage. La veille encore ils étaient comme nous, nous étions comme eux, mais il leur est arrivé quelque chose qui ne nous est pas arrivé à nous et nous faisons maintenant partie de deux humanités séparées.

Le soir, Philippe raconte son histoire d'amour avec Ceylan, où il est allé pour la première fois il y a plus de vingt ans. Informaticien en banlieue parisienne, rêvant de pays lointains, il avait un collègue sri-lankais qui est devenu son ami et les a invités chez lui : Philippe, sa femme d'alors et Delphine qui était encore une petite fille. C'était leur premier grand voyage en famille et ils ont tout aimé : le grouillement des villes, la fraîcheur des montagnes, la langueur des villages au bord de l'océan, les rizières en terrasses, le cri des geckos, les toits de tuiles cannelées, les temples dans les forêts, l'éclat des aubes et des sourires, manger avec les doigts les plats de riz au curry. Philippe a pensé : c'est ici la vraie vie, c'est ici que j'aimerais vivre un jour. Ce jour n'était pas encore venu : le collègue sri-lankais est parti en Australie, on s'est un peu écrit, puis perdus de vue, le contact avec l'île magicienne était rompu. Philippe en avait assez d'être un cadre banlieusard, il se passionnait pour le vin, à cette époque un informaticien trouvait facilement un travail bien payé où il voulait, alors il est parti s'installer près de Saint-Émilion. Il s'y est vite constitué une clientèle : gros viticulteurs, centrales d'achat dont il modernisait et surveillait les systèmes de gestion. Sa femme a ouvert une boutique qui, contre toute attente dans une région réputée peu accueillante aux nouveaux venus, a prospéré. Ils vivaient désormais à la campagne, dans une jolie maison au milieu des vignes, ils gagnaient bien leur vie en faisant quelque chose qui leur plaisait, c'était une reconversion réussie. Plus tard, il a rencontré Isabelle, divorcé sans drame. Delphine a grandi, ravissante et sage. Elle n'avait pas quinze ans quand elle a vu Jérôme pour la première fois et décidé qu'il serait l'homme de sa vie. Lui en avait vingt et un, c'était un beau garçon solide, héritier d'une lignée de riches négociants en vins. On ne plaisante pas, dans ce milieu, avec les différences de fortune mais quand, les années passant, la rêverie d'adolescente s'est transformée en engagement sérieux et partagé, Jérôme a su résister à la pression des siens, montré la fermeté tranquille de son caractère : il aimait Delphine, il avait choisi Delphine, personne ne l'en détournerait. Philippe idolâtrait sa fille, il y avait tout lieu de craindre qu'aucun prétendant ne trouve grâce à ses yeux, mais il s'est produit un autre coup de foudre, amical celui-ci, entre gendre et beau-père. Malgré leurs vingt ans de différence, ils se sont découvert les mêmes goûts : les grands bordeaux et les Rolling Stones, Pierre Desproges et la pêche à la ligne, Delphine pour couronner le tout, et leurs relations ont bientôt été celles de deux très vieux copains. Les jeunes mariés ont trouvé une maison dans un village à une dizaine de kilomètres de celui où habitent Isabelle et Philippe. Les deux couples sont devenus inséparables. On dînait tous les quatre chez les uns ou chez les autres, Philippe et Jérôme sortaient chacun à son tour une bouteille qu'on dégustait en aveugle, on passait le repas à parler robe, nez, jambe, au dessert on allumait un joint d'herbe du jardin, on mettait *Angie* ou *Satisfaction*, on s'aimait, on était heureux. Philippe, sous la treille, reparlait du Sri Lanka. Cela faisait huit ans déjà, il en avait gardé la nostalgie et Delphine aussi. Un soir d'automne, juste après les vendanges, on dînait dehors, on avait bu un château-magdelaine 1967, l'année de naissance de Jérôme, et on parlait d'y aller en vacances tous les quatre quand Isabelle a lancé l'idée : et pourquoi, avant, les deux garçons n'iraient pas faire un petit repérage ?

C'est un souvenir enchanté, pour les deux garçons, ces cinq semaines de petit repérage srilankais. Sac au dos, *Guide du routard* en poche, ils se sont baladés au hasard des trains, des bus, des touk-touks, des fêtes de village, des rencontres, de l'inspiration du moment. Philippe était fier de montrer son île à son gendre, et un peu vexé puis, finalement, fier aussi que son gendre au bout de quelques jours s'y débrouille encore mieux que lui. Avec sa carrure, son humeur égale, son ironie sans méchanceté, j'imagine Jérôme comme un compagnon de voyage idéal : laissant venir, pas pressé, pas pris au dépourvu, accueillant les contretemps comme des occasions, les inconnus comme des amis possibles. Plus petit, plus nerveux, plus volubile, Philippe vibrionnait autour de cette force tranquille comme son quasi-sosie Pierre Richard autour de Gérard Depardieu dans *Les Compères* ou *La Chèvre*. Cela devait les amuser beaucoup, dans les conversations de voyageurs, sur les vérandas des *guesthouses*, d'étonner en disant qu'ils étaient gendre et beau-père.

Ils sont descendus vers le sud. Cette route côtière, de Colombo à Tangalle, que nous avons mis une demi-journée à couvrir en taxi, ils en ont égrené les étapes à la paresseuse, et plus elle serpentait et s'alanguissait en s'éloignant de la capitale, plus la vie semblait s'étirer entre ressac et cocotiers, édénique, intemporelle. La dernière vraie ville sur cette côte, c'est Galle, la forteresse portugaise où Nicolas Bouvier avait échoué seul quarante ans plus tôt et vécu dans la société de termites et de fantômes une longue saison en enfer. Ni Philippe ni Jérôme n'avaient la moindre affinité avec l'enfer, ils ont passé leur chemin en sifflotant. Après Galle, il n'y a plus que quelques bourgades de pêcheurs, Welligama, Matara, Tangalle et, à la sortie de Tangalle, le faubourg de Medaketiya. Une poignée de maisons en briques vertes ou roses, mordues par les embruns, une jungle de cocotiers, de bananiers, de manguiers, dont les fruits tombent directement dans votre assiette. Sur la plage de sable blanc, des pirogues à balancier aux couleurs vives, des filets, des cabanes. Pas d'hôtel, mais quelques-unes de ces cabanes font office de *guesthouse* et le type qui les tient s'appelle M.H. Enfin, il porte un de ces noms sri-lankais d'au moins douze syllabes sans quoi un homme n'a pas de consistance sur terre et pour faciliter la vie aux étrangers il se fait appeler M.H., qu'on prononce à l'anglaise : *aimétche*. Medaketiya et la *guesthouse* de M.H., c'était le rêve de tous les routards du monde. *La* plage. Le bout de la route, l'endroit où on se pose enfin. Des habitants souriants, pas compliqués, pas arnaqueurs. Peu de touristes, et des touristes comme soi : individualistes, tranquilles, gardant jalousement le secret. Philippe et Jérôme sont restés là trois jours à se baigner, manger le soir le poisson qu'ils avaient pêché le matin, boire des bières et fumer des joints en se félicitant mutuellement de la réussite du repérage : le paradis sur terre existait, ils l'avaient trouvé, il ne restait qu'à faire venir leurs femmes. Quand, en partant, ils ont annoncé à M.H. qu'ils reviendraient bientôt, l'autre a dit poliment l'équivalent sri-lankais *d'Inch'Allah* mais ils sont revenus tous les quatre l'année suivante, et l'année d'après, et celles d'après encore. Leur vie s'est peu à peu organisée entre Saint-Émilion et Medaketiya. Celle de Philippe, surtout : les autres avaient plus de contraintes et venaient seulement pour les vacances, mais lui passait là-bas trois ou quatre mois par an. Toujours chez M.H., qui est peu à peu devenu leur ami et qui une fois, même, leur a rendu visite en Gironde — ce voyage n'a pas été un grand succès, M.H. loin de ses bases n'était pas à son aise, il ne s'est pas converti aux grands crus bordelais, tant pis. De la *guesthouse*, Philippe a transféré ses quartiers dans un autre bungalow que M.H. lui louait à l'année, Isabelle et lui l'ont aménagé à leur guise, c'est vraiment devenu chez eux. Ils avaient une maison à Medaketiya, des amis à Medaketiya. Tout le monde les connaissait là-bas et les aimait. Juliette est née, on l'a emmenée, bébé, à Medaketiya. M.H. avait eu sur le tard, en plus de ses grands fils, une petite fille appelée Osandi, et Osandi qui avait trois ans de plus que Juliette a appris très tôt à s'occuper d'elle : c'était sa sœur.

Ce que Philippe aimait le mieux, c'est partir un mois avant les autres et passer ce mois seul à Medaketiya en sachant qu'ils allaient bientôt le rejoindre. Il jouissait à la fois de la solitude et du bonheur d'avoir une famille : une femme avec qui il formait un bon attelage, une fille merveilleuse, tellement merveilleuse qu'elle avait trouvé le moyen en se trouvant un mari de lui trouver à lui un ami, son meilleur ami tout simplement, et une petite-fille qui ressemblait à sa mère à son âge, c'est dire. Vraiment, cette vie était une bonne vie. Il avait su prendre des risques quand il fallait — s'installer à Saint-Émilion, changer de métier, divorcer —, mais il n'avait pas poursuivi de chimères, pas tellement fait souffrir autour de lui, il ne cherchait plus à conquérir quoi que ce soit, juste à savourer ce qu'il avait conquis : le bonheur. Une chose encore qu'il partageait avec Jérôme, qui est rare chez un garçon de son âge : ce regard légèrement narquois, sans malveillance, sur les gens qui s'agitent et se stressent et intriguent, qui ont soif de pouvoir et d'ascendant sur leur prochain. Les ambitieux, les petits chefs, les jamais satisfaits. Jérôme et lui étaient plutôt de ceux qui font bien leur travail mais une fois ce travail fini, l'argent rentré, en profitent tranquillement au lieu de se charger d'un surcroît de travail pour gagner un surcroît d'argent. Ils avaient ce qu'il faut pour être satisfaits de leur sort, tout le monde n'a pas cette chance, mais ils avaient aussi et surtout la sagesse de s'en satisfaire, d'aimer ce qu'ils avaient, de ne pas désirer plus. Le don de se laisser vivre sans mauvaise conscience et sans hâte, de poursuivre à l'ombre du banian une conversation paresseuse et goguenarde, en buvant une bière à petites gorgées. Il faut cultiver notre jardin. *Carpe diem.* Pour vivre heureux, vivons cachés. Ce n'est pas ainsi que Philippe le formule, mais c'est ainsi que je l'entends et je me sens tandis qu'il parle bien éloigné de cette sagesse, moi qui vis dans l'insatisfaction, la tension perpétuelle, qui cours après des rêves de gloire et saccage mes amours parce que je me figure toujours qu'ailleurs, un jour, plus tard, je trouverai mieux.

Philippe pensait : j'ai trouvé l'endroit où je veux vivre, j'ai trouvé l'endroit où je veux mourir. J'y ai amené ma famille et j'y ai trouvé une seconde famille, celle de M.H. Quand je ferme les yeux dans le fauteuil de rotin, quand je sens sous mes pieds nus le bois de la terrasse devant le bungalow, quand j'entends crisser sur le sable le balai en fibre de coco que M.H. passe chaque matin dans son enclos, ce son si familier, si apaisant, me dit : tu es chez toi. Tu es à la maison. Son ménage terminé, M.H. va venir me rejoindre, calme et majestueux dans son sarong carmin. Nous fumerons ensemble une cigarette. Nous échangerons quelques mots sans importance, comme de très vieux amis qui n'ont pas besoin de parler pour s'entendre. Je crois que je suis vraiment devenu sri-lankais, a dit un jour Philippe, et il se rappelle le regard amical mais un peu ironique que lui a jeté M.H. : que tu crois... Ça l'a un peu vexé mais lui a aussi servi de leçon. Il était devenu un ami, oui, mais il restait un étranger. Sa vie, quoi qu'il en pense, n'était pas là.

Philippe pourrait penser aujourd'hui : ma petite-fille est morte à Medaketiya, notre bonheur y a été en quelques instants détruit, je ne veux plus entendre parler de Medaketiya. Mais il ne pense pas cela. Il pense qu'il va enfin prouver à M.H. mort que sa vie était bien là, parmi eux, qu'il est l'un d'eux, qu'après avoir partagé la douceur des jours avec eux il ne va pas se détourner de leur malheur, reprendre ses billes et dire salut, on se reverra peut-être un jour. Il pense à ce qui reste de la famille de M.H., à leurs maisons détruites, aux maisons de leurs voisins pêcheurs, et il dit : je veux rester à leurs côtés. Les aider à reconstruire, à recommencer à vivre. Il veut se rendre utile, que faire d'autre de lui-même ?

On ne sait pas quand on va pouvoir partir. On ne sait pas où a été transporté le corps de Juliette : peut-être à l'hôpital de Matara, peut-être à Colombo. Jérôme, Delphine et Philippe ne repartiront pas sans elle et nous ne repartirons pas, nous, sans eux. Matara est trop loin pour y aller en touk-touk, mais le patron de l'hôtel annonce au petit déjeuner qu'un camion de la police part dans cette direction et qu'il s'est arrangé pour qu'ils prennent Jérôme avec eux. Hélène propose tout de suite de l'accompagner et, tout de suite, il accepte. Je pense que j'aurais dû le proposer, moi, que c'était une affaire d'hommes et je les regarde partir avec une pointe de jalousie qui me fait honte. Je me sens comme un enfant que les adultes laissent à la maison pour s'occuper de choses sérieuses. Comme Jean-Baptiste et Rodrigue, qui depuis quarante-huit heures sont livrés à eux-mêmes. Nous nous occupons de Philippe, Delphine et Jérôme, et à peine d'eux. Ils passent leurs journées enfermés dans leur bungalow à relire de vieilles bandes dessinées, nous retrouvent aux repas où ils restent silencieux, boudeurs, pas à leur place, et je m'avise qu'il doit être difficile de vivre ainsi un événement aussi énorme : traités en petits enfants, trop protégés, sans avoir le droit d'y prendre part. Je me dis que ne rien voir est peut-être plus traumatisant que de voir des cadavres et que Jean-Baptiste au moins est assez grand pour aller au village avec moi. Tout à son projet de secours, Philippe veut se rendre compte par lui-même de la situation. J'hésite un peu à confier Rodrigue à la garde de Delphine mais elle dit que ça ne lui pose pas de problème, au contraire, et nous partons.

Le touk-touk passe au large de l'hôpital, pas assez au large pour que l'odeur de mort nous soit épargnée. De loin, j'aperçois le groupe de touristes naufragés qui tournent lentement en rond sous le banian, et cette fois encore j'ai l'impression d'être un survivant dans un film de zombies, dépassant en voiture un groupe de morts-vivants désœuvrés, bras ballants, qui nous suivent de leurs yeux vides. En longeant la grande rue curieusement calme, nous atteignons la place du marché où Philippe a retrouvé Jérôme et Delphine pour leur annoncer la mort de Juliette, puis nous descendons sur la plage de Medaketiya : un champ de boue noire, puante, d'où émergent des débris de bateaux, de maisons, de palissades, des troncs d'arbres arrachés, par endroits un pan de mur encore dressé. Dans ces ruines, des gens s'activent, fouillent, récupèrent des objets hétéroclites : une cuvette, un filet de pêche, une assiette ébréchée, tout ce qui leur reste. Au passage de Philippe chacun le reconnaît, va vers lui, et c'est avec chacun pratiquement la même scène. On s'étreint, on pleure ensemble, dans un anglais de cuisine on échange des nouvelles : essentiellement les noms des morts. Philippe n'apprend rien à personne, on sait déjà pour Juliette, pour Osandi, pour M.H. Mais lui ne sait pas encore pour les voisins et à chaque mort qu'on lui annonce il pousse, comme ses interlocuteurs, une sorte de gémissement. Il ne se vantait pas en disant qu'il connaissait tout le monde, que tout le monde l'avait adopté. Ces pêcheurs sri-lankais, il les pleure comme ses propres parents. À chacun des survivants il entreprend d'expliquer qu'il va devoir partir, là, tout de suite, avec Delphine et Jérôme, mais qu'il va revenir bientôt pour les aider, qu'il va trouver de l'argent, qu'il restera longtemps. Cela semble très important pour lui de le leur dire, et important pour eux de l'entendre, en tout cas on l'embrasse de plus belle. Nous progressons de décombre en décombre, de survivant en survivant, d'embrassade en embrassade, jusqu'au petit enclos de M.H. Il ne reste plus rien de la *guesthouse* et, du bungalow que louait Philippe, seulement quelques lattes de plancher, un bac de douche, un mur orné d'une fresque représentant des cocotiers, des poissons, des filets, en couleurs vives et gaies. C'est Delphine qui l'a peinte l'an dernier, avec Juliette. Elles ont fait ça très soigneusement toutes les deux, Juliette avait trois ans, elle était fière d'aider sa mère. Philippe s'est assis devant la fresque, dans les décombres. Jean-Baptiste et moi nous écartons un peu. Nous le regardons, de loin. Est-ce que tu ferais comme lui, à sa place ? me demande tout à trac Jean-Baptiste. Est-ce que je ferais quoi ? Si ta petite-fille de quatre ans était morte, ou si Gabriel et moi, tes fils, on était morts, est-ce que tu t'occuperais des pêcheurs de Medaketiya ? J'hésite. Je ne sais pas. Moi, reprend Jean-Baptiste, je crois que je m'en foutrais pas mal, des pêcheurs de Medaketiya. Après réflexion, je dis que ne pas s'en foutre, c'est soit la preuve d'une générosité extraordinaire soit une stratégie de survie et que je préfère y voir une stratégie de survie. Cela me paraît plus humain. À un certain moment, c'est ne penser qu'à soi qui est le plus humain. Se soucier de l'humanité en général quand son enfant est mort, je n'y crois pas, mais je ne crois pas que Philippe et Jérôme se soucient de l'humanité en général, je crois qu'ils se soucient de survivre à la mort de Juliette. Et de sauver Delphine, surtout.

De retour à l'hôtel, j'essaie de joindre Hélène sur son portable mais elle ne répond pas. Jérôme et elle ne sont toujours pas là à l'heure du déjeuner, nous attendons un peu, puis déjeunons sans eux. Les Italiens qui tiennent l'hôtel se conduisent depuis deux jours de façon irréprochable : ils logent tout le monde, nourrissent tout le monde, témoignent les mêmes égards aux réfugiés sans le sou qu'aux hôtes payants et si, faute d'approvisionnement, les repas deviennent de plus en plus sommaires, le service garde la nonchalance cérémonieuse qui le caractérisait avant la catastrophe. Je suis nerveux, mal à l'aise, je regarde ma montre. Je ne l'avouerais pour rien au monde mais la vérité, c'est que la situation pour moi se résume ainsi : ma femme est partie vivre une expérience extrême avec un autre homme. Moi qui deux jours plus tôt la trouvais morne et sans élan, je la vois à présent comme une héroïne de roman ou de film d'aventures, la belle et courageuse journaliste qui dans le feu de l'action donne le meilleur d'elle-même. Dans ce roman ou ce film-là, ce n'est pas moi le héros, je m'identifie plutôt, hélas, au mari diplomate, ironique, pondéré, parfait dans les cocktails et les garden-parties de l'ambassade mais qui, quand l'ambassade est encerclée par les Khmers rouges, ne fait plus le poids, atermoie, attend que d'autres prennent les décisions pour lui, et c'est avec un autre que sa femme monte en première ligne, brave les dangers, regarde la mort en face. Pour tromper l'attente, de plus en plus anxieuse, j'essaie de lire *Le Poisson-scorpion*. Je tombe sur un chapitre où Matara est évoqué comme un village de sorciers particulièrement redoutables, et sur cette phrase : « Si l'on savait à quoi l'on s'expose, on n'oserait jamais être heureux. » Je n'ai jamais osé l'être, cela ne me concerne pas. Je fais une partie d'échecs avec Jean-Baptiste, je dessine avec Rodrigue des personnages plus ou moins monstrueux, sur des feuilles qu'on plie de façon à ce que l'un ne voie pas ce qu'a dessiné l'autre. Ce jeu que je lui ai appris, inspiré des surréalistes, s'appelle le cadavre exquis et quand Rodrigue répète l'expression je lui fais baisser la voix, gêné. Il comprend aussitôt pourquoi, jette un coup d'œil inquiet vers Delphine. Plus tard, je parle avec elle. Elle me décrit leur vie à Saint-Émilion. Elle a toujours aimé la nature, jamais imaginé de vivre ailleurs qu'à la campagne. Jamais cherché non plus à s'affirmer ou être indépendante en travaillant : c'était une jeune mère au foyer absolument décomplexée, qui donnait un tour naturel et même moderne à la distribution des tâches la plus traditionnelle. Jérôme travaillait, elle s'occupait de Juliette, de la maison, du jardin, des animaux. Juliette adorait les animaux, les lapins surtout, qu'elle ne laissait à personne le soin de nourrir. Jérôme rentrait chaque jour déjeuner et il prenait son temps, le temps de bavarder tranquillement avec sa femme, de savourer le repas qu'elle avait préparé, de jouer avec leur fille. Il travaillait, oui, mais à son rythme, toujours disponible pour elles deux, pour son beau-père, pour leurs quelques amis, et les clients que son métier lui imposait de voir étaient une extension de ce cercle familial à l'intérieur duquel se resserrait leur bonheur. J'écoute Delphine, je la regarde : blonde, gracieuse, enfantine. Son père dit qu'elle ressemble à Vanessa Paradis ou plutôt, et il tient à la nuance, que Vanessa Paradis lui ressemble. C'est vrai, mais même si je n'ai vu Juliette qu'une fois, une demi-heure, je trouve surtout que c'est à sa fille qu'elle ressemble. J'essaie d'imaginer cette vie si paisible et si éloignée de la mienne. Delphine la décrit d'une voix calme, mais c'est un calme de somnambule et tous les verbes sont au passé.

Plus tard, Ruth arrive à l'hôtel. Après quarante-huit heures passées devant l'hôpital, sans dormir ni manger, elle est si affaiblie qu'on l'a amenée ici plus ou moins de force. On lui a servi un sandwich auquel elle ne touche pas, le plus âgé des Italiens qui tient l'hôtel est venu lui dire qu'on lui a préparé une chambre, il insiste doucement pour qu'elle aille s'y allonger, dormir un peu, mais elle secoue la tête. Quand elle était sous le banian, elle ne voulait pas en bouger. Maintenant qu'on l'en a déracinée pour la poser dans ce fauteuil, elle ne veut pas en bouger non plus, en tout cas pas pour aller se coucher. Elle pense, si elle cède au sommeil, que Tom ne pourra pas revenir. Pour qu'il puisse revenir, il faut qu'elle veille. Ce qu'elle voudrait, c'est aller sur la plage, s'asseoir à l'endroit où la vague les a séparés, là où se dressait leur bungalow, et rester là, les yeux fixés sur l'horizon, jusqu'à ce que Tom ressorte vivant de l'océan. Elle se tient très droite en disant cela, comme en méditation, et on peut l'imaginer demeurant ainsi sur la plage des jours, des semaines, sans manger ni dormir ni parler, la respiration de plus en plus lente et silencieuse, petit à petit cessant d'être une personne humaine pour se transformer en statue. Sa détermination fait peur, on la sent tout près de passer de l'autre côté, dans la catatonie, la mort vivante, et Delphine et moi comprenons que notre rôle est de faire ce que nous pouvons pour l'en empêcher. Cela veut dire la convaincre que Tom ne reviendra pas, qu'il est mort noyé comme les autres. Au bout de deux jours, c'est pratiquement certain. Espérant l'aider comme Jérôme l'aide, elle, Delphine lui raconte leur histoire. Elle lui dit ce que je ne l'ai jusqu'à présent pas entendue dire, ce sont les autres qui le disent devant elle : que sa petite fille est morte. Dans son anglais scolaire, elle prononce les mots : *my little girl is dead*. Ruth ne pose qu'une question : est-ce que tu l'as vue morte ? Il faut bien que Delphine réponde oui et Ruth dit : alors, ce n'est pas pareil. Moi, je n'ai pas vu Tom mort. Tant que je ne l'aurai pas vu, je ne croirai pas à sa mort. Y croire, ce serait comme le tuer. Elle n'entend pas grand-chose de ce qu'on lui dit, mais on peut la faire parler, elle, c'est une façon de maintenir un lien. Elle est assistante sociale, lui charpentier. Elle refuse de croire à sa mort, mais elle dit : *he was a carpenter.* L'imparfait commence déjà à ronger ses phrases. Ils se connaissent et s'aiment depuis l'adolescence, ils se sont mariés à l'automne et ils sont partis le lendemain de la cérémonie pour faire un tour du monde qui devait durer un an. Ils savaient ce qu'ils feraient à leur retour : leur premier enfant — ils en voulaient trois — et leur maison. Dans un village pas loin de Glasgow, ils ont en s'endettant acheté un bout de terrain avec quelques pierres, les ruines d'une grange que Tom allait restaurer. Cela prendrait le temps que cela prendrait, probablement deux ans car Tom ne pourrait y travailler que pendant ses loisirs, et pendant ces deux ans ils habiteraient dans une caravane. L'enfant passerait sa première année dans la caravane mais ensuite ils auraient et leurs enfants auraient une maison, une vraie maison à eux, ce que ni l'un ni l'autre n'a eu dans sa propre enfance car ils viennent de familles rurales déracinées, perdues en ville, sans port d'attache. Tom et Ruth se ressemblaient, leurs histoires se ressemblaient, on devine à écouter Ruth qu'elles n'ont pas été faciles. Ils avaient la même peur de partir à la dérive, de mener une vie qu'ils n'auraient pas voulue, mais ils s'étaient trouvés, promis de rester unis pour le meilleur et pour le pire, de se porter assistance quoi qu'il arrive. Ensemble ils étaient forts, ils avaient un projet, ils construiraient leur vie et ne la laisseraient pas se perdre au fil de l'eau. Avant de se donner à ce projet de toutes leurs forces, d'être rivés à leur place par les enfants, le travail, les remboursements d'emprunts, les servitudes à quoi d'ailleurs ils aspiraient, ils avaient décidé de s'accorder cette année de liberté et de voir le vaste monde, juste tous les deux. Ensuite ils prendraient le harnais, ils n'arrêteraient plus, leur vie se déploierait tenace et laborieuse dans un village d'Écosse, entre campagne et banlieue industrielle, où il pleut les trois quarts du temps. Mais avant, il y aurait eu cela : le tour du monde, sac au dos, les gares routières, les aubes et les soirs des tropiques, les boulots de fortune à chaque étape pour ne pas entamer leur pécule, un mois à faire la plonge dans une pizzeria à Izmir, un autre sur un chantier naval dans le sud de l'Inde, et des images, des souvenirs qui leur dureraient toute la vie. Ils se voyaient bien, vieux, dans la maison construite par Tom, la maison où auraient grandi leurs enfants, la maison où viendraient leurs petits-enfants, regardant les photos de la grande aventure de leur jeunesse. Mais si Tom n'est plus auprès d'elle pour les partager, il n'y a plus de souvenirs possibles, plus de projets possibles. La jeunesse de Ruth est finie et elle ne veut plus de la vieillesse. La vague a emporté son avenir avec son passé. Elle n'aura pas de maison, pas d'enfants. Il ne servirait à rien de lui dire qu'à vingt-sept ans sa vie n'est pas finie, qu'après un temps de deuil elle rencontrera un autre homme avec qui autre chose sera possible. Si Tom est mort, Ruth n'a plus qu'à mourir.

Je pense en l'écoutant : cette femme a tout perdu mais c'est qu'elle avait tout, du moins tout ce qui compte. L'amour, le désir qu'il dure, la volonté de le faire durer et la confiance : il durerait. Moi qui en ai tant d'autres, je lui envie cette richesse. Je ne suis jamais parvenu, jusqu'à présent, à me représenter ma vie ainsi avec une femme. La femme avec qui je suis, je ne crois jamais vraiment que je vieillirai près d'elle, qu'elle me fermera les yeux ou que je fermerai les siens. Je me dis que la prochaine sera enfin la bonne, en même temps je me doute que parti comme je suis la prochaine ne fera pas davantage l'affaire, que ce ne sera aucune et que je finirai seul. Avant la vague, Hélène et moi étions en train de nous séparer. Une fois encore, l'amour se délitait, je n'avais pas su en prendre soin. Et tandis que Ruth évoque, de sa voix basse et atone, les photos de leur voyage de noces, la certitude qu'ils avaient de les regarder ensemble quand ils seraient vieux, je décroche, je bats la campagne, je pense à ce qui serait pour nous l'équivalent de ces photos. Quelques mois plus tôt, j'ai réalisé un film d'après mon roman, *La Moustache*. Pendant la préparation et le tournage, il nous est souvent arrivé, à Hélène et moi, de passer la nuit dans le décor principal, l'appartement du couple que jouaient Vincent Lindon et Emmanuelle Devos. Nous prenions un plaisir clandestin à dormir dans le lit des héros, à utiliser leur baignoire, à remettre hâtivement les choses en place avant que l'équipe arrive, le matin. Le scénario comportait une scène érotique que je voulais très crue. Les deux acteurs, un peu inquiets, me demandaient régulièrement comment je comptais la tourner et je répondais avec assurance que j'avais mon idée, alors que je n'en avais aucune. Sur le plan de travail, une nuit entière était prévue pour la scène 39 et, cette nuit approchant, j'ai commencé à m'inquiéter aussi. Un soir, dans le décor, Hélène à qui je confiais cette inquiétude a proposé que pour y voir plus clair nous répétions la scène, nous. Deux nuits de suite, devant une caméra vidéo posée sur pied, nous l'avons donc répétée, variée, enrichie, en mettant beaucoup de cœur à l'ouvrage. Le moment venu, elle a été tournée pour de bon, elle n'était pas si mal mais on l'a finalement coupée au montage et c'est devenu une plaisanterie rituelle d'annoncer aux acteurs qu'on la gardait pour les bonus du DVD. En réalité, ce qui serait beaucoup mieux pour les bonus du DVD, ce seraient les deux cassettes de porno domestique rangées dans le tiroir de mon bureau sous l'innocente étiquette : essais, rue René-Boulanger. Et ce que je pense cet après-midi, au bar de l'hôtel Eva Lanka où Delphine et moi écoutons Ruth parler de Tom et de leur amour, c'est que ces deux cassettes pourraient, si nous restons ensemble, si nous traversons la vie ensemble, devenir un véritable trésor. Je nous imagine regardant sur l'écran nos corps d'autrefois, fermes, vigoureux, déliés, Hélène d'une main tavelée saisissant ma vieille bite qui la sert fidèlement depuis trente ans, et cette image tout à coup me bouleverse. Je me dis qu'il faut que cela arrive, que si je dois réussir une chose avant de mourir, c'est cela.

Hélène et Jérôme ont les yeux brillants, fiévreux, de ceux qui reviennent du front et qui ont vu le feu. Jérôme dit seulement à Delphine que Juliette n'est plus à Matara mais à Colombo et qu'il va s'arranger pour qu'ils puissent partir aussitôt que possible. Je veux entraîner Hélène dans notre bungalow pour qu'elle se repose et me raconte, mais elle dit : plus tard. Elle veut rester avec Ruth, qu'elle a embrassée en arrivant comme si elle la connaissait depuis toujours. Elle est épuisée, l'épuisement la fait rayonner. Nous sommes tous autour de Ruth, réunis par l'idée que pour elle il y a encore moyen de faire quelque chose. De l'arracher au vide devant lequel elle se tient immobile, sans nous voir. De la sauver. C'est Hélène encore qui lui demande si elle a téléphoné à sa famille, en Écosse. Ruth secoue la tête : à quoi bon ? Hélène insiste : il faut qu'elle le fasse. L'atroce incertitude qui la ronge au sujet de Tom, les siens doivent l'éprouver à son sujet à elle. Elle n'a pas le droit de les laisser sans nouvelles. Ruth essaie de se dérober : elle ne veut pas dire que Tom est mort. Tu n'as pas besoin de dire qu'il est mort, seulement que tu es vivante, dit Hélène. Tu n'es même pas forcée de parler, si tu veux je peux le faire, moi, il faut juste que tu me donnes un numéro de téléphone. Ruth hésite puis, sans regarder Hélène, lâche les chiffres un par un. Tandis qu'Hélène les forme sur les touches de son portable, je pense au décalage horaire, la sonnerie va retentir en pleine nuit dans un cottage en briques de la banlieue de Glasgow mais elle ne réveillera sans doute personne : les parents de Ruth, si c'est eux qu'on appelle, ne doivent plus dormir depuis trois jours. Le numéro composé, Hélène tend le téléphone à Ruth, qui le prend. On a dû décrocher, loin. Elle dit : *it's me*, puis : *I am o.k*, puis rien. On lui parle, elle écoute. Nous la regardons. Elle se met à pleurer. Les larmes coulent sur ses joues, c'est comme une écluse qui s'ouvre, et puis ces larmes deviennent des sanglots, ses épaules bougent, tout le haut de son corps jusqu'alors pétrifié bouge, elle pleure et rit et elle nous dit : *he is alive*. Pour nous, c'est comme d'assister à une résurrection. Elle prononce encore quelques mots, en réponse à ce que lui dit son interlocuteur, puis rend le téléphone à Hélène. Elle secoue doucement la tête, elle répète à mi-voix, pour nous, pour elle, pour la terre et le ciel : *he is alive*. Puis elle se tourne vers Delphine qui, assise à côté d'elle sur la banquette, pleure aussi. Elle la regarde, elle pose sa tête sur son épaule et Delphine la serre dans ses bras.

Il a fallu longtemps, m'a raconté Hélène cette nuit-là, pour atteindre Matara. Ce n'est pas bien loin pourtant, mais la route était régulièrement coupée, on prenait et déposait des auto-stoppeurs, à chaque pont il fallait attendre car dans toutes les rivières on repêchait des cadavres. À un moment, le camion est passé devant la base de plongée où nous devions aller le jour de la vague : il ne restait plus rien du bâtiment, ni du club de vacances dont il faisait partie, et le policier à qui Hélène a demandé ce qu'il était advenu de ses centaines de clients a soupiré : *all dead*. L'hôpital de Matara est beaucoup plus grand que celui de Tangalle, on y traite beaucoup plus de cadavres, l'odeur de mort était encore plus forte que la veille. On a conduit Hélène et Jérôme à la chambre froide, dont la vingtaine de tiroirs contenait des Blancs : le carré VIP, a ricané Jérôme, dont l'humour devenait de plus en plus grinçant. On leur a ouvert les tiroirs, l'un après l'autre. Hélène ne savait pas ce qu'elle redoutait le plus, que Juliette soit dans un de ces tiroirs ou bien qu'elle n'y soit pas. Elle n'était dans aucun. Ils ont visité l'hôpital de fond en comble. Jérôme agitait devant le nez des gens le papier sur lequel, à Tangalle, on avait griffonné la description de Juliette. On lui répondait en désignant d'un geste désolé, impuissant, les corps gris et gonflés qui jonchaient le sol : voyez, faites votre choix. Au bout d'une heure, ils avaient tout vu et ils étaient complètement désemparés. Quelqu'un leur a indiqué un bureau où un employé, derrière un ordinateur, faisait défiler en diaporama les photos des morts qui, après un passage par l'hôpital, avaient été transférés ailleurs. Une demi-douzaine de Sri-Lankais faisaient cercle autour de l'écran, le cercle s'est élargi pour faire place à Hélène et Jérôme. On devait les prendre pour un couple. Un beau couple : lui très grand, en chemise blanche, les cheveux bouclés, pas rasé, elle en pantalon blanc et tee-shirt, avec son corps magnifique, leurs visages à tous deux tendus par l'inquiétude et le chagrin. Chacun avait assez de sa propre inquiétude, de son propre chagrin, mais ils inspiraient de la sympathie, on faisait ce qu'on pouvait pour les aider. Jérôme a décrit sa fille à l'employé qui ne comprenait pas bien et continuait à faire défiler les photos sur l'écran. Hommes, femmes, enfants, vieillards, gens du pays et Occidentaux, visages cadrés de face, abîmés, tuméfiés, les yeux ouverts ou fermés, il en a défilé des dizaines, on s'arrêtait quelques secondes sur chacun puis automatiquement on passait au suivant et enfin la photo de Juliette est apparue. Hélène était au côté de Jérôme. Elle l'a vu voir la photo de sa petite fille morte. Elle l'a regardé la regarder. Quand la photo suivante a remplacé celle de Juliette, Jérôme s'est affolé. Il a fondu sur l'ordinateur, demandé en criant qu'on revienne en arrière. L'employé a cliqué avec la souris, puis consulté la fiche qui accompagnait la photo : Juliette n'était plus là, on l'avait transportée la veille à Colombo. De nouveau, sa photo a été remplacée et Jérôme a de nouveau paniqué, de nouveau demandé qu'on retourne en arrière : il ne parvenait pas à se détourner de l'écran, ni à se résoudre à ce que Juliette disparaisse. L'employé a cliqué plusieurs fois de suite pour enrayer le défilement automatique. Jérôme regardait avidement le visage de sa fille, ses cheveux blonds, les bretelles de la robe rouge sur ses épaules rondes et bronzées. À chaque fois que la photo suivante apparaissait, il suppliait : *again ! Again, again*, et en écrivant cela je pense à Jeanne, notre petite fille à nous, qui dit depuis peu : encore ! sans se lasser, pour qu'on la fasse sauter sur nos genoux ou sur le lit. Est-ce Hélène qui, pour en finir, pour l'arracher à ce gouffre, lui a pris la main et dit : viens, maintenant, partons ? Comment sont-ils rentrés ? Il y avait des blancs dans son récit, elle le faisait avec réticence. Elle était épuisée, bien sûr, à bout de nerfs, mais je comprenais aussi que si elle n'en disait pas davantage c'était pour ne pas trahir l'intimité affreuse et bouleversante qu'elle venait de partager avec Jérôme, et cette intimité me faisait mal.

Une journée s'est encore écoulée avant que nous puissions repartir pour Colombo. Une journée vide : il ne restait plus rien à faire qu'attendre, et nous avons attendu. Nous restions entre nous, en sorte que je me souviens à peine des autres, clients de l'hôtel et rescapés. À la périphérie, presque invisibles car ils prenaient leurs repas à part, je ne sais où, il y avait les Suisses ayurvédiques et Leni Riefenstahl qui chaque matin continuait à faire ses longueurs de bassin. Plus proches, un couple israélien avec leur petite fille qui devait avoir l'âge de Juliette et qu'ils couvaient du regard en se disant, forcément, qu'elle aurait pu connaître le même sort que Juliette, et une famille de Français antipathiques, très inquiets de l'usage que des gens malhonnêtes pourraient faire de leurs cartes de crédit s'ils mettaient la main dessus dans les décombres, sans parler de l'argent liquide sur lequel, disaient-ils en s'admirant d'être si larges, ils avaient fait une croix. Sans doute en voulaient-ils à Delphine et Jérôme du frein que leur malheur mettait à l'expression de leurs propres doléances, en tout cas ils les évitaient et attendaient qu'ils ne soient plus dans les parages pour se précipiter sur Hélène ou sur moi, nous emprunter nos portables et exiger en vociférant de leur compagnie d'assurances qu'elle leur envoie sans délai un hélicoptère.

Jérôme a obtenu de la direction de l'hôtel un transfert, le lendemain, pour Colombo. Le minibus pouvait accueillir, en se serrant, une douzaine de passagers, et une partie de la soirée s'est passée en négociations pour attribuer les places. Il y aurait peut-être un autre départ un ou deux jours plus tard, mais ce n'était pas sûr car la plupart des véhicules disponibles sur la côte étaient réquisitionnés pour les secours, le carburant manquait, c'était une occasion à saisir. La tragédie qui les frappait avait valu ce traitement prioritaire à Jérôme, Delphine et Philippe, et nous étions depuis le premier jour si proches d'eux qu'il allait de soi que nous serions aussi du voyage. Jean-Baptiste et Rodrigue n'en pouvaient plus de tourner en rond entre bungalow, restaurant et piscine de l'hôtel : ils ont accueilli ce départ avec soulagement. Par sa famille, Ruth avait appris que Tom, blessé, était à l'hôpital d'une petite ville située à une cinquantaine de kilomètres de la mer, dans les montagnes ; on se perdait en conjectures sur la façon dont il avait pu échouer là mais, puisque de grands tronçons de la route côtière étaient coupés et qu'il fallait passer pour rejoindre Colombo par l'intérieur des terres, il a été convenu qu'on l'emmènerait aussi et, au prix d'un détour, qu'on la déposerait au chevet de son mari. Il restait quatre places que la direction s'est sentie obligée de proposer aux Français antipathiques mais, soit parce que le voisinage de leurs compatriotes endeuillés les gênait, soit parce qu'ils comptaient ferme sur l'hélicoptère de leur compagnie d'assurances, ils ont heureusement décliné.

Ruth s'est jointe à notre groupe pour notre dernier dîner, que je me rappelle, et Jean-Baptiste aussi, comme le moment le plus étrange de toute cette semaine. Si j'essaie de le décrire, je suis obligé d'évoquer une espèce d'euphorie — d'euphorie fiévreuse et tragique, mais d'euphorie. Nous avons beaucoup bu, de bière mais aussi de vin, le vin qu'on peut trouver sur la carte d'un restaurant du sud du Sri Lanka, quelque chose comme un beaujolais nouveau vieux de cinq ans, mis en bouteille par un négociant tamoul d'Afrique du Sud et bouchonné de surcroît. Cette piquette effrayante, mais dont nous avons dû descendre plusieurs bouteilles, toute la réserve je crois bien, excitait les railleries de Philippe et Jérôme, amateurs de grands crus bordelais et qui, à partir d'une étiquette indéchiffrable sur tous les plans, se sont mis à sévèrement déconner. Toutes les blagues et références dont se nourrissait leur complicité y sont passées : pinard et rock'n'roll, arrière-goût de noisette du château-cheval-blanc et anecdotes sur Keith Richards, à quoi venait s'ajouter la connerie des Suisses ayurvédiques que Jérôme déchaîné, féroce, insultait en se marrant quand il en voyait passer un : ça va, vous êtes sereins ? Vous êtes zen ? Vous avancez sur la voie de la libération ? C'est bien, les gars, c'est bien, continuez ! Il était sardonique, mais pas seulement : c'est avec une vraie tendresse qu'il a bu et nous a tous fait boire à la résurrection de Tom. Ruth en était visiblement embarrassée. Abîmée quelques heures plus tôt dans sa douleur, dérivant loin du monde des vivants, elle avait perdu toute conscience d'autrui : plus personne n'existait, hormis Tom mort et elle décidée à en mourir. Mais depuis le miracle du coup de téléphone elle était redevenue ce qu'elle avait dû être toute sa vie : une jeune femme douce, compatissante, dont le réflexe était de refréner sa joie pour partager le deuil de ces gens qui l'avaient généreusement soutenue. C'était compter sans la vitalité furieuse de Jérôme. Il ne mangeait rien mais buvait, fumait, riait, provoquait, parlait fort, ne laissait pas le silence retomber. Il fallait tenir, il tenait. Il portait tout, nous soulevait tous, nous entraînait tous dans son sillage. En même temps, du coin de l'œil, il ne cessait de regarder Delphine et je me rappelle avoir pensé : c'est cela, aimer vraiment, et il n'y a rien de plus beau que cela, un homme qui aime vraiment sa femme. Elle restait silencieuse, absente, affreusement calme. C'était comme si Jérôme et Philippe, car Philippe donnait vaillamment la réplique à son gendre, exécutaient une danse sacrée autour d'elle, comme s'ils n'arrêtaient pas de lui crier : ne pars pas, nous t'en supplions, reste avec nous. Ruth, assise à côté d'elle, lui a plusieurs fois pris la main, timidement comme si elle n'en avait pas le droit, tendrement parce qu'elle en avait le droit malgré tout, ou parce que personne n'en avait le droit, ou parce que tout le monde l'avait, il n'y avait plus de droit, plus de bienséance, plus que ce bloc de douleur blonde, gracieuse, sans remède, et le besoin de lui prendre la main.

Vers la fin de ce dîner, il était tard, Rodrigue recru de fatigue s'est glissé sur les genoux d'Hélène. Comme le tout petit garçon qu'il était encore, il a blotti la tête contre son épaule et elle lui a longtemps caressé les cheveux. Elle l'a câliné, rassuré : je suis là. Puis elle s'est levée pour l'emmener au lit. Quand ils se sont tous deux éloignés dans le jardin, Delphine les a suivis des yeux. Que pensait-elle ? Que sa petite fille, qu'elle câlinait et bordait encore quatre soirs plus tôt, elle ne la câlinerait et ne la borderait plus jamais ? Qu'elle ne s'assiérait plus jamais sur son lit pour lui lire une histoire avant qu'elle s'endorme ? Qu'elle n'arrangerait plus jamais les peluches autour d'elle ? Jusqu'à la fin de sa vie, les peluches, les mobiles, les ritournelles des boîtes à musique lui arracheraient le cœur. Comment est-il possible que cette femme serre contre elle son enfant vivant alors que ma petite fille à moi est toute froide et ne parlera plus jamais et ne bougera plus jamais ? Comment ne pas les haïr, elle et son enfant ? Comment ne pas prier : mon Dieu, fais un miracle, rends-moi le mien, prends le sien, fais que ce soit elle qui ait mal comme j'ai mal et moi qui sois comme elle toute triste de cette tristesse confortable et nantie qui aide juste à mieux jouir de sa chance ?

Delphine a détaché son regard des silhouettes d'Hélène et de Rodrigue qui se fondaient dans l'allée sombre menant aux bungalows. En croisant le mien, elle a souri et, parlant de Rodrigue, murmuré : il est si petit...

La distance était immense, le gouffre qui la séparait de nous impossible à combler, mais il y avait de la douceur, de la tendresse dans sa voix brisée, et cette douceur, cette tendresse m'ont donné le frisson bien plus que les pensées naturelles et affreuses que je venais d'imaginer. Il me semble avec le recul qu'il s'est passé ce soir-là quelque chose d'extraordinaire. Nous étions auprès de cet homme et cette femme à qui venait d'arriver ce qui peut arriver de pire au monde, et à nous rien du tout. Pourtant, même s'il y avait des arrière-pensées, et certainement il y en avait, certainement s'ils avaient pu échanger les places et en nous précipitant dans le malheur se sauver ils l'auraient fait, tout le monde le ferait, tout le monde préfère ses enfants à ceux des autres, cela s'appelle être humain et c'est bien comme cela, pourtant je pense que ce soir-là, au cours de ce dîner-là, ils ne nous en voulaient pas. Ils ne nous détestaient pas, comme je l'avais d'abord cru inévitable. Ils se réjouissaient du miracle qui venait de rendre à Ruth la joie qui leur était, à eux, définitivement retirée. Delphine était émue de voir Rodrigue se blottir dans les bras de sa mère. Nous avons vécu cela ensemble, pendant quelques jours nous avons été à la fois aussi intimement proches et aussi radicalement séparés qu'il est possible de l'être, et je sais que nous les aimions et je crois qu'ils nous aimaient.

Nous avons quitté le restaurant très tard, Hélène et moi. Laissant derrière nous les derniers éclats de voix, nous avons suivi le sentier dallé qui longeait la piscine, puis s'enfonçait dans l'ombre entre les arbres immenses. Le parc de l'hôtel était très grand, du bâtiment central à notre bungalow il fallait marcher cinq minutes. Ces cinq minutes opéraient comme un sas. On n'entendait plus rien qu'un crissement continu et apaisant d'insectes et, quand on levait la tête, le ciel au-dessus des palmes de cocotiers était si plein d'étoiles qu'on croyait elles aussi les entendre grésiller. Invisibles, sur la plage en contrebas, les vagues se brisaient régulièrement. Nous marchions en silence, épuisés. Nous savions que bientôt nous serions allongés l'un près de l'autre, nos corps tendus se préparaient au repos. Nous nous sommes donné la main. Je me rappelle, ces jours-là, ma crainte enfantine qu'Hélène se détourne de moi, mais ce qu'elle se rappelle, elle, c'est que nous étions ensemble, vraiment ensemble.

Finalement, les places restantes dans le minibus ont été attribuées le matin du départ à un couple de Suisses ayurvédiques qui savaient forcément ce qui était arrivé à Delphine et Jérôme et, en n'y faisant aucune allusion, pensaient sans doute faire preuve d'une discrétion de bon aloi. Ils se sont contentés de nous saluer en bloc d'un hochement de tête et, en voyant Jérôme, assis à l'avant, allumer une cigarette, ont fait savoir que même fenêtres ouvertes la fumée les gênait. Le voyage, du coup, a été ponctué d'innombrables arrêts-clope, tout le monde descendant sauf les ayurvédiques qui, minoritaires, n'osaient se plaindre mais estimaient visiblement qu'on le faisait exprès pour les emmerder. Nous avons d'abord rejoint Galle par la route côtière, jalonnée de barrages, encombrée par des convois de secours, longée sur les bas-côtés par des processions de rescapés dont on se demandait où ils allaient avec leurs balluchons et leurs brouettes. Aux abords de la ville, le trafic s'est encore ralenti, mais dès que le minibus s'est engagé sur la route des montagnes, les images d'exode ont pris fin. La ligne de front laissée derrière nous, nous avons roulé dans une nature à la fois luxuriante et paisible. Les gens dans les villages vaquaient sans hâte à leurs affaires et saluaient notre passage en souriant. Jérôme et Philippe retrouvaient intactes les impressions de leur voyage de routards, douze ans plus tôt. C'était comme si rien ne s'était passé, et même comme si personne ne savait, loin de la côte, qu'il s'était passé quelque chose.

À un moment de ce voyage, tandis que nous fumions au bord de la route, Philippe m'a entraîné un peu à l'écart et demandé : toi qui es écrivain, tu vas écrire un livre sur tout ça ?

Sa question m'a pris au dépourvu, je n'y avais pas pensé. J'ai dit qu'a priori, non.

Tu devrais, a insisté Philippe. Si je savais écrire, moi, je le ferais.

Alors fais-le. Tu es mieux placé pour le faire.

Philippe m'a regardé d'un air sceptique, mais moins d'un an après il l'a fait, et bien fait.

Après ceux de Tangalle et de Matara, l'hôpital de Ratnapura avait ceci de réconfortant qu'on y soignait des vivants au lieu d'y trier des morts. Au lieu de cadavres sur le sol, il y avait des blessés sur des lits ou, pour les derniers arrivés, sur des paillasses qui encombraient les couloirs au point qu'il était difficile d'y circuler. Nous trouvions incompréhensible et presque surnaturel que Tom ait été retrouvé à cinquante kilomètres de la côte mais ce n'était pas la vague qui l'avait largué là, l'explication était plus prosaïque : on évacuait vers cet hôpital, à l'arrière, ceux pour qui on pouvait encore faire quelque chose. Certains étaient affreusement amochés, on entendait des râles, des gémissements, les médicaments et les bandages manquaient, le personnel médical était débordé, on aurait pu se croire dans un dispensaire en temps de guerre. Je ne sais combien de portes nous avons poussées avant que sur un seuil Ruth ne s'immobilise et nous fasse signe, à Hélène et moi, de l'imiter. Elle l'avait vu, elle voulait faire durer cet instant où elle le voyait sans qu'il la voie, elle. Il y avait une vingtaine de lits, elle nous a désigné le sien. Les yeux ouverts, il regardait devant lui. C'était un type massif, les cheveux ras, torse nu et bandé. Il ne savait pas que Ruth était là, mais surtout il ne savait pas qu'elle était vivante, il en était au même point qu'elle la veille. Enfin, elle s'est approchée. Elle est entrée dans son champ de vision. Ils sont restés un moment l'un en face de l'autre sans rien dire, lui adossé aux oreillers, elle debout au pied du lit, puis elle est venue dans ses bras. Tout le monde dans la salle les regardait, beaucoup se sont mis à pleurer. Cela faisait du bien, de pleurer parce qu'un homme et une femme qui s'aimaient et qui s'étaient crus morts se retrouvaient. Cela faisait du bien de les voir se regarder et se toucher avec cet émerveillement. Tom avait eu la cage thoracique enfoncée, un poumon perforé, c'était sérieux mais on le soignait bien. Il y avait à son chevet un roman d'espionnage fatigué, en anglais, quelques canettes de bière et une grappe de raisin, tout cela apporté par un petit vieux édenté qu'il ne connaissait pas mais qui veillait sur lui et chaque jour depuis son arrivée lui faisait ce genre d'offrandes. Le petit vieux était là, modestement assis au bord du lit. Tom l'a présenté à Ruth, qui l'a embrassé avec gratitude. Puis Ruth nous a raccompagnés, Hélène et moi, jusqu'au parking de l'hôpital où les autres nous attendaient. Elle nous a dit au revoir à tous. Dès que Tom serait en état de voyager, ils rentreraient. Pour eux, l'histoire finissait bien.

Hélène, je l'ai dit, a perdu au retour le papier sur lequel elle avait noté l'adresse de Ruth et Tom. Nous ne connaissons pas leur nom de famille, il semble donc difficile de savoir ce qu'ils sont devenus. Au moment où j'écris ceci, plus de trois ans ont passé. S'ils s'en sont tenus à leur plan, ils doivent habiter la maison que Tom a construite de ses mains et avoir un enfant, peut-être deux déjà. Parlent-ils quelquefois de la vague ? De ces journées terribles où chacun a cru l'autre mort et sa propre vie engloutie ? Est-ce que nous faisons partie de leur récit comme eux du nôtre ? Que se rappellent-ils de nous ? Nos prénoms ? Nos visages ? Leurs visages à eux, je les ai oubliés. Hélène me dit que Tom avait les yeux très bleus et que Ruth était belle. Elle pense à eux parfois, et sa pensée se résume à espérer de tout son cœur qu'ils sont heureux et vieilliront ensemble. Bien sûr, espérant cela, c'est à nous deux qu'elle pense.

De l'ambassade de France, à Colombo, on nous a dirigés vers l'Alliance française qui faisait office de centre d'accueil pour les touristes sinistrés et de cellule de soutien. On avait étalé des matelas dans les salles de classe, placardé dans le hall une liste de disparus qui s'allongeait sans cesse. Des psychiatres proposaient leurs services. Docilement, Delphine a accepté d'en voir un, qui a ensuite confié son inquiétude à Hélène : elle tenait trop bien le coup, s'interdisait de craquer, l'effondrement au retour n'en serait que plus massif. Il y avait dans cette atmosphère de cataclysme quelque chose d'irréel, d'anesthésiant, mais bientôt le réel allait la rattraper. Hélène hochait la tête, elle savait que le psychiatre avait raison. Elle pensait à la chambre d'enfant, là-bas, à Saint-Émilion, au moment où Delphine en franchirait la porte. Pour repousser ce moment, nous aurions presque préféré ne pas partir, pas tout de suite, pas encore, rester encore un peu tous ensemble dans l'œil du cyclone, mais déjà le départ s'organisait, il était question de places dans un avion qui décollerait le lendemain matin. Jérôme s'est fait conduire, seul cette fois, à l'hôpital où on avait transféré le corps de Juliette. À son retour, il a dit à Delphine qu'elle était belle, pas abîmée, puis à Hélène, dans un sanglot, qu'il avait menti à Delphine : malgré la chambre froide, elle se décomposait. Sa petite fille se décomposait. Il y a eu ensuite tout un micmac au sujet de l'incinération. Delphine et Jérôme voulaient ramener le corps avec eux mais ils ne voulaient pas d'un enterrement. Quand tout est totalement insupportable, il arrive que quelque chose, un détail, soit plus insupportable encore que tout le reste : pour eux c'était l'image du petit cercueil. Ils ne voulaient pas suivre le petit cercueil de leur fille. Ils préféraient qu'elle soit incinérée. On leur a expliqué que ce n'était pas possible : pour des raisons sanitaires, le corps devait être rapatrié dans un cercueil plombé qu'on ne pourrait plus ouvrir ensuite, ni brûler. S'ils la ramenaient, il faudrait l'enterrer. L'autre solution, s'ils voulaient l'incinérer, était de le faire sur place. Au terme d'une palabre longue et houleuse, c'est à cela qu'ils se sont résignés. Il faisait nuit déjà, Jérôme et Philippe sont repartis pour l'hôpital, ils sont revenus beaucoup plus tard avec une bouteille de whisky dont ils avaient déjà bu la moitié et que nous avons finie, ensuite nous avons continué à boire dans un restaurant qu'ils connaissaient, où ils dînaient rituellement le premier soir de chacun de leurs séjours au Sri

Lanka. Quand l'heure de la fermeture est arrivée, le patron a bien voulu nous vendre une bouteille de plus. Elle nous a aidés à attendre sans nous coucher l'heure de prendre l'avion, à bord duquel nous sommes montés ivres et nous sommes endormis tout de suite.

De cette dernière nuit à Colombo, je garde un souvenir de fuite affolée, hagarde. À un moment, il a été question d'une cérémonie bouddhiste et puis il n'en a plus été question, la crémation s'est faite à la sauvette, un sale boulot auquel on ne convie personne, après lequel il n'y a plus qu'à se soûler et décamper. On aurait pu rester un jour de plus, tâcher de faire les choses bien mais cela n'avait pas de sens de faire les choses bien, plus rien n'avait de sens, plus rien ne pouvait être bien, il fallait en finir, juste en finir, et même pas proprement. Dans le terminal de l'aéroport, Jérôme la force tranquille était devenu à l'aube une espèce de punk ricanant, aux yeux injectés de sang, qui provoquait les autres passagers et, si quelqu'un mouftait, lui crachait à la gueule : ma fille est morte, ducon, ça te va comme ça ?

J'ai un autre souvenir, cependant. Nous venions d'arriver à l'Alliance française, on nous a proposé de prendre une douche. Est-ce que, les jours précédents, l'eau était coupée ou même rationnée à l'hôtel Eva Lanka ? Je ne crois pas. Nous n'avions qu'une longue journée de voyage derrière nous, pourtant c'était comme si nous sortions de trois mois dans le désert sans nous laver. Les enfants sont passés d'abord, puis Hélène et moi, ensemble. Nous sommes restés longtemps l'un en face de l'autre, sous le mince filet d'eau. Nous éprouvions que nos corps étaient fragiles. Je regardais celui d'Hélène, si beau, si accablé de fatigue et d'effroi. Je n'éprouvais pas de désir mais une pitié déchirante, un besoin de prendre soin, de protéger, de garder toujours. Je pensais : elle pourrait être morte aujourd'hui. Elle m'est précieuse. Tellement précieuse. Je voudrais qu'un jour elle soit vieille, que sa chair soit vieille et flapie, et continuer à l'aimer. Ce qui avait eu lieu durant ces cinq jours et qui prenait fin là, à ce moment précis, nous a submergés. Une vanne s'ouvrait, libérant un flot de chagrin, de soulagement, d'amour, tout cela mêlé. J'ai serré Hélène dans mes bras et dit : je ne veux plus qu'on se quitte, plus jamais. Elle a dit : moi non plus, je ne veux plus qu'on se quitte.

J'ai trouvé l'appartement que nous habitons aujourd'hui deux semaines après notre retour à Paris. Quelques jours plus tard, le bail signé, nous le visitions avec un artisan polonais recruté pour les peintures et la réfection de la cuisine quand le portable d'Hélène a sonné. Elle a dit oui, écouté quelques instants en silence, puis elle est passée dans la pièce voisine. Quand le Polonais et moi l'y avons retrouvée, elle avait les yeux pleins de larmes, son menton tremblait. Son père venait de lui annoncer que Juliette avait de nouveau un cancer. De nouveau, parce qu'elle en avait déjà eu un, adolescente. Cela, je le savais. Que savais-je d'autre, alors, à son sujet ? Qu'elle marchait avec des béquilles, qu'elle était juge, qu'elle habitait près de Vienne, dans l'Isère. Hélène voyait rarement sa sœur. Leurs vies ne se ressemblaient pas, il y avait toujours quelque chose de plus urgent à faire qu'aller à Vienne. Mais elle l'aimait. Il lui était arrivé de me parler d'elle, avec tendresse et même avec admiration.

Juste avant les vacances de Noël, elle avait eu une embolie pulmonaire, Hélène était inquiète mais la vague avait emporté cette inquiétude avec le reste de notre vie d'avant, depuis notre retour il n'en était plus question, et voilà, elle avait de nouveau un cancer. Du sein, cette fois, avec des métastases dans les poumons.

Nous sommes allés la voir, un week-end du mois de février, au début de sa chimiothérapie. Sachant qu'elle allait perdre ses cheveux, elle avait demandé à Hélène de lui acheter une perruque et Hélène avait couru les magasins spécialisés pour trouver la plus belle possible. Elle avait acheté aussi des robes pour ses trois nièces. Tout ce qui dans la famille relève de la coquetterie, de l'élégance et du paraître est le domaine d'Hélène. Ce n'était visiblement pas celui de Juliette et de son mari, qui habitaient un pavillon moderne dans un village sans charme, mi-campagne mi-banlieue. J'ai vu une jeune femme épuisée, amaigrie, qui ne se levait plus de son fauteuil, un mari élancé, doux, beau, un peu lunaire, et trois petites filles vraiment ravissantes dont l'aînée, qui avait sept ans, dessinait avec beaucoup de soin et une sûreté de trait étonnante pour son âge des cahiers entiers de princesses coiffées de pierres précieuses et vêtues de robes d'apparat. Elle suivait avec le même sérieux des cours de danse et je l'ai fait rire en improvisant avec elle des espèces d'entrechats balourds sur la musique du *Lac des cygnes*. Mis à part cette singerie bienvenue, un mélange de paresse et d'embarras m'a fait rester en retrait de la conversation que la faiblesse de Juliette rendait de toute façon languissante. C'était l'hiver, on a allumé tôt les lampes, l'après-midi se traînait. J'ai inspecté, comme je le fais toujours quand j'arrive quelque part, les rayons de la petite bibliothèque, composée de manuels pratiques, d'albums pour enfants, d'essais grand public sur la justice et la bioéthique, de quelques romans qu'on achète comme on prend l'autoroute. Dans cet échantillonnage à mes yeux déprimant, j'ai déniché un livre plus solitaire, un récit d'un auteur que j'aime beaucoup, Béatrix Beck. Ce récit s'appelle : *Plus loin, mais où ?* En le parcourant, je suis tombé sur une phrase qui m'a fait rire, que j'ai lue à la cantonade : « Ça fait toujours plaisir, une visite, si ce n'est pas à l'arrivée c'est au départ. »

Juliette ne tenait pas à ce que nous revenions trop vite : pas avant qu'elle soit remise de la chimiothérapie. Deux mois ont passé, au cours desquels Hélène et elle ne se sont parlé qu'au téléphone. Juliette était plutôt du genre à rassurer ses proches qu'à les inquiéter, cela rendait les nouvelles d'autant moins rassurantes. Les médecins, disait-elle, étaient optimistes, la combinaison de la chimiothérapie et d'un traitement récent, l'herceptine, semblait faire reculer la maladie. Mais on parlait de rémission, pas de guérison, et même si elle l'espérait longue c'est dans le temps de cette rémission que Juliette projetait désormais sa vie. Quand Hélène proposait de venir, elle disait : attendez un peu, attendez qu'il fasse beau, on sera dans le jardin, ce sera plus agréable, et puis pour le moment je suis trop fatiguée. Ces conversations déchiraient Hélène. Elle me disait, avec une sorte de stupeur : ma petite sœur va mourir. Dans six mois, dans un an, mais c'est sûr, elle va mourir. Je la serrais dans mes bras, je serrais son visage entre mes mains, je disais : je suis là, et c'est vrai, j'étais là. Je me souvenais qu'à peine un an plus tôt l'aînée de mes sœurs à moi avait failli mourir, et la cadette aussi, longtemps auparavant : ces souvenirs m'aidaient à éprouver un peu ce qu'elle éprouvait, à être un peu plus avec elle, mais sauf dans ces moments où elle m'en parlait, ou quand, sans qu'elle m'en parle, je voyais qu'elle avait pleuré, la vérité est que je n'y pensais guère. À cette menace près, notre vie était gaie. Pour célébrer notre emménagement, nous avons donné une grande fête et plusieurs semaines après tous nos amis nous ont répété que des fêtes aussi joyeuses, il n'y en avait pas souvent. J'étais fier de la beauté d'Hélène, de son ironie, de son indulgence, j'aimais sans le redouter son fond de mélancolie. Le film que j'avais tourné l'été précédent allait être présenté au festival de Cannes. Je me sentais brillant, important, et cette semi-belle-sœur cancéreuse dans sa petite maison au fond de son patelin de province, cela me faisait de la peine, bien sûr, mais c'était loin. Cette vie qui s'éteignait n'avait rien à voir avec ma vie à moi où tout semblait s'ouvrir, se déployer. Ce qui m'ennuyait le plus, c'est que cela minait Hélène et me retenait un peu — très peu, à vrai dire — de donner devant elle libre cours à l'euphorie légèrement mégalomane qui m'a soulevé tout ce printemps-là.

Entre Cannes et la sortie du film, il y avait encore une station sur le chemin qui me conduisait vers la gloire, c'était un autre festival, à Yokohama. Je voyagerais en classe affaires, il y aurait le gratin du cinéma français, je me voyais déjà fêté en japonais. Comme Hélène travaillait, elle ne pouvait m'y accompagner, mais elle avait projeté, en mon absence, de faire enfin un saut à Vienne : Juliette disait aller un peu mieux, il ferait beau, on pourrait se tenir dans le jardin. Je devais partir le lundi et, le vendredi, j'ai enregistré la voix *off* d'un documentaire que j'avais tourné avec un ami au Kenya — je faisais beaucoup de choses à ce moment-là, et j'avais l'impression que je n'arrêterais plus. Enregistrer ma voix et la maîtriser mieux que je ne le fais dans la vie me procure un plaisir narcissique certain, j'étais parvenu à caser dans le commentaire la phrase qui me faisait rire sur les visites qui font toujours plaisir, si ce n'est pas à l'arrivée c'est au départ, en sorte que Camille, ma monteuse, et moi sommes sortis du studio très contents de notre après-midi et de nous-mêmes. Nous sommes allés boire un verre à une terrasse, j'ai tapé une cigarette à une fille à la table voisine, elle a plaisanté, j'ai plaisanté, Camille qui est toujours bon public pour moi a ri de bon cœur, et à ce moment-là mon portable a sonné. C'était Hélène. Elle appelait de la télévision, elle partait à la gare de Lyon sans repasser par la maison : Juliette était en train de mourir.

Ses parents nous attendaient à la gare de Perrache. Ils avaient quitté en catastrophe la maison du Poitou où ils passaient quelques jours de vacances et venaient de traverser la France en voiture. J'ai pensé, sur le moment, qu'ils avaient attendu pour appeler Hélène d'avoir couvert au moins la moitié du trajet afin qu'elle n'arrive pas avant eux mais j'ai trouvé plus tard, sur notre répondeur à la maison, une série de messages de plus en plus pressants qui m'ont rappelé ceux que j'avais trouvés sur le mien vingt ans plus tôt, quand ma sœur cadette a eu un grave accident de voiture. J'étais rentré tard et trop soûl pour les écouter, je ne les ai découverts que le lendemain matin. À l'horreur de la nouvelle s'ajoutait, même si cela ne changeait rien, la honte d'en avoir été indûment protégé toute une nuit, d'avoir dormi du sommeil de l'ivrogne, sinon du juste, alors que ma mère, que j'ai si souvent accusée de taire la vérité pour protéger les siens, avait tout fait pour me prévenir. Hélène et moi sommes montés à l'arrière et j'ai eu l'impression que les choses reprenaient un cours perdu depuis très longtemps : les parents devant, les enfants derrière. La route jusqu'à l'hôpital de Lyon-Sud a été assez longue, avec des rocades sans fin, des panneaux qu'on voyait trop tard, des bretelles de sortie qu'on ne prenait pas à temps, alors on prenait la suivante, puis la rocade en sens inverse. Ces difficultés d'orientation permettaient de parler de choses neutres. Pour les parents d'Hélène, comme pour les miens, la bonne éducation consiste en premier lieu à garder pour soi ses émotions mais leurs yeux étaient rouges et les mains de Jacques, le père, tremblaient sur le volant. Juste avant d'arriver, Marie-Aude, la mère, a dit sans se retourner que ce serait sans doute, ce soir, la dernière fois que nous verrions Juliette. Peut-être le lendemain encore, on ne savait pas.

Elle était au service de réanimation. Hélène et ses parents sont entrés dans la chambre, j'ai voulu rester sur le seuil mais Hélène m'a fait signe de la suivre, de rester derrière elle, tout près, tandis qu'elle s'approchait de sa sœur et prenait sa main percée par l'aiguille de la perfusion. À son contact, Juliette qui gisait immobile, la tête renversée en arrière, s'est légèrement tournée dans sa direction. Ses poumons ne fonctionnaient presque plus, tout ce qui lui restait d'énergie était mobilisé par l'acte devenu effroyablement difficile de respirer. Elle n'avait plus de cheveux, son visage était émacié et cireux. J'avais vu beaucoup de morts d'un seul coup, à Tangalle, mes premiers morts, mais je n'avais toujours pas vu quelqu'un mourir. Là, je voyais. Ses parents et sa sœur lui ont parlé tous les trois sans qu'elle puisse leur répondre mais elle les regardait et semblait les reconnaître. Je ne me rappelle pas ce qu'ils lui ont dit. Sans doute répété son prénom, qui ils étaient, qu'ils étaient là. Juliette, c'est papa. Juliette, c'est maman. Juliette, c'est Hélène. Et ils pressaient ses mains, ils touchaient son visage. Tout à coup, elle s'est redressée dans son lit, arquant le dos. Elle a fait plusieurs fois le même geste brutal et maladroit pour arracher le masque à oxygène, comme si au lieu de l'y aider il l'empêchait de respirer. Affolés, nous avons cru qu'il ne marchait plus, qu'elle allait mourir à l'instant, faute d'air. Une infirmière est arrivée, a dit que non, l'appareil marchait bien. Hélène, qui maintenait Juliette dans ses bras, l'a aidée à reprendre sa position de gisante. Elle s'est laissé faire. Ce sursaut l'avait épuisée. Elle semblait moins calmée qu'éloignée, hors d'atteinte. Nous sommes restés un moment tous les quatre à son chevet. L'infirmière, ensuite, nous a dit que dans l'après-midi, quand elle pouvait encore parler, elle avait demandé à voir ses filles, mais seulement après la fête de leur école, qui devait avoir lieu le lendemain matin. Les médecins pensaient pouvoir la maintenir jusque-là. On ferait en sorte, cette nuit, qu'elle puisse se reposer. Tout cela avait été planifié par elle et son mari. Elle ne voulait pas mourir hébétée par les médicaments, en même temps elle comptait sur eux pour que l'excès de souffrance ne lui vole pas sa mort. Elle voulait qu'on l'aide à tenir pour faire ce qu'il lui restait à faire mais pas au-delà. Plus encore que son courage, sa lucidité et son exigence impressionnaient l'infirmière.

À l'hôtel, cette nuit-là, Hélène était couchée contre moi mais murée, hors d'atteinte elle aussi. Quelquefois elle se levait pour fumer une cigarette près de la fenêtre entrouverte et je me levais aussi, je fumais une cigarette aussi. C'était interdit dans la chambre que nous occupions et nous utilisions en guise de cendrier un verre à dents de plastique avec un fond d'eau, pour qu'il ne brûle pas. Cela faisait une tisane répugnante. Nous avions tous les deux l'intention d'arrêter de fumer, plusieurs vaines tentatives à notre passif et, d'un commun accord, plutôt que de réessayer à un mauvais moment, d'échouer encore une fois et de nous décourager, nous avions décidé d'attendre et de saisir, afin d'arrêter pour de bon, un moment vraiment opportun, c'est-à-dire un moment sans trop de stress. Cela voulait dire pour moi après la sortie de mon film et pour Hélène, je m'en rends compte à présent même si ce n'était pas formulé, après la mort de Juliette qu'elle voyait approcher depuis plusieurs mois avec une angoisse médusée. Nous nous levions, fumions, nous recouchions, nous relevions, pratiquement sans parler. À un moment, Hélène m'a dit : c'est bien que tu sois là, et cela m'a fait du bien qu'elle me le dise. En même temps, je pensais à Yokohama. Je me disais que comme c'était parti il y avait peu de chances que je puisse prendre l'avion lundi et j'essayais en vain de calculer ces chances. Je pensais aussi au Sri Lanka, à la façon dont nous nous étions embrassés sous la douche de l'Alliance française en décidant de ne plus nous quitter. La chambre de ses parents était dans le même couloir, à trois numéros de la nôtre. Ils ne s'étaient pas quittés, eux, ni les miens. Ils vieillissaient ensemble et même s'ils n'étaient pas des modèles pour nous je trouvais que c'était quelque chose, de vieillir ensemble. Ils devaient être allongés sur leur lit, en silence. Peut-être se serraient-ils l'un contre l'autre. Peut-être pleuraient-ils tous les deux, tournés l'un vers l'autre. C'était la dernière nuit de leur enfant, ou l'avant-dernière. Elle avait trente-trois ans. Ils étaient venus là pour sa mort. Et les trois petites filles, à quelques kilomètres d'ici ? Est-ce qu'elles dormaient ? Qu'est-ce qui se passait dans leur tête ? Cela veut dire quoi, quand on a sept ans, de savoir que sa mère est en train de mourir ? Et quand on a quatre ans ? Un an ? À un an, on ne sait pas, on ne comprend pas, dit-on, mais on doit même sans mots deviner qu'il se passe quelque chose d'immensément grave autour de soi, que la vie est en train de basculer, qu'il n'y aura plus jamais vraiment de sécurité. Une question de langage me tournait dans la tête. Je déteste qu'on emploie le mot « maman » autrement qu'au vocatif et dans un cadre privé : que même à soixante ans on s'adresse ainsi à sa mère, très bien, mais que passé l'école maternelle on dise « la maman d'Untel » ou, comme Ségolène Royal, « les mamans », cela me répugne, et je devine dans cette répugnance autre chose que le réflexe de classe qui me fait tiquer quand quelqu'un dit devant moi « sur Paris » ou, à tout bout de champ, « pas de souci ». Pourtant, même pour moi, celle qui allait mourir, ce n'était pas la mère d'Amélie, de Clara et de Diane, mais leur maman, et ce mot que je n'aime pas, ce mot qui depuis si longtemps me rend triste, je ne dirais pas qu'il ne me rendait pas triste mais j'avais envie de le prononcer. J'avais envie de dire, à voix basse : maman, et de pleurer et d'être, pas consolé, non, mais bercé, juste bercé, et de m'endormir ainsi.

Rosier, où habitaient Juliette, Patrice et leurs trois filles, où habitent toujours Patrice et ses trois filles, est un très petit village, sans commerces ni café, mais avec une église et une école autour desquelles se sont construits des lotissements. L'église doit dater de la fin du XIXe siècle, aucun des pavillons ne lui est contemporain, en sorte qu'on se demande à quoi pouvait ressembler le village autrefois, s'il a été habité par des paysans avant de l'être par de jeunes couples qui travaillent à Vienne ou à Lyon et ont choisi de s'établir ici parce que ce n'est pas trop cher et bien pour les enfants. Quand j'étais venu avec Hélène, en février, j'avais trouvé l'endroit d'autant plus sinistre qu'il me rappelait beaucoup, par l'habitat et les habitants, celui où avaient vécu Jean-Claude Romand et sa famille pas très loin de là, dans le pays de Gex. En juin, cela passait mieux, d'autant qu'il faisait beau. Le jardin, avec sa balançoire et sa piscine en plastique, donne sur la place de l'église qu'il suffit de traverser pour atteindre l'école. J'imaginais les filles partant après le petit déjeuner avec leur cartable sur le dos, les goûters, les visites d'une maison à l'autre, les bicyclettes pendues dans les garages au-dessus de l'établi et de la tondeuse à gazon. Cela manquait d'horizon, mais quand même, c'était doux.

Il y avait beaucoup de monde dans la maison quand nous sommes arrivés, le samedi matin : Patrice et ses filles, qu'on finissait de préparer pour la fête de l'école, mais aussi les familles des deux côtés, parents, frères et sœurs, sans compter les voisins qui passaient pour cinq minutes et un café. On en refaisait sans cesse, en ressortant de la machine pas encore lancée des tasses qu'on rinçait sous le robinet. J'étais la plus récente des pièces rapportées, j'avais besoin d'une tâche et je me suis installé à la table de la cuisine pour aider la mère de Patrice à préparer une grande salade pour le déjeuner. Nous savions tous pourquoi nous étions là, il était inutile d'en rien dire, mais que dire alors ? Elle avait lu mon livre *L'Adversaire*, que Juliette lui avait conseillé en disant que j'étais le nouveau fiancé d'Hélène, et elle l'avait trouvé très dur. J'ai reconnu que oui, c'était dur, qu'il avait été dur pour moi aussi de l'écrire, et je me suis senti vaguement honteux d'écrire des choses si dures. Les gens que je fréquente, cela ne leur pose pas de problème qu'un livre soit horrible : beaucoup y voient au contraire un mérite, une preuve d'audace à mettre au crédit de l'auteur. Les lecteurs plus candides, comme la mère de Patrice, sont troublés. Ils ne jugent pas que c'est mal d'écrire ça, mais se demandent tout de même pourquoi l'écrire. Ils se disent que le type gentil et bien élevé qui les aide à couper en rondelles les concombres, qui a l'air de sincèrement prendre part au deuil de la famille, que ce type doit tout de même être bien tordu, ou bien malheureux, en tout cas que quelque chose chez lui ne va pas, et le pire, c'est que je ne peux que leur donner raison.

Je me réfugiais d'autant plus volontiers dans la compagnie de la mère de Patrice que je n'osais pas m'approcher des petites filles, je parle des deux aînées, Amélie et Clara. Il ne suffisait pas avec elles d'être gentil et bien élevé. Je ne savais pas ce qu'il fallait faire mais je savais à ce moment n'en être pas capable. La première fois où j'étais venu, j'avais fait le clown et fait rire Amélie. C'est Antoine à présent qui faisait le clown et qui la faisait rire. Antoine est le frère cadet d'Hélène et de Juliette et c'est une des personnes les plus faciles à aimer que je connaisse. Il est gai, amical, il n'y a rien en lui de contraint, de défendu, tout le monde est tout de suite à l'aise avec lui et particulièrement les enfants. J'ai découvert plus tard le gouffre de chagrin qui peut s'ouvrir en lui mais j'enviais à ce moment sa simplicité, son rapport de plain-pied avec la vie, qui sont à l'opposé de mon caractère et, me semblait-il alors, de celui d'Hélène. Pourtant Hélène est capable de s'oublier. Je l'avais découvert en la voyant porter assistance aux rescapés de la vague, je le vérifiais en l'observant avec Clara. Patrice, venait de me dire sa mère, avait parlé la veille aux trois petites filles. Et parler, c'était dire : maman va mourir ; demain, après la fête de l'école, on va aller la voir tous les quatre, et ce sera la dernière fois. Il avait prononcé ces mots, il avait dû les répéter. Clara les avait entendus. Elle savait que de cet amour irremplaçable que sa mère lui donnait elle allait à quatre ans être privée, et elle en cherchait déjà un substitut auprès de sa tante. Je voyais Hélène la câliner, accueillir ses chatteries et ses pleurs, et j'étais bouleversé par sa délicatesse comme je l'avais été, là-bas, en la voyant dans une situation exactement inverse, face aux parents d'une autre Juliette.

J'ai été et je suis encore scénariste, un de mes métiers consiste à construire des situations dramatiques et une des règles de ce métier c'est qu'il ne faut pas avoir peur de l'outrance et du mélo. Je pense tout de même que je me serais interdit, dans une fiction, un tire-larmes aussi éhonté que le montage parallèle des petites filles dansant et chantant à la fête de l'école avec l'agonie de leur mère à l'hôpital. En attendant que ce soit leur tour, Hélène et moi sortions toutes les dix minutes du préau pour fumer des cigarettes, puis regagnions le banc sur lequel était assise la famille, et quand sont apparues, d'abord Clara parmi les petits de maternelle qui faisaient le ballet des poissons dans l'eau, puis Amélie qui participait, en tutu, à un numéro de cerceau et de hula-hoop, nous avons comme les autres fait de grands signes pour capter leurs regards, montrer que nous étions là. C'était important pour elles, ce spectacle. C'étaient des petites filles consciencieuses, appliquées. Quelques jours plus tôt, elles croyaient que leur mère serait là pour les voir. Quand on l'avait emmenée à l'hôpital, Patrice leur avait dit, sans doute l'espérait-il encore, qu'elle reviendrait à temps pour la fête. Puis que ce n'était pas sûr qu'elle revienne pour la fête mais qu'elle reviendrait bientôt. Puis, la veille, qu'elle ne reviendrait plus. Ce qui rendait la chose encore plus déchirante, s'il est possible, c'est qu'elle était très bien, cette fête. Vraiment. Gabriel et Jean-Baptiste, mes deux fils, sont grands maintenant, mais j'en ai vu pas mal, des fêtes de fin d'année à la maternelle et à l'école primaire, des spectacles de théâtre, de chansons, de pantomime, et bien sûr c'est toujours attendrissant, mais aussi laborieux, approximatif, pour tout dire un peu bâclé, au point que s'il y a une chose dont les plus indulgents des parents savent gré aux instituteurs qui se cassent la tête à organiser ces spectacles, c'est de faire court. Le spectacle de l'école de Rosier n'était pas court, mais il n'était pas non plus exécuté à la va-comme-je-te-pousse. Il y avait dans ces petits ballets et ces saynètes une qualité de précision qui n'avait pu être atteinte qu'avec beaucoup de travail et de soin, un sérieux impensable dans les écoles pour bobos qu'ont fréquentées mes fils. Les enfants avaient l'air heureux, équilibrés. Ils grandissaient à la campagne, dans un milieu familial protégé. On devait divorcer et se déchirer à Rosier comme partout, seulement on quittait alors Rosier, qui était vraiment un lieu pour familles unies, un lieu où chaque enfant, de la scène où il chantait et dansait, pouvait chercher du regard sur les bancs de l'assistance son père et sa mère, ensemble, et il allait de soi qu'ils étaient ensemble. C'était la vie telle que la montrent les publicités des mutuelles ou des prêts bancaires, la vie où on se soucie du taux annuel du livret A et des dates de vacances dans la zone B, la vie Auchan, la vie en survêtement, la vie moyenne en tout, dépourvue non seulement de style mais de la conscience qu'on peut essayer de donner forme et style à sa vie. Je toisais cette vie de haut, je n'en aurais pas voulu, il n'empêche que ce jour-là je regardais les enfants, je regardais leurs parents les filmer avec leurs caméscopes, et je me disais que le choix de la vie à Rosier n'était pas seulement celui de la sécurité et du troupeau, mais de l'amour.

Dans la foule de parents d'élèves qui remplissait le préau de l'école et qui, après le spectacle, s'est rassemblée sur le terre-plein devant l'église, tout le monde était au courant. On ne parlait pas encore de Juliette au passé mais on ne pouvait pas feindre l'espoir. Voisins et amis plus ou moins proches venaient embrasser Patrice qui tenait la petite Diane dans ses bras, lui presser l'épaule, lui proposer de garder les enfants ou d'héberger, si la place manquait, les membres de la famille venus pour la mort de sa femme. Il avait un sourire désolé et gentil, qui exprimait une vraie gratitude pour les plus convenues des manifestations de sympathie — le fait qu'elles soient convenues, cela dit, n'empêchait pas qu'elles soient sincères — et ce qui me frappait, ce qui n'a jamais cessé de me frapper chez lui, c'est sa simplicité. Il était là, en short et sandalettes, il donnait le biberon à sa toute petite fille et rien en lui ne se posait la question de comment manifester son chagrin. La kermesse a commencé. Il y avait des stands de pêche à la ligne, de tir à l'arc, des pyramides de boîtes de conserve à abattre d'une balle de tennis, un atelier de coloriage, une tombola... Amélie avait un carnet de billets de tombola à écouler, tous les membres de la famille et quelques voisins lui en ont acheté mais aucun d'entre nous n'a rien gagné. Comme j'étais avec Hélène et elle au moment du tirage, je feignais d'y prêter grande attention, vérifiais fiévreusement mes numéros et surjouais ma déception pour la faire rire. Elle riait, mais riait à sa façon : gravement, et j'essayais d'imaginer quel souvenir elle garderait, adulte, de cette journée. J'essaye d'imaginer, en écrivant ceci, ce qu'elle éprouvera si elle le lit un jour. Il y a eu, après la kermesse, un déjeuner dans le jardin, sous le grand catalpa. Il faisait très chaud, on entendait derrière les haies des enfants qui riaient et s'éclaboussaient dans les piscines gonflables. Clara et Amélie, sagement attablées, faisaient des dessins pour leur mère. Si la couleur dépassait du tracé, elles fronçaient les sourcils et recommençaient. Quand Diane s'est réveillée de sa sieste, Patrice et Cécile, l'autre sœur de Juliette, sont partis pour l'hôpital avec les trois petites filles. Au moment de monter en voiture, Amélie s'est tournée vers l'église, elle a fait un furtif signe de croix et murmuré, très vite : faites que Maman ne meure pas.

Notre tour, à Hélène et moi, est venu en fin d'après-midi. Prévoyant que j'aurais à conduire, j'avais pris soin la veille de mémoriser l'itinéraire et j'ai mis un point d'honneur à faire le trajet sans erreur ni hésitation : je ne pouvais pas grand-chose mais être un bon chauffeur, c'était déjà ça. Nous avons poussé les mêmes portes à double battant, longé les mêmes couloirs déserts, éclairés au néon, attendu longtemps devant l'interphone qu'on nous donne accès au service de réanimation. Quand nous sommes entrés dans la chambre, Patrice était allongé sur le lit à côté de Juliette, le bras passé sous son cou, le visage penché sur le sien. Elle avait perdu conscience, mais sa respiration restait oppressée.

Pour laisser à Hélène un moment de tête-à-tête avec sa sœur, Patrice est sorti dans le couloir. J'ai regardé Hélène s'asseoir au bord du lit et prendre la main inerte de Juliette, puis lui caresser le visage. Du temps a passé. En ressortant de la chambre, elle a demandé à Patrice ce que disaient les médecins. Il a répondu que selon eux elle mourrait dans la nuit mais qu'on ne pouvait pas savoir combien de temps cela prendrait. Maintenant, a dit Hélène, il faut qu'ils l'aident. Patrice a hoché la tête et il est retourné dans la chambre.

Le médecin de veille était un jeune homme chauve aux lunettes dorées, l'air précautionneux. Il nous a reçus avec une infirmière blonde, aussi chaleureuse d'aspect que lui était froid, et nous a priés de nous asseoir. Vous devez vous douter, a dit Hélène, de ce que je viens vous demander. Il a fait un petit signe qui était moins un oui qu'un encouragement à poursuivre et Hélène, à qui les larmes montaient aux yeux, a poursuivi. Elle a demandé combien de temps cela pouvait encore durer, le médecin a répété qu'on ne pouvait pas le dire mais que c'était une question d'heures, pas de jours. Elle était entre deux eaux. Il faut l'aider, maintenant, a répété Hélène. Il a juste répondu : nous avons commencé à le faire. Hélène a laissé son numéro de portable et demandé qu'on l'appelle quand ce serait fini.

Dans la voiture, en revenant de l'hôpital, elle n'était pas certaine d'avoir été assez claire avec le médecin, ni que sa réponse l'était. J'ai essayé de la rassurer : de part ni d'autre il n'y avait eu d'ambiguïté. Elle craignait aussi le zèle de l'infirmière chaleureuse, qui avait parlé d'une amélioration possible. Juliette, disait-elle sur un ton d'espoir, pouvait tenir encore vingt-quatre ou même quarante-huit heures. Ces heures-là, Hélène en était sûre, seraient de trop. Juliette avait fait ses adieux, Patrice se tenait près d'elle : c'était le moment. La médecine, désormais, ne pouvait plus que permettre de ne pas manquer ce moment.

Nous nous sommes arrêtés à Vienne pour racheter des cigarettes et prendre un verre à la terrasse d'un café, sur l'avenue principale. C'était un samedi soir dans une petite ville de province, les gens traînaient dehors en chemise ou en robe légère, cela sentait l'été et le Sud. En plus de la circulation normale, nous avons vu et entendu passer, d'abord des motos que des garçons du cru faisaient se cabrer et vrombir le plus fort possible, ensuite le convoi d'un mariage, voiles blancs pavoisant les antennes de radio et klaxons à plein régime, enfin le camion publicitaire annonçant un spectacle de guignol pour le soir même. C'était une rencontre au sommet, braillait le type dans son mégaphone, une rencontre à ne pas manquer : Guignol et Winnie l'ourson ! Comme à la fête de l'école, on avait l'impression que le scénariste avait eu la main lourde.

Nous avons parlé de Patrice. Comment allait-il s'en tirer, seul avec ses trois filles, sans véritables ressources ? Les bandes dessinées auxquelles il s'appliquait dans son atelier au sous-sol de la maison ne lui rapportaient pas grand-chose, c'était Juliette qui faisait vivre la famille avec son salaire de magistrat et déjà, même si les petites ne manquaient de rien, on sentait les fins de mois difficiles. L'assurance jouerait, bien sûr, elle finirait de payer la maison, et puis Patrice trouverait du travail. Sa douceur et sa modestie n'en faisaient pas un foudre de guerre, il n'allait pas monter une boîte de relations publiques, mais on pouvait compter sur lui : tout ce qu'il y aurait à faire, il le ferait. Plus tard, il se remarierait. Un garçon aussi beau, aussi gentil, trouverait forcément une femme gentille aussi. Il saurait l'aimer comme il avait aimé Juliette : il ne se complairait pas dans le deuil, il n'y avait chez lui aucun penchant morbide. Cela viendrait, inutile d'anticiper. Pour le moment il était là, il tenait dans ses bras sa femme en train de mourir et, quel que soit le temps qu'elle y mettrait, on pouvait être sûr qu'il la tiendrait jusqu'au bout, que Juliette dans ses bras mourrait en sécurité. Rien ne me paraissait plus précieux que cette sécurité-là, cette certitude de pouvoir se reposer jusqu'au dernier instant dans les bras de quelqu'un qui vous aime entièrement. Hélène m'a rapporté ce que Juliette avait dit à leur sœur Cécile la veille, avant que nous arrivions, quand elle était encore capable de parler. Elle disait qu'elle était contente, que sa petite vie tranquille avait été une vie réussie. J'ai d'abord pensé que c'était une phrase de réconfort, puis qu'elle était sincère, enfin qu'elle était vraie. J'ai pensé à la phrase fameuse de Fitzgerald : « Toute vie, évidemment, est un processus de démolition », et celle-là, je ne pensais pas qu'elle soit vraie. Du moins, je ne le pensais pas de toute vie. De celle de Fitzgerald peut-être. De la mienne peut-être — je le craignais à l'époque plus qu'aujourd'hui. Et encore, on ne sait pas ce qui se passe à la dernière minute, il doit y avoir des vies dont l'apparente déroute est trompeuse, parce qu'elles se sont retournées in extremis ou que quelque chose d'invisible en elles nous a échappé. Il doit y avoir des vies en apparence réussies qui sont des enfers et peut-être, si horrible qu'il soit de le penser, des enfers jusqu'au bout. Mais quand Juliette jugeait la sienne, je la croyais et ce qui m'y faisait croire, c'est l'image de ce lit de mort sur lequel Patrice la tenait dans ses bras. J'ai dit à Hélène : tu sais, il s'est passé quelque chose. Il y a encore quelques mois, si j'avais appris que j'avais un cancer, que j'allais bientôt mourir, et que je m'étais posé la même question que Juliette, est-ce que ma vie a été réussie ? je n'aurais pas pu répondre comme elle. J'aurais dit que non, ma vie n'avait pas été réussie. J'aurais dit que j'avais réussi des choses, eu deux fils qui sont beaux et vivants, écrit trois ou quatre livres où a pris forme ce que j'étais. J'ai fait ce que j'ai pu, avec mes moyens et mes entraves, je me suis battu pour le faire, c'est un bilan qui n'est pas nul. Mais l'essentiel, qui est l'amour, m'aura manqué. J'ai été aimé, oui, mais je n'ai pas su aimer — ou pas pu, c'est pareil. Personne n'a pu se reposer en toute confiance dans mon amour et je ne me reposerai, à la fin, dans l'amour de personne. C'est ce que j'aurais dit à l'annonce de ma mort, avant la vague. Et puis, après la vague, je t'ai choisie, nous nous sommes choisis et ce n'est plus pareil. Tu es là, près de moi, et si je devais mourir demain je pourrais dire comme Juliette que ma vie a été réussie.

J'ai sous les yeux quatre feuillets arrachés à un carnet à spirale et recouverts, recto verso, de notes prises en vue de décrire aussi précisément que possible la chambre 304 à l'hôtel du Midi de Pont-Évêque, Isère. Je devais participer à un livre collectif en hommage à mon ami Olivier Rolin, qui avait l'année précédente publié un roman décrivant minutieusement des chambres d'hôtel à travers le monde. Chacune de ces chambres servait de décor à une nouvelle à base d'hôtesses de bar, de trafiquants d'armes et de personnages interlopes avec qui le narrateur prenait des cuites carabinées. L'idée était venue à son éditeur de prolonger le jeu en demandant à une vingtaine d'écrivains, amis d'Olivier, de décrire à leur tour une chambre d'hôtel et d'imaginer ce qui leur plaisait à partir de là. À un moment de cette nuit interminable où nous attendions le coup de fil nous annonçant la mort de Juliette, j'ai pour distraire Hélène parlé de cette commande et de mes hésitations sur le choix de l'hôtel. Le ton de l'entreprise, romanesque et ludique, appelait un établissement d'un exotisme un peu sophistiqué. Dans ce registre, j'avais en réserve l'hôtel Viatka de Kotelnitch, un exemple parfait de style brejnévien en déshérence où pas une ampoule n'a dû être changée depuis l'inauguration et où si je mets bout à bout mes séjours j'avais passé trois ou quatre mois. À l'autre extrémité de l'échelle, le seul autre hôtel où j'avais réellement habité, je veux dire vécu plusieurs semaines, était le luxueux Intercontinental de Hong Kong, où Hélène était venue me rejoindre pendant le tournage de *La Moustache*. En nous retrouvant dans le lobby, en découvrant de notre chambre au vingt-huitième étage la vue panoramique sur la baie, en montant et descendant dans les ascenseurs, nous pouvions nous croire dans *Lost in Translation*. L'hôtel qui m'attendait à Yokohama devait être, j'imagine, du même genre, et je m'étais promis comme un agréable devoir de vacances de décrire la chambre que j'y occuperais. Si tu ne vas pas à Yokohama, a dit Hélène, tu n'as qu'à décrire cette chambre-ci, à la place. On peut le faire là, maintenant, ça nous occupera. J'ai pris mon carnet et nous nous sommes mis au travail, avec autant de zèle que lorsque nous avions répété la scène érotique de mon film. J'ai noté que la chambre, d'une superficie d'environ quinze mètres carrés, était entièrement tapissée, plafond compris, d'un papier peint en jaune. Pas d'un papier peint jaune, a insisté Hélène : d'un papier qui devait être blanc à l'origine et qu'on a peint *en* jaune, avec un relief imitant un tissage à gros points. Après, nous sommes passés aux boiseries, tours de portes, tours de fenêtres, plinthes et tête de lit, peintes, elles, dans un jaune plus soutenu. C'était une chambre très jaune, en somme, avec, sur les draps et les rideaux, des touches de rose et de vert pastel qu'on retrouvait sur les deux lithographies accrochées au-dessus et en face du lit. Toutes deux, éditées en 1995 par Nouvelles Images SA, trahissaient à la fois l'influence de Matisse et celle du style naïf yougoslave. Appuyé sur le coude, je transcrivais en hâte ce que relevait Hélène, qui allait et venait maintenant dans la pièce, comptant les prises électriques, testant le va-et-vient commandant l'éclairage, de plus en plus absorbée par son inventaire. J'en passe les détails : c'était une chambre banale dans un hôtel banal, quoique très bien tenu — et très aimablement. La seule chose un peu intéressante et d'ailleurs la plus difficile à décrire se trouve dans le petit dégagement qui tient lieu d'entrée. Je recopie mes notes : « Il s'agit d'un placard à double accès, dont une porte ouvre sur le dégagement et l'autre, à angle droit, sur le couloir desservant les chambres. C'est l'équivalent d'un passe-plats avec deux étagères, celle du dessus destinée au linge, celle du dessous aux plateaux de petit déjeuner, comme l'indiquent clairement les pictogrammes gravés dans le verre de deux petites impostes, permettant à la fois d'indiquer ce qui doit être placé où et de voir si cela a été placé ou non.» Je ne suis pas sûr que ce soit tout à fait clair, tant pis. Nous nous sommes demandé si cette sorte de placard, assez peu répandue, avait un nom qui épargnerait ces descriptions laborieuses. Il y a des gens qui sont très forts pour ça, qui dans tous les domaines ou du moins dans de nombreux domaines connaissent les noms des choses. Olivier en fait partie, moi non, Hélène un peu plus. Le mot «imposte», dans les lignes que je viens de citer, je sais que c'est elle.

L'aube est arrivée. Nous avions terminé notre inventaire et le téléphone n'avait pas sonné. L'idée que sa sœur flottait encore entre deux eaux épouvantait Hélène. Je n'en menais pas large non plus. Nous avons fermé les rideaux, tiré le drap sur nous, dormi mal mais un peu, serrés l'un contre l'autre en cuillers. Le téléphone nous a réveillés à neuf heures. Juliette était morte à quatre heures du matin.

Nous avons retrouvé Antoine, Jacques et Marie-Aude pour le petit déjeuner dans la salle à manger de l'hôtel. Cécile était avec Patrice et les filles à Rosier. On s'est étreint en silence, ce silence accompagné d'une pression de la main sur l'épaule étant dans nos milieux l'expression maximale du chagrin, puis on a parlé de choses pratiques : les obsèques, qui allait rester aujourd'hui, comment on allait se relayer les jours suivants pour entourer Patrice et les petites, et déjà on formait des plans pour que les uns et les autres les accueillent pendant les vacances d'été. Pour les heures qui venaient, le programme était déjà fixé : on devait repasser à Rosier, puis aller à l'hôpital, je crois qu'on a simplement dit « pour voir Juliette ». Pas pour lui rendre un dernier hommage, ni pour se recueillir devant sa dépouille : c'est une qualité qu'on doit reconnaître aux bourgeois à l'ancienne de ne pas recourir à cette langue de bois et de dire qu'on est mort, pas décédé ou parti. Après, on irait à Lyon pour rencontrer un collègue de Juliette. Un collègue de Juliette ? Le jour même de sa mort ? Hélène et moi étions un peu étonnés. Oui, a expliqué Jacques, un collègue qui était juge avec elle au tribunal d'instance de Vienne et qui avait été très proche d'elle durant sa maladie. Une des choses qui les rendaient proches, c'est que lui aussi avait eu un cancer dans sa jeunesse et qu'on l'avait amputé d'une jambe. De sa propre initiative, il avait proposé ce matin que les membres de la famille, puisqu'ils étaient tous là, se rassemblent chez lui pour qu'il leur parle de Juliette. Cette visite de condoléances à un magistrat unijambiste me paraissait un peu saugrenue mais tout ce que j'avais à faire, c'était de suivre.

Je ne me rappelle rien du premier contact avec les petites filles qui venaient de perdre leur mère.

Il me semble que c'était plutôt calme, sans pleurs, sans cris en tout cas. Ensuite, il y a eu la visite au funérarium de l'hôpital. C'est un bâtiment moderne composé d'une salle très vaste, très haute de plafond, très lumineuse, une sorte d'atrium qui fait penser aux décors uniques de la tragédie classique et sur quoi donnent plusieurs petites salles : les salons mortuaires, la chapelle, les toilettes enfin, où on ne tire la chasse qu'avec réticence car le lieu est aussi sonore que silencieux. Nous étions, ce dimanche matin, les seuls visiteurs, et nous avons été reçus par un type en blouse d'infirmier qui nous a fait asseoir dans un coin de la grande salle pour nous expliquer comment allaient se passer, techniquement, les quelques jours précédant l'enterrement. Ce n'était pas un infirmier, en fait, mais un bénévole préposé à l'accueil des familles et il traçait avec netteté la frontière entre ce qui relevait d'une part de l'hôpital et du service public qu'il représentait, d'autre part des professionnels des pompes funèbres. Jusqu'à la mise en bière par ces derniers, l'hôpital prenait en charge les visites, veillait à ce que le corps soit transporté de la morgue aux salons mortuaires et présenté aussi bien que possible, c'est-à-dire toiletté, coiffé, le cas échéant maquillé. Tout cela était gratuit, il ne fallait pas hésiter à demander, les gens comme lui étaient au service des familles, en revanche les soins cosmétiques plus lourds qui pouvaient se révéler nécessaires, surtout l'été, quand plusieurs jours s'écoulaient avant l'enterrement, étaient assurés par les pompes funèbres, donc payants. Il insistait beaucoup sur ce qui était gratuit d'un côté, payant de l'autre, répétait la leçon pour s'assurer qu'on l'avait bien comprise et, pensant aux familles moins à l'aise que celle de Juliette, je trouvais cela bien. Une phrase est revenue à plusieurs reprises dans le discours qu'il devait réciter, au mot près, à tous les visiteurs : « Nous sommes là pour que cela se passe le mieux possible. » Sans doute cette phrase est-elle un lieu commun dans toutes les professions qui entourent la mort et le malheur, on n'en avait pas moins l'impression qu'il faisait vraiment ce qu'il pouvait pour que cela se passe le mieux possible.

Nous allions voir Juliette à présent, on l'avait préparée pour notre visite, mais ses filles allaient venir dans l'après-midi et la mère de Patrice avait eu l'idée de leur faire choisir parmi les vêtements de Juliette une robe qu'elle aimait ou qu'elles aimaient, elles, lui voir porter. En réalité, Juliette ne portait guère de robes, plutôt des pantalons informes et confortables, ce qui lui tenait surtout à cœur c'est que ses filles soient bien habillées, il fallait qu'elles aient l'air de princesses, c'était son mot, et ce n'est sans doute pas pour rien qu'Amélie dessine si obstinément des princesses. La mère de Patrice, ce dimanche matin, avait donc conduit les deux aînées devant l'armoire pour choisir la robe que leur maman allait porter dans son cercueil, et cette robe, nous l'avions apportée avec nous, pour qu'elle l'ait cet après-midi quand les petites viendraient. Le bénévole approuvait cette initiative et, sur la lancée, il a dit que nous avions de la chance parce que le collègue qui allait bientôt le relayer était dans leur équipe le spécialiste incontesté du maquillage. Marie-Aude a montré un peu d'inquiétude : Juliette ne se maquillait presque pas. C'est justement pour cela, a dit le bénévole, que ce serait bien d'avoir son collègue le spécialiste : il ferait un travail très délicat et donnerait l'impression qu'elle était non pas maquillée, mais vivante. Quand nous sommes ressortis du salon mortuaire, après dix minutes dont je n'ai rien à dire, le spécialiste venait d'arriver. Prévenu des réticences de la famille, il s'est employé à rassurer et il a demandé si quelqu'un parmi nous, une des sœurs peut-être, avait envie de l'aider, de maquiller la défunte avec lui. C'est un geste, a-t-il précisé, qui peut paraître difficile mais qui peut aussi faire beaucoup de bien. Au reste, si la personne à la dernière minute ne sentait pas ce geste, il le ferait à sa place, personne n'était forcé de s'imposer des choses dures. Hélène et Cécile se sont regardées sans conviction, ni l'une ni l'autre finalement n'a maquillé sa sœur. Je repense à ce spécialiste, dont nous nous sommes un peu moqués dans la voiture, Antoine, Hélène et moi : c'était un type en bermuda rose, potelé, zézayant, qui avec sa frange de cheveux teints avait l'air de jouer un coiffeur homosexuel dans une pièce de boulevard, et c'est seulement tout de suite, en écrivant, que je me demande ce qui pouvait le pousser à venir bénévolement, le dimanche, farder des cadavres en guidant sur leurs visages les doigts de leurs parents les plus proches. Peut-être tout simplement le goût de rendre service. C'est une motivation pour moi plus mystérieuse que la perversité.

J'ai retardé tant que j'ai pu le moment d'y arriver mais voilà, nous sommes tous les huit dans l'escalier du juge unijambiste. L'immeuble, ancien, bourgeois, se trouve dans une rue piétonne qui débouche sur la gare de Perrache et je pense que ce sera commode pour repartir. L'escalier est en pierre, étroit, il n'y a pas d'ascenseur, je trouve cela bizarre pour un unijambiste mais on s'arrête au premier étage. On sonne, on ouvre, chacun à son tour franchit le seuil en se présentant et en serrant la main du maître de maison qui, la minuterie de l'escalier s'étant éteinte, ne voit pas qu'il reste encore quelqu'un sur le palier et me ferme la porte au nez. Je ne sais pas pourquoi, je trouve drôle, et lui aussi, que mes relations avec Étienne Rigal aient commencé ainsi. Je ne sais pas pourquoi non plus, je m'étais figuré le juge unijambiste célibataire, vivant dans un appartement minuscule et sombre, encombré de dossiers poussiéreux, peut-être sentant le chat. Mais non, l'appartement était spacieux, clair, avec de beaux meubles bien entretenus, et il n'y avait pas besoin de jeter un coup d'œil par la porte entrouverte d'une chambre d'enfants pour sentir qu'il était habité par une famille. Femme et enfants, cependant, avaient dû être priés d'aller se promener : Étienne nous recevait seul. Petite quarantaine, grand, bien bâti, en jean et tee-shirt gris. Des yeux très bleus, à fleur de tête, derrière des lunettes sans monture. Visage ouvert, voix douce, un peu aiguë. Quand il nous a précédés pour nous faire entrer dans le salon, on a pu voir qu'il boitait et, en s'appuyant sur la droite, traînait une jambe gauche toute raide. Le salon donnait sur la rue, le soleil entrant par les fenêtres ouvertes inondait de lumière jusqu'au mur opposé un beau parquet ancien. Nous avons pris place, couple par couple, les parents sur deux fauteuils voisins, Hélène et moi serrés à un bout du très long canapé, Antoine et sa femme à l'autre, Cécile et son mari sur des chaises. On avait disposé sur la table basse un saladier plein de cerises, un plateau chargé de verres et de jus de fruits, mais Étienne a demandé si nous voulions du café, tout le monde a répondu oui et il est allé en faire dans la cuisine. Pas un mot n'a été prononcé pendant son absence. Hélène s'est levée pour fumer à la fenêtre, je l'ai rejointe après avoir longé les rayonnages de la bibliothèque, qui témoignait de goûts plus personnels, ou plus proches des miens, que celle de Rosier. Étienne est revenu avec le café : il utilisait une machine à expresso qui ne faisait qu'une tasse à la fois, malgré quoi, mystérieusement, toutes les neuf sont arrivées fumantes sur le plateau. Il a demandé une cigarette à Hélène en précisant : j'ai arrêté depuis longtemps mais aujourd'hui c'est spécial, j'ai très peur. Sans concertation, nous avions laissé libre pour lui le fauteuil en face du canapé, parce qu'il occupait une position centrale, un peu comme la barre des témoins devant un tribunal. Mais il a préféré s'asseoir par terre, ou plutôt s'accroupir sur sa jambe droite fléchie en étendant la gauche devant lui — position qui semblait monstrueusement inconfortable et qu'il a pourtant tenue pendant près de deux heures. Nous le regardions tous. Il nous a regardés le regarder, un par un, je n'arrivais pas à savoir s'il était absolument calme ou fébrile. Il a eu un petit rire, pour nous prendre à témoin de sa gêne, puis il a dit : c'est bizarre, hein, cette situation ? Tout d'un coup, ça me paraît absurde, et puis présomptueux, de vous avoir fait venir comme ça, comme si j'avais à vous dire des choses que vous ne saviez pas sur quelqu'un qui était votre fille, votre sœur... J'ai vraiment très peur, vous savez. J'ai peur de vous décevoir, j'ai peur aussi de me rendre ridicule, ce n'est pas une peur très digne mais bon, c'est ce que je ressens. Je n'ai rien préparé. Hier, j'ai essayé de faire dans ma tête une espèce de discours, en dressant la liste des choses que je voulais aborder et puis je n'y suis pas arrivé, j'ai laissé tomber, de toute manière je ne suis pas bon pour ça. Alors je vais dire ce qui me vient. Il s'est tu un moment, puis il a repris : il y a une chose dont je crois que vous n'avez pas conscience et que je voudrais que vous compreniez, c'est que Juliette était un grand juge. Vous savez, bien sûr, qu'elle aimait son métier et qu'elle le faisait bien, vous devez penser qu'elle était un excellent magistrat, mais c'était plus que ça. Pendant les cinq ans où nous avons travaillé ensemble au tribunal de Vienne, elle et moi, nous avons été de grands juges.

Cette phrase m'a alerté, cette phrase et sa façon de la dire. Il y avait une fierté incroyable, quelque chose d'inquiet et de joyeux à la fois. Je reconnaissais cette inquiétude, je reconnais ceux qu'elle habite de dos, dans une foule, dans le noir, ce sont mes frères, mais la joie qui s'y mêlait m'a pris au dépourvu. On sentait que celui qui parlait était un type émotif, anxieux, perpétuellement tendu vers quelque chose qui lui échappait et qu'en même temps ce quelque chose il l'avait, qu'il était établi dans une confiance imprenable. Pas de sérénité, pas de sagesse, pas de maîtrise, mais une façon de s'appuyer sur sa peur et de la déployer, une façon de trembler qui m'a fait trembler moi aussi et comprendre qu'un événement était en train de se produire.

J'ai cité de mémoire les premières phrases d'Étienne : elles ne sont pas littéralement exactes mais, en gros, c'était cela. Ensuite, tout se mélange dans mon souvenir, comme tout se mélangeait dans son discours. Il a parlé de la justice, de la façon dont Juliette et lui rendaient la justice. Au tribunal de Vienne, ils s'occupaient surtout de droit du surendettement et de droit du logement, c'est-à-dire d'affaires où il y a des puissants et des démunis, des faibles et des forts, même si souvent c'est plus compliqué et ils aimaient que ce soit plus compliqué, qu'un dossier ne soit pas une série de cases à remplir mais une histoire et ensuite un exemple. Juliette n'aurait pas aimé, disait-il, qu'on dise qu'elle était du côté des démunis : ce serait trop simple, trop romantique, surtout ce ne serait pas juridique et elle restait obstinément juriste. Elle aurait dit qu'elle était du côté du droit mais elle est devenue, ils sont devenus tous les deux des virtuoses dans l'art d'appliquer *vraiment* le droit. Pour cela ils étaient capables de passer des dizaines d'heures à éplucher un plan de remboursement, capables de dénicher une directive à laquelle d'autres n'auraient jamais pensé, capables de saisir la Cour de justice des Communautés européennes en démontrant que l'addition des taux d'intérêt et des pénalités pratiqués par certaines banques dépassait le taux d'usure et que cette façon de saigner les gens n'était pas seulement immorale, mais illégale. Leurs jugements ont été publiés, discutés, attaqués avec violence. Ils ont été insultés dans le Dalloz. Dans le monde de la justice en France, au début du XXIe siècle, le tribunal d'instance de Vienne a été un endroit important : une sorte de laboratoire. On se demandait ce qu'ils allaient encore sortir de leur chapeau, les deux petits juges boiteux de Vienne. Parce qu'il y avait cela aussi, bien sûr : ils étaient boiteux tous les deux, tous les deux rescapés d'un cancer à l'adolescence. Ils s'étaient reconnus dès le premier jour, entre bancroches, entre gens dans le corps de qui il s'est passé cela, que personne ne peut comprendre s'il ne l'a vécu. J'ai appris à connaître, depuis, la façon de penser et de parler d'Étienne, par associations libres qui doivent plus, j'imagine, à l'expérience de la psychanalyse qu'à l'enseignement de la faculté de droit, mais lors de cette première rencontre je me perdais dans ses brusques passages d'un point de technique juridique à un souvenir qui pouvait être très intime sur son handicap ou sur celui de Juliette, sur la maladie de Juliette ou sur la sienne. Le cancer les avait dévastés et construits, et quand il était revenu s'attaquer à Juliette il avait fallu qu'Étienne l'affronte de nouveau. Une place s'était creusée, que ne pouvaient occuper auprès d'elle ni Patrice ni la famille mais lui seul, et c'est de cette place qu'il nous parlait. Pour nous dire quoi ? Pas de bonnes paroles. Pas que Juliette était courageuse, ni qu'elle s'était battue, ni qu'elle nous aimait, ni même qu'elle était morte heureuse. Tout cela, d'autres pouvaient nous le dire. Lui parlait d'autre chose, qui lui échappait, qui nous échappait, mais remplissait le salon ensoleillé d'une présence énorme, écrasante, pas triste pour autant. J'ai senti que cette présence me faisait signe à un moment précis, quand il a évoqué l'expérience pour lui fondatrice de la première nuit. La première nuit qu'on passe à l'hôpital, seul, quand on vient d'apprendre qu'on est très gravement malade, que de cette maladie on va peut-être mourir et que c'est cela, désormais, la réalité. Quelque chose, disait-il, se joue à ce moment, qui est de l'ordre de la guerre totale, de la débâcle totale, de la métamorphose totale. C'est une destruction psychique, cela peut être une refondation. Je ne m'en rappelle pas plus mais ce que je me rappelle, c'est qu'au moment de prendre congé, tandis qu'à tour de rôle, dans le vestibule, nous lui serrions la main, il s'est adressé à moi. À aucun moment il n'avait manifesté qu'il me connaissait comme écrivain mais là, devant tout le monde, les yeux dans les yeux, il m'a dit : vous devriez y penser, à cette histoire de la première nuit. C'est peut-être pour vous.

Nous nous sommes retrouvés tous les huit dans la rue, abasourdis. Hélène et moi avions décidé de reprendre le train, les autres retournaient à Rosier, on s'est embrassés, la suite ce serait l'enterrement. Nous sommes allés à pied à la gare de Perrache en longeant la rue piétonne puis en traversant la vaste place Carnot. Dimanche, deux heures de l'après-midi, grosse chaleur. Les bourgeois déjeunaient chez eux, les pauvres se répandaient sur les pelouses. En attendant le train nous avons mangé un sandwich à une terrasse. Depuis que nous avions quitté les autres nous n'avions pas dit un mot. Ce qui s'était passé pendant ces deux heures m'avait bouleversé mais aussi, je ne vois pas d'autre mot, enthousiasmé. J'avais envie de le dire à Hélène mais je craignais que cet enthousiasme soit déplacé. En outre, je n'étais pas certain qu'Étienne lui ait plu autant qu'à moi. À un moment, elle avait été presque agressive avec lui. Il avait promis à Juliette, disait-il, de prendre ses trois filles en stage, chacune à son tour. Attendez, avait dit Hélène, c'est un petit peu tôt et on ne va pas les forcer, par respect pour la mémoire de leur mère, à devenir juristes si elles ont envie de faire autre chose. Il ne s'agit pas de devenir juriste, avait gentiment répondu Étienne : je parlais seulement des stages de quelques jours qu'on fait quand on est au lycée. À plusieurs reprises, tandis qu'il parlait, j'avais senti Hélène à côté de moi s'impatienter et presque se cabrer. C'était comme de regarder un film qu'on aime à côté de quelqu'un qui l'aime moins, et je voyais bien ce qui dans les paroles d'Étienne avait pu la heurter. En me risquant à rompre le silence pour dire que je l'avais trouvé extraordinaire, ce type, j'attendais qu'elle réponde : un peu catho, quand même. Pour Hélène, comme pour beaucoup de gens qui ont grandi dans la religion catholique, l'appréciation « un peu catho » est entièrement négative. Pour moi, non. Mais elle n'a pas dit cela. Elle aussi, Étienne l'avait émue, ou plutôt ce qui l'avait émue, c'est ce qu'Étienne disait de Juliette. C'est parce qu'il était l'ami et le confident de Juliette qu'Étienne l'intéressait. Moi, c'était différent : je commençais à m'intéresser à Juliette à cause de ce qu'en avait dit Étienne.

Tout de même, a-t-elle observé, ce qu'il dit sans le dire c'est qu'il était amoureux d'elle.

J'ai dit : je ne sais pas.

La nuit suivante, la première après la mort de Juliette, j'ai repensé à ce qu'Étienne nous avait raconté et l'idée m'est venue de le raconter à mon tour. J'ai eu par la suite beaucoup de doutes sur ce projet, je l'ai abandonné pendant trois ans en croyant n'y revenir jamais, mais cette nuit-là il m'est apparu comme une évidence. On m'avait passé une commande, il suffisait de répondre oui. Couché contre Hélène endormie, je m'exaltais à l'idée d'un récit bref, quelque chose qui se lirait en deux heures, le temps que nous avions passé chez Étienne, et qui ferait partager l'émotion que j'avais ressentie en l'écoutant. Ce programme, sur le moment, m'a paru très circonscrit, très réalisable. Il faudrait, techniquement, l'écrire comme *L'Adver-*

saire, à la première personne, sans fiction, sans effets, en même temps c'était l'exact contraire de *L'Adversaire*, son positif en quelque sorte. Cela se passait dans la même région, le même milieu, les gens habitaient les mêmes maisons, lisaient les mêmes livres, avaient les mêmes amis, mais d'un côté on avait Jean-Claude Romand qui est le mensonge et le malheur incarnés, de l'autre Juliette et Étienne qui, tant dans l'exercice du droit que dans l'épreuve de la maladie, n'ont cessé de poursuivre la justice et la vérité. Et il y avait cette coïncidence, qui me troublait : la maladie de Hodgkin, le cancer dont Romand se prétendait atteint pour donner un nom avouable à la chose innommable qui l'habitait, c'est celui que Juliette, à peu près à la même époque, a eu, elle, pour de bon.

Hélène, de son côté, a décidé d'écrire un texte pour le lire à l'enterrement. Nous en parlions, je l'aidais à ordonner ses idées. Ce qu'elle tenait à dire, c'est que tout au long de ce qu'elle appelait sa petite vie tranquille, et qui n'avait été ni petite ni tranquille, Juliette avait toujours choisi. Elle n'atermoyait pas, ne revenait pas en arrière. Elle choisissait et se tenait à ses choix : son métier, son mari, sa famille, leur maison, leur façon de vivre ensemble, tout sauf la maladie. Cette vie était la sienne, cette place était la sienne, elle n'a jamais cherché à en occuper d'autre mais elle l'occupait pleinement. Il y avait là un sens qui importait à Hélène, qui contrastait peut-être avec la représentation plus chaotique qu'elle se faisait de sa propre vie. En même temps, des choses lui remontaient à la mémoire, qui n'avaient pas de sens et qui la bouleversaient. Comme d'autres les nourrissent, Hélène habille les gens qu'elle aime. Elle disait : j'ai toujours eu envie d'offrir à Juliette un sac à main, un très beau sac à main, et au moment d'entrer dans la boutique je me rappelais que non, à cause des béquilles elle ne pouvait pas porter de sac à main. Mais j'aurais pu lui offrir un très beau sac à dos, au lieu des trucs moches qu'elle avait. J'aurais pu. Je n'aimais pas qu'elle porte des trucs moches, je ne lui en ai pas assez offert de beaux. C'est horrible, le dernier cadeau que je lui ai fait, c'est la perruque. Et aussi : quand nous étions petites, j'étais jalouse parce qu'elle était la plus petite et la plus jolie. Si, je t'assure, tu ne l'as vue qu'à la fin, je vais te montrer. Elle allait chercher des albums, les étalait sur la table de la cuisine. Ces albums, je les avais déjà feuilletés avec elle en les sortant des cartons quand nous avions emménagé, mais je ne prêtais alors attention qu'à Hélène. Je regardais Juliette à présent, Juliette enfant, Juliette jeune femme, et c'est vrai, elle était jolie. Plus qu'Hélène, je ne sais pas, je ne trouve pas, mais jolie, oui, très jolie et pas du tout sévère comme je me l'étais figurée, sans doute à cause du handicap et de sa profession. Je regardais son sourire, je regardais les béquilles qui n'étaient jamais loin dans l'image, et je ne la trouvais pas courageuse mais vivante, pleinement et avidement vivante. C'est après avoir vu ces photos que j'ai parlé à Hélène de mon projet. Je craignais qu'elle soit choquée : sa sœur, que je n'avais pas connue, venait de mourir, et hop, je décidais d'en faire un livre. Elle a eu un moment d'étonnement, puis elle a trouvé que c'était juste. La vie m'avait mis à cette place, Étienne me l'avait désignée, je l'occupais.

Le lendemain, au petit déjeuner, elle a ri, vraiment ri, et m'a dit : je te trouve drôle. Tu es le seul type que je connaisse capable de penser que l'amitié de deux juges boiteux et cancéreux qui épluchent des dossiers de surendettement au tribunal d'instance de Vienne, c'est un sujet en or. En plus, ils ne couchent pas ensemble et, à la fin, elle meurt. J'ai bien résumé ? C'est ça, l'histoire ?

J'ai confirmé : c'est ça.

Cela se passait ainsi : je prenais le train à huit heures à la gare de Lyon, j'étais à dix heures à Perrache et un quart d'heure plus tard je sonnais à la porte d'Étienne. Il faisait du café, nous nous attablions dans la cuisine, face à face, j'ouvrais mon carnet et il commençait à parler. Au temps de *L'Adversaire*, quand j'interrogeais des personnes liées à l'affaire Romand, à Lyon déjà ou dans le pays de Gex, j'évitais de prendre des notes parce que je craignais de fausser les fragiles relations de confiance que je parvenais, ou non, à établir avec mes interlocuteurs. De retour à l'hôtel, je transcrivais ce que j'avais retenu de la conversation. Avec Étienne, je n'avais pas ces scrupules. D'une façon générale, ni avec lui ni, plus tard, avec Patrice, je n'ai jamais réfléchi de manière tactique, jamais pensé que telle phrase ou telle attitude de ma part risquait de m'aliéner une sympathie indispensable à mon entreprise, jamais eu peur de faire un faux pas. Quand j'étais venu vers lui, le jour de l'enterrement, pour lui dire que je voulais écrire son histoire et celle de Juliette et qu'il allait falloir maintenant que nous parlions, Étienne n'avait marqué aucune surprise, juste sorti son agenda et proposé une date : le vendredi 1er juillet. Nous étions engagés dans un projet commun, ce projet impliquait qu'il me raconte sa vie et il n'a jamais fait mystère du plaisir qu'il y prenait. Il aime parler de lui. C'est ma façon, dit-il, de parler des autres et aux autres, et il a relevé avec perspicacité que c'était la mienne aussi. Il savait que, parlant de lui, je parlerais forcément de moi. Cela ne le gênait pas, au contraire. Rien ne le gênait, je crois, et du coup rien ne me gênait non plus. C'est une situation assez rare de se retrouver à dire non seulement ce qu'on a vécu, mais qui on est, ce qui fait qu'on est soi et nul autre, à quelqu'un qu'on connaît à peine. Cela se produit dans les premiers temps d'une rencontre amoureuse et d'une cure psychanalytique, cela se produisait là, avec un naturel déconcertant. Sa manière, je l'ai dit, est libre et associative, avec des sautes brusques d'un thème à l'autre, d'un temps à l'autre. J'ai, moi, le goût et même l'obsession de la chronologie. L'ellipse ne me convient que comme procédé rhétorique, dûment répertorié et contrôlé par moi, sinon elle m'épouvante. Peut-être parce qu'il y a dans ma vie un accroc et qu'en tissant la trame la plus serrée possible j'espère le réparer, j'ai besoin de prendre des repères comme : le mardi d'avant, la nuit suivante, trois semaines plus tôt, de ne manquer aucune étape, et dans nos entretiens je ramenais sans cesse Étienne à cet ordre, qui m'impose de commencer ce récit par l'évocation de son père.

Il le décrit comme un universitaire atypique, curieux de tout, qui a successivement enseigné l'astronomie, les mathématiques, la statistique, la philosophie des sciences et la sémiologie, sans se fixer vraiment dans une discipline ni faire, du coup, la carrière à laquelle il pouvait aspirer. Venu des sciences dures, il voulait se rapprocher du réel, de l'humain et des incertitudes qui vont avec, c'est ainsi qu'il s'est retrouvé dans les années soixante à faire de la formation auprès des ouvriers de Peugeot à Montbéliard — où la famille de sa femme possédait une maison immense, dédaléenne, inchauffable, qu'il a fallu vendre par la suite et dont Étienne garde la nostalgie. Par formation, ses employeurs entendaient une formation scientifique, ils avaient engagé un professeur de mathématiques, mais lui se voulait un éveilleur et faisait des cours de philosophie, de politique et de morale. On l'a viré au bout de quelques mois, comme de pas mal d'endroits où il est passé en laissant son empreinte dans quelques esprits généreux. C'était un typique chrétien de gauche, lecteur de Simone Weil et de Maurice Clavel, électeur fidèle de Rocard, membre du PSU sous l'étiquette duquel il s'est présenté aux législatives en

Corrèze, le fief de la famille du côté paternel, contre le notable chiraquien du cru : sans succès, mais tout de même, il l'a mis en ballottage. Chrétien dans la compagnie des athées, il se transformait dans celle des chrétiens en bouffeur de curés, capable de soutenir que Jésus couchait avec Jean, son disciple bien-aimé. Il y avait en lui un contestataire voué à être mal vu par toutes les hiérarchies, un franciscain qui aurait pu s'établir en usine ou marcher en sandales au hasard des chemins, mais aussi un bourgeois soucieux de reconnaissance et qui ne pouvait pas prendre ses échecs à la légère. Étienne estime, avec le recul, qu'il a dû passer au moins dix ans de sa vie dans une dépression profonde. Son excentricité prenait un goût amer, ce n'était pas agréable quand on se baladait avec des copains dans la rue de le rencontrer en veste, cravate, chaussettes et chaussures noires, ses jambes maigres et poilues sortant d'un short Adidas, mais il ignorait l'égoïsme et son fils ne se rappelle de lui aucune action basse. De la loi hébraïque, il avait tiré le commandement de donner 10 % de ce qu'il gagnait aux pauvres, et si à la fin de l'année il n'avait pas pu mettre ces 10 % de côté, il empruntait pour ne pas faillir à son engagement. C'était un juste mélancolique et rebuté, mais un juste, contre qui Étienne n'a jamais eu à se révolter. Ses choix, dit-il, prolongent ceux de son père. Sans être comme lui croyant, il adhère aux paroles de l'Évangile et se rappelle avec amitié l'aumônerie qu'il fréquentait à Sceaux, où un prêtre dont il respectait l'intelligence, un éveilleur lui aussi, leur faisait lire Dom Hélder Câmara et les théologiens de la libération. Il pense que ce n'est pas tout à fait un hasard si trois de ses camarades d'aumônerie sont devenus comme lui magistrats, parmi les plus brillants mais aussi les plus marqués à gauche de leur génération. Comme son père, au fond, Étienne a voulu changer la société, la rendre plus juste, seulement il a voulu être plus malin que son père : un réformiste plutôt qu'un Don Quichotte.

Étienne m'a dit autre chose à son sujet, mais plus tard, quand je suis allé le voir au mois d'août dans la maison de famille, en Corrèze. Cette bâtisse en pierres épaisses, aux ouvertures étroites, appartient aux Rigal depuis le XVIIe siècle. C'est son père qui a tenu à la racheter à un cousin et à l'aménager dans un souci d'authenticité excluant le chauffage et tout autre confort ; c'est lui qui, avec sa femme, a rassemblé ces meubles paysans, huches à pain, bahuts de bois sombre, cathèdres aux dossiers durs qui ont l'air de sortir d'un tableau de Le Nain et ne donnent guère envie de s'installer pour lire au coin du feu. Étienne garde un bon souvenir des vacances qu'il y passait, d'ailleurs il y retourne toujours, il n'en est pas moins persuadé que son père y a été victime d'une agression sexuelle, dans son enfance. Il manque de faits pour étayer cette thèse, qui me fait penser à une biographie américaine du romancier Philip K. Dick reposant sur le même postulat : l'auteur n'a aucune preuve que Dick a été violé enfant, mais tout dans sa personnalité le clame, estime-t-il, elle ne peut s'expliquer que par ce traumatisme. Quand je le fais observer à Étienne, il est d'accord et reconnaît que sa conviction en dit plus sur lui-même que sur la réalité : ce n'est peut-être pas vrai, ce n'est peut-être que son fantasme, la seule explication qu'il ait trouvée à la phobie qu'avait son père du contact physique. C'était un père aimant, Dieu sait, et, mieux que cela, un père qui a su donner confiance à ses enfants, mais il ne les a jamais embrassés, jamais pris dans ses bras, il suffisait même qu'il les frôle pour tressaillir comme au contact d'un serpent : alors il n'a peut-être pas été violé, mais ce qui est sûr, c'est que le corps lui posait un problème.

Est-ce qu'il en posait un à Étienne aussi ? D'abord, il dit que non, ça allait, puis, à la réflexion, qu'il était solitaire à l'école, perdu dans ses rêveries le jour et tourmenté la nuit par des cauchemars terrifiants, enfin que jusqu'à l'âge de seize ans il a pissé au lit. Je reconnais ces traits — bien que j'aie pour ma part pissé au lit moins longtemps — et je peux dire que non, ça n'allait pas vraiment.

Très tôt, Étienne a su qu'il voulait être juge. Cette vocation m'intrigue. Un adolescent qui plus tard veut être juge, j'en ai connu un au lycée et je ne sais pas s'il l'est devenu, mais dans mon souvenir c'était un type effrayant. On avait l'impression qu'en disant juge il pensait flic, et flic comme les jouait Michel Bouquet dans les films d'Yves Boisset à l'époque : cauteleux et pervers, celui entre les mains de qui il vaut mieux ne pas tomber. Je me trompais peut-être, cela dit, nous nous trompions peut-être, lecteurs novices que nous étions de *Charlie Hebdo* : peut-être que ce garçon était seulement timide, fier de sa vocation, blessé de l'entendre railler, et qu'il est devenu quelqu'un d'aussi remarquable qu'Étienne Rigal. Peut-être, si je l'avais connu à cet âge, me serais-je méfié aussi d'Étienne Rigal. Je ne crois pas, j'aime mieux croire que nous serions devenus amis.

Une des choses qui m'ont donné envie d'écrire cette histoire, c'est la façon dont Étienne, la première fois, a dit : Juliette et moi, nous avons été de grands juges. C'était extraordinaire, l'assurance et la fierté avec lesquelles il prononçait ces mots. Comme un artiste qui, tout en sachant bien que sa carrière n'est pas finie, qu'il faut continuer, que rien n'est jamais acquis, sait en même temps qu'il a à son actif une œuvre, au moins une, qui fait que malgré tout il peut dormir tranquille, que l'avenir sera ce qu'il sera mais que pour lui c'est joué et c'est gagné. En même temps, cette idée de grandeur associée au métier de juge me laissait perplexe. Si on m'avait demandé de citer trois ou même un seul grand juge je serais resté sec, tout ce que j'aurais trouvé c'est quelques noms dont on parle à propos de dossiers médiatiques, et encore ces juges connus du public — Halphen, Van Ruymbecke, Eva Joly — sont des juges d'instruction, pas des juges siégeant au tribunal avec une robe et un parement d'hermine, personnages que la mythologie romanesque et cinématographique montre plutôt comme d'antipathiques gardiens de l'ordre bourgeois. Même si nous sommes tous d'accord sur l'idée à la fois bien-pensante et juste que ce qui compte n'est pas ce qu'on fait mais la façon dont on le fait et qu'il vaut mieux être bon charcutier que mauvais peintre, nous faisons tous plus ou moins la distinction entre les métiers créatifs et les autres, et c'est plutôt dans les premiers que l'excellence, faite non seulement de compétence, mais de talent et de charisme, peut s'évaluer en termes de grandeur. Pour m'en tenir au droit, un grand avocat, je voyais bien ce que c'était, un grand huissier, moins. Et un grand juge, ma foi, surtout lorsqu'il s'agit d'un juge d'instance, spécialiste non des grandes affaires criminelles, mais du contentieux civil : murs mitoyens, curatelles, loyers impayés... Disons qu'a priori cela ne me faisait pas rêver.

(Et puis il y a la phrase de l'Évangile : « Ne jugez pas. »)

Pour expliquer sa vocation, Étienne dit trois choses. Qu'il aimait l'idée, non pas de défendre la veuve et l'orphelin, mais de dire ce qui est juste et de rendre la justice. Qu'il souhaitait changer la société, mais aussi y occuper une place confortable : sans se soucier de faire fortune, mener une vie bourgeoise. Qu'enfin on exerce en jugeant un pouvoir et qu'il a, sinon le goût du pouvoir, du goût pour le pouvoir.

Quand il dit qu'il n'a pas le goût du pouvoir, mais du goût pour le pouvoir, je ne saisis pas très bien la nuance mais elle illustre un trait que j'ai appris à connaître chez lui, et que j'aime bien. C'était particulièrement frappant, le jour de notre visite collective. Chaque fois que quelqu'un l'interrompait, non pour le contredire mais pour confirmer, compléter, commenter ce qu'il disait, il secouait la tête et murmurait que non, ce n'était pas tout à fait ça. Puis il reprenait en disant la même chose, à une infime nuance près. Je pense, pour raisonner un peu comme lui, qu'il a besoin de n'être pas d'accord pour s'accorder avec les gens. Par exemple, le père de Juliette a évoqué leur amitié, à tous les deux, et il a tiqué sur le mot : Juliette et lui n'étaient pas amis, ils étaient proches, cela n'avait rien à voir. Quand je l'ai mieux connu, je lui ai dit qu'à moi, pour désigner ce qui existait entre Juliette et lui, le mot d'amitié me convenait et que si ce n'en était pas je ne voyais pas ce que cela pouvait être, l'amitié. Tout en étant sensible au goût de la précision qu'elle exprime, j'ai pris l'habitude de le blaguer sur sa manie de récuser tout ce qu'on lui dit pour le reformuler presque à l'identique, et ça l'a amusé que je le blague là-dessus : on est toujours content quand les gens qui nous aiment relèvent nos travers comme des raisons supplémentaires de nous aimer. À partir de là, il a de plus en plus souvent consenti à tomber d'accord avec moi.

On est en janvier 1981. J'ai vingt-trois ans, je fais mon service militaire comme coopérant en Indonésie, j'y écris mon premier roman. Lui en a dix-huit, il est en terminale à Sceaux. Il sait ce qu'il veut faire après son bac : la fac de droit, puis l'École nationale de la Magistrature. Il joue au tennis. Il est encore vierge. Et depuis plusieurs mois sa jambe gauche lui fait mal. Très mal, de plus en plus mal. Après plusieurs consultations guère concluantes, on ordonne une biopsie et, quand le résultat tombe, son père conduit Étienne, en urgence, à l'Institut Curie. Son visage est grave, angoissé, il ne prononce pas le mot fatal mais dit entre ses dents : il y a des cellules suspectes. Dans une salle en sous-sol, plusieurs médecins sont réunis autour du garçon. Eh bien, jeune homme, dit l'un d'entre eux, on va essayer de vous garder entier.

Tu ne retournes pas à la maison. Tu restes ici.

Qu'est-ce qui se passe ?

Tu n'as pas compris ? s'étonne son père, bouleversé et se reprochant de s'être mal fait comprendre : tu as un cancer.

Les visites, la présence des familles ne sont autorisées que jusqu'à huit heures. Étienne reste seul dans sa chambre d'hôpital. On lui a donné à dîner, un cachet pour l'aider à dormir, bientôt on éteint la lumière. Il fait nuit. C'est la première nuit : celle dont il a parlé le jour de notre rencontre, et qu'il essaie cette fois, parce que c'est important, très important, de me raconter en détail.

Il est allongé dans le lit, en slip parce que son père n'avait pas pensé que tout se passerait si vite, qu'on le garderait, et donc pas apporté d'affaires pour la nuit. Il soulève la couverture pour regarder ses jambes, ses deux jambes qui ont l'air de deux jambes normales, deux jambes d'adolescent sportif. Dans la gauche, dans le tibia de la gauche, il y a *ça*, qui travaille à le détruire.

Quelques mois plus tôt, il a lu *1984*, de George Orwell. Une scène l'a terriblement marqué. Winston Smith, le héros, est tombé entre les mains de la police politique et l'officier qui l'interroge lui explique que son métier consiste à trouver, pour chaque suspect, ce qui lui fait le plus peur au monde. On peut torturer les gens, leur arracher les ongles ou les testicules, il y en aura toujours qui tiendront le coup, sans qu'on puisse d'avance dire lesquels, les héros ne sont pas forcément ceux qu'on croit. Mais une fois identifiée la peur fondamentale d'un homme, c'est gagné. Il n'y a plus d'héroïsme possible, plus de résistance possible, on peut le mettre en présence de sa femme ou de son enfant et lui demander s'il préfère qu'on lui fasse *ça* à lui ou à sa femme ou à son enfant, il a beau être courageux et les aimer plus que lui-même, il préférera qu'on le fasse à sa femme ou à son enfant. C'est ainsi, il existe des horreurs, différentes pour chacun, qu'on ne peut pas affronter. En ce qui concerne Smith, l'officier a fait son enquête et trouvé. La chose épouvantable, insupportable pour lui, c'est un rat dans une cage qu'on approche de son visage, et on ouvre la cage, et le rat affamé se précipite et le dévore, ses dents aiguës mordent les joues, le nez, bientôt trouvent le morceau de roi, les yeux, qu'il lui arrache.

C'est cette image qui, la première nuit, s'impose à Étienne. Mais le rat est à l'intérieur de lui. C'est de l'intérieur qu'il le dévore vivant. Il a commencé par son tibia, maintenant il remonte le long de sa jambe, il va se frayer un chemin dans ses entrailles, puis le long de sa colonne vertébrale, jusque dans les replis de son cerveau. C'est une image plus qu'une sensation, curieusement il ne sent rien, c'est comme si son corps et la douleur qui pourtant ne le lâche pas depuis des mois s'étaient absentés, mais cette image est tellement effroyable qu'Étienne voudrait mourir pour lui échapper. Pour qu'elle ne s'y imprime plus, il voudrait que son cerveau s'éteigne, que tout s'arrête, ne plus exister. Pourtant, au fond de cette horreur, il arrive à se dire : il faut que je trouve autre chose. Une autre image, d'autres mots, à tout prix, pour traverser cette nuit. S'il traverse cette nuit, quelque chose arrivera qui ne le sauvera peut-être pas mais qui ne sera pas *ça*. Le somnifère aidant, il tombe dans un demi-sommeil au fond duquel le rat rôde et ronge. Il se rendort, se réveille, les draps sont trempés de sueur. Et à l'aube, le rat n'est plus là. Il est parti. Il ne reviendra plus. À sa place, il y a une phrase. Une phrase qu'il visualise comme si elle était tracée devant lui, sur le mur.

Cette phrase fulgurante, Étienne ne la prononce pas. Il en prononce d'autres, qui me semblent des approximations, des paraphrases. Aucune n'a pour moi le pouvoir d'évidence et d'efficacité dont il parle. Je note dans mon carnet : les cellules cancéreuses sont autant toi que les cellules saines. Tu *es* ces cellules cancéreuses. Elles ne sont pas un corps étranger, un rat qui se serait introduit dans ton corps. Elles font partie de toi. Tu ne peux pas détester ton cancer parce que tu ne peux pas te détester toi-même (je pense, sans le dire : bien sûr que si). Ton cancer n'est pas un adversaire, il est toi.

J'entends ce que me dit Étienne : que ces phrases et la phrase qui se cache derrière elles ont été décisives. Je le crois, je sais qu'il évoque quelque chose qui a sonné absolument juste à son oreille, mais cela ne sonne pour l'instant pas juste à la mienne. Je pense qu'il faut attendre, que nous n'en avons pas fini avec la première nuit.

L'image du rat, cependant, m'est familière. Sauf que l'animal qui me ronge, moi, de l'intérieur, c'est un renard. Le rat d'Étienne provient de *1984*, mon renard de l'histoire du petit Spartiate qu'on étudiait en cours de latin. Le petit Spartiate avait volé un renard qu'il gardait caché sous sa tunique. Devant l'assemblée des Anciens, le renard s'est mis à lui mordre le ventre. Le petit Spartiate, plutôt que de le libérer et ce faisant d'avouer son larcin, s'est laissé dévorer les entrailles jusqu'à ce que mort s'ensuive, sans broncher.

Un jour, je l'ai raconté à Étienne, je suis allé voir le vieux psychanalyste François Roustang. Je lui ai parlé du renard que j'avais encore l'espoir de chasser en découvrant comment et pourquoi, vers la fin de mon enfance, il s'était logé là, sous mon sternum, pour comprimer et ronger mon plexus solaire. Roustang a haussé les épaules. Il ne croyait plus aux explications ni d'ailleurs à la psychanalyse, seulement à la justesse des gestes. Il a dit : laissez-le sortir. Laissez-le se mettre en boule, là, sur ce canapé. Il n'y a rien d'autre à faire. Vous voyez, il est là. Il se tient tranquille. Et quand je suis parti, en me serrant la main : vous pouvez me le laisser, si vous voulez. Je vous le garde.

J'ai cru que cela marcherait, un moment. Je ne suis pas retourné chercher le renard, il est revenu de lui-même. Aujourd'hui, il me laisse en paix, soit qu'il dorme soit qu'il ait, comme je l'espère, quitté la place pour de bon, mais à l'époque de mes entretiens avec Étienne, il y a trois ans, il était encore là. Il me faisait souffrir. Et il m'aidait à l'écouter.

On a commencé tout de suite la chimiothérapie, dans l'espoir de sauver sa jambe et on l'a sauvée. Il a supporté avec vaillance la plus grande partie du traitement, ce qu'il ne supportait pas c'est l'idée de perdre ses cheveux et ses poils. C'était un adolescent inquiet, tourmenté, à la virilité encore mal assurée. Les filles l'effrayaient autant qu'elles l'attiraient. Alors, quand ses cheveux ont commencé à tomber, quand à l'image qu'il voyait encore dans la glace s'est superposée celle du zombie qu'il allait bientôt devenir, chauve, sans sourcils, sans poils autour du sexe, on avait beau lui assurer que cela repousserait vite, l'angoisse a été trop forte et il a arrêté le traitement. De lui-même, en cachette, sans en parler à personne. Il lui restait seulement quelques séances, qui duraient une demi-journée et plus trois jours comme au début : ses parents l'y auraient volontiers accompagné mais il préférait, disait-il, y aller seul en métro, et en réalité il n'y allait pas. À Curie, il a expliqué qu'il suivait son traitement dans une clinique de

Sceaux, il a même demandé pour cela une prescription et il fallait qu'il soit convaincant car personne n'a appelé ses parents pour s'assurer que tout se passait conformément au protocole. Il occupait les heures ainsi libérées à flâner dans Paris, à feuilleter des livres dans les librairies du Quartier latin. À quoi pensait-il en séchant sa chimiothérapie comme on sèche les cours sans enjeu de la fin de l'année ? Avait-il conscience du risque qu'il prenait ? Il dit que oui. Il dit aussi que quand il a rechuté il s'est demandé : si j'avais suivi la chimio jusqu'au bout, est-ce que je serais retombé malade ? Est-ce que j'aurais perdu ma jambe ? Il n'a pas de réponse, et il s'est rapidement désintéressé de la question.

Il a passé son bac en juin et, l'été qui a suivi, au lieu de se reposer comme on l'y encourageait, trouvé un petit boulot d'étudiant à la Fnac Sport, au rayon des raquettes de tennis. Le sport lui était interdit parce que si son tibia cassait il ne se reconstituerait pas, malgré quoi il continuait à jouer au tennis et même au foot, une des activités où le risque est le plus élevé de recevoir un bon coup de crampon, dans le tibia précisément. Est-ce qu'en prenant de tels risques il manifestait une insouciance normale chez un adolescent qui a frôlé la mort et veut vivre sans entraves, ou bien une pulsion plus obscure, c'est une question à quoi il ne répond pas non plus.

Au bout d'un an, on l'a déclaré guéri. Il fallait seulement qu'il passe des examens de contrôle, tous les trois puis tous les six mois. Il allait à

Curie en sortant de ses cours de droit au Panthéon. La salle d'attente était peuplée de cancéreux qu'il regardait avec un véritable dégoût. Un jour, se souvient-il, on a apporté sur un brancard une femme dans un état épouvantable. Elle devait peser trente-cinq kilos, son visage était ratatiné comme par les Jivaros. On l'a fait passer en priorité et lui a pensé, avec colère : pourquoi est-ce qu'elle passe avant moi, qui ai tellement de choses à faire dans la vie, alors qu'il ne lui reste plus qu'à crever ? Il n'avait pas honte de cette dureté, au contraire il en tirait fierté. La maladie lui répugnait, les malades aussi, ce n'était plus son affaire.

Il avait vingt-deux ans quand c'est revenu. Mal à la jambe, la même, au point de ne pas dormir, de ne marcher qu'avec difficulté. J'ai peine à le croire quand il m'assure que ni lui ni ses parents n'ont aussitôt pensé à une rechute, mais après tout on l'estimait si bien guéri qu'une douleur, même très vive, à la jambe, cela pouvait n'être rien : un muscle froissé, une tendinite. Il n'a pas, en tout cas, *reconnu* cette douleur. Mais c'est de nouveau à Curie qu'on l'a envoyé passer la radio et quand on lui a dit de revenir trois jours plus tard pour les résultats, l'enjeu de ces résultats, cette fois, était clair : les mots de cancer et d'amputation ont été prononcés.

Il avait rendez-vous à une heure et le matin, à neuf heures, un oral de maîtrise au Panthéon. L'examinateur était en retard, à onze heures on l'attendait toujours. Étienne est allé au secrétariat pour expliquer sa situation : il fallait qu'il soit à une heure à l'Institut Curie, rue d'Ulm. C'était important, on allait décider si on lui coupait ou non la jambe gauche. Il n'est pas ennemi du théâtre et ne s'est pas privé de jouir du trouble que cette déclaration provoquait chez la secrétaire. Elle a proposé qu'étant donné les circonstances on reporte l'épreuve, juste pour lui, mais il a refusé, alors elle s'est démenée pour trouver un autre examinateur. Étienne estime s'être bien tiré de son oral et, compte tenu à la fois de son mérite et de la compassion qu'aurait dû inspirer son état, il s'étonne encore aujourd'hui de n'avoir eu que 12.

À Curie, le verdict est tombé : cancer du péroné, il fallait amputer, et le plus vite possible. Les médecins proposaient, comme quatre ans plus tôt, de l'hospitaliser sur-le-champ afin d'opérer dès le lendemain, mais Étienne a été très ferme : il y avait une fête le dimanche suivant pour les vingt ans d'Aurélie, sa petite amie, et il tenait à y aller. On s'est incliné : il entrerait à l'hôpital le dimanche soir, l'opération aurait lieu le lundi matin.

J'essaie d'imaginer, non seulement son état en sortant de la consultation, mais celui de son père qui l'avait accompagné. Il y a pire cauchemar que d'apprendre qu'on va vous couper une jambe, c'est d'apprendre qu'on va la couper à votre fils de vingt-deux ans. Son père, de surcroît, avait souffert dans sa jeunesse de tuberculose osseuse et il se demandait si le cancer d'Étienne n'avait pas quelque chose à voir avec cela. Cette hypothèse plus que douteuse ajoutait de la culpabilité à l'atroce sentiment d'impuissance qu'il éprouvait. Égaré de douleur, il parlait sérieusement de se faire amputer, lui, pour qu'on greffe sa jambe à son fils. Étienne a ri et dit : je n'en veux pas, de ta vieille jambe, garde-la.

Il lui a demandé de le conduire chez Aurélie, qui habitait à Sceaux elle aussi, et de passer l'y reprendre plus tard. Il était avec Aurélie depuis deux ans, ils avaient eu ensemble leur première expérience sexuelle. Elle était très jolie, très fine, il pense encore aujourd'hui qu'ils auraient très bien pu se marier. Ils se sont allongés tous les deux sur son lit, il lui a dit : lundi, on va me couper la jambe, et il s'est enfin mis à pleurer. Ils sont restés des heures, pendant que la nuit tombait, dans les bras l'un de l'autre ou plutôt lui dans ses bras à elle qui le serrait de toutes ses forces, lui caressait les cheveux, le visage, tout le corps, peut-être même la jambe qui bientôt ne serait plus là. Elle lui disait à voix basse des mots tendres, mais quand il lui a demandé si elle l'aimerait encore avec une seule jambe, elle a été honnête. Elle a répondu : je ne sais pas.

Il s'est passé une chose étrange, la veille de la fête. Étienne a emprunté la voiture de son père, sans dire pourquoi, et il est allé dans un sauna de la rue Sainte-Anne se faire un mec. Cela ne lui était jamais arrivé avant, ne lui est jamais arrivé après, il ne se sent pas du tout homosexuel mais ce soir-là il l'a fait. C'est une des dernières choses qu'il ait faites avec ses deux jambes. Fait quoi, au juste ? Comme de certaines scènes de rêve, il ne s'en rappelle rien, ou si, des détails périphériques. Le trajet, à l'aller. Garer la voiture, dans un parking de l'avenue de l'Opéra, ensuite chercher cette rue où il n'était jamais allé, payer son entrée à la caisse, se déshabiller, entrer nu dans le bain de vapeur où d'autres hommes nus se frôlaient, se suçaient, s'enculaient. Est-ce qu'il a sucé, est-ce qu'il s'est fait sucer ? Est-ce qu'il a enculé, est-ce qu'il s'est fait enculer ? À quoi ressemblait le type ? Tout cela, le cœur de la scène, s'est effacé de sa mémoire. Il sait seulement que cela a eu lieu. Ensuite il est rentré à Sceaux, il a retrouvé ses parents qui n'étaient pas encore couchés, il a parlé avec eux, sur ce ton neutre qu'on adopte quand il se produit une catastrophe et qu'il n'y a, en fait, rien à en dire.

J'ignore si le précédent paragraphe figurera dans le livre. Étienne a été clair : tout ce que je te dis, tu peux l'écrire, je ne désire exercer aucun contrôle. Cependant, je comprendrais très bien qu'en lisant le texte avant publication il me demande de passer cet épisode sous silence. Par égard pour les siens plus que par honte, car je suis certain qu'il ne lui inspire pas de honte : c'est un acte étrange, que lui-même s'explique mal, ce n'est en rien une mauvaise action. Même une mauvaise action, cela dit, je pense qu'il n'en aurait pas honte non plus. Ou bien si, il en aurait honte, mais il jugerait cette honte bonne à dire elle aussi. Il dirait simplement : je l'ai fait, j'en ai honte, cette honte fait partie de moi, je ne vais pas la renier. La phrase : « Je suis homme et rien de ce qui est humain ne m'est étranger » me semble être, sinon le dernier mot de la sagesse, en tout cas l'un des plus profonds, et ce que j'aime chez Étienne, c'est qu'il le prend à la lettre, c'est même ce qui selon moi lui donne le droit d'être juge. De ce qui le fait humain, pauvre, faillible, magnifique, il ne veut rien retrancher, et c'est aussi pourquoi dans le récit de sa vie je ne veux, moi, rien *couper*.

(Note d'Étienne, en marge du manuscrit : « Pas de problème, tu gardes. »)

La fête d'anniversaire d'Aurélie n'était pas seulement une fête de jeunes. Il y avait ses amis à elle, mais aussi ses parents, des amis de ses parents, tous âges mêlés. Cela ne se passait pas le soir, mais l'après-midi, dans le jardin en fleurs. On avait répété un spectacle, Étienne devait chanter. Il a chanté. La douleur était telle qu'il s'appuyait sur des béquilles. Tout le monde autour de lui savait qu'il entrait en clinique le soir même et qu'on l'amputerait le lendemain.

Vers six heures, il était allongé sous un arbre, la tête sur les genoux d'Aurélie qui lui caressait les cheveux. Quelquefois il levait les yeux vers son visage. Elle lui souriait, lui disait très bas :

je suis là, Étienne. Je suis là. Il refermait les yeux, il avait un peu bu, pas beaucoup, il écoutait la rumeur des conversations autour d'eux, le bourdonnement d'une guêpe, des portières de voitures qui claquaient dans la rue. Il était bien, il aurait voulu que ce moment dure toujours, ou que la mort le prenne ainsi, sans qu'il s'en rende compte. Puis son père est venu le chercher et a dit : Étienne, c'est l'heure d'y aller. Encore aujourd'hui, il imagine ce qu'a représenté pour son père de devoir dire : Étienne, c'est l'heure d'y aller. Cela semble insurmontable et pourtant il l'a fait. Ces mots ont été prononcés, ces gestes accomplis calmement — mais au fond, dit-il, cela ne pouvait pas se faire autrement. Si, pourtant : il aurait pu se mettre à hurler, à se débattre, à dire non, je ne veux pas, comme certains condamnés à mort quand on vient les chercher dans leur cellule en leur disant exactement la même chose : c'est l'heure d'y aller. Mais non, on l'a aidé à se lever et il s'est levé.

Voilà : je me lève pour aller me faire amputer.

Il a demandé aux siens d'être là au moment de son réveil et ils sont là, tous là autour de lui : ses parents, son frère, ses sœurs et Aurélie. La première sensation, au sortir de l'anesthésie générale, c'est : je n'ai plus mal. La tumeur comprimait le nerf, produisant une douleur qui depuis plusieurs mois était devenue insupportable. Il n'a plus mal, donc. Il ne sent rien. Mais il voit : la forme de sa jambe droite étendue sous le drap, la forme de sa cuisse gauche et, à partir de là où il devrait y avoir un genou, le drap retombe, il n'y a plus rien. Il mettra du temps avant d'oser soulever le drap et la couverture, avant de se redresser pour tendre la main, la faire aller et venir dans l'espace où se trouvait sa jambe. Il ne pense qu'à cela, il a une jambe en moins, et en même temps ne cesse de l'oublier. S'il ne regarde pas le vide à la place de sa jambe, s'il ne vérifie pas qu'elle n'est plus là, rien ne le lui rappelle. Son cerveau raisonnant a enregistré l'information, mais ce n'est pas son cerveau raisonnant qui a conscience de son corps et le fait bouger. Le jour où il voudra s'habiller, mettre son caleçon, il ne sera pas pris au dépourvu, il s'y sera préparé, il aura pensé : j'ai été amputé, je vais maintenant faire un geste que je fais pour la première fois depuis mon amputation et il faudra le faire différemment de toutes les fois où je l'ai fait avant. Il aura pensé cela, pourtant lorsqu'il tiendra son caleçon entre ses deux mains et se baissera, il fera d'abord le geste d'y passer le pied gauche, tout en sachant très bien, tout en voyant très bien qu'il n'a plus de pied gauche, et il lui faudra un effort conscient pour passer seulement le pied droit, remonter lentement le long de la jambe droite et de la colonne de vide de l'autre côté, jusqu'à ce qu'il arrive au-dessus du genou et qu'il puisse continuer comme il l'a toujours fait le long des cuisses, en soulevant pour finir les fesses, voilà, il a mis son caleçon. Ce sera pareil pour tout, il faudra corriger le programme, passer de la procédure normale à la procédure « amputé ». Il faudra apprivoiser, non seulement le vide à la place de la jambe, mais aussi le passage du vide à la jambe coupée, ce qu'on appelle d'un mot affreux et qui ne désigne pas un objet bien plaisant non plus : le moignon. C'est un moment crucial de l'apprentissage, celui où pour la première fois la main touche le moignon. Ce n'est pas très loin, il suffit d'étendre le bras, mais cela ne va pas sans répugnance de toucher *ça*, et il faudra encore beaucoup de temps, Étienne est loin d'en être arrivé là, pour admettre, envisager comme possible qu'un autre, et particulièrement une autre, pourra un jour toucher ce moignon avec amour, le caresser, que ce ne sera pas une zone soigneusement évitée. Tout cet apprentissage, il est supposé le faire au centre de rééducation de Valenton, près de Créteil, où on le transfère à sa sortie de la clinique. Il passe très vite sur cet épisode. Ce qu'il dit, c'est qu'il y a beaucoup de mensonges autour d'une amputation. On t'explique : vous allez être amputé au-dessus du genou, c'est la hauteur idéale pour l'appareillage et vous pourrez bientôt mener une vie normale. Et puis, au centre de rééducation, tu demandes au médecin quand tu pourras rejouer au tennis et il te regarde comme si tu étais devenu fou : au ping-pong, oui, c'est très bien le ping-pong, mais le tennis, oublie. On t'a dit aussi, avant que tu sois appareillé : une fois que tu seras habitué à la prothèse, elle fera partie de toi, vraiment ce sera comme si tu avais une nouvelle jambe. Et puis arrive le jour où on te l'essaie, la prothèse, elle fait clic-clac et tu comprends que c'est une blague, que ce ne sera jamais une nouvelle jambe. En te voyant pleurer, les soignants te disent gentiment que tout le monde passe par là, qu'il faut le temps de l'apprentissage, mais les autres amputés, ceux qui ont un peu d'avance sur toi dans cet apprentissage, te disent, il y en a au moins un qui te l'a dit : bienvenue au club, bienvenue parmi ceux qui sont désormais trois quarts homme et un quart métal.

Étienne a pris la fuite. Il devait rester trois mois au centre de rééducation mais dès la première semaine il a demandé à ses parents de lui acheter une voiture, sa première voiture d'invalide avec une seule pédale, pour qu'il puisse sortir quand il voulait, et au bout de quinze jours il est rentré chez lui. Comme les cancéreux de Curie, les amputés de Valenton lui répugnaient, il ne voulait pas d'amitié ni même de camaraderie nées de cette solidarité-là.

L'année de chimiothérapie, en revanche, n'était pas négociable. Elle a été atroce. C'étaient des cures de trois jours, une fois par mois, et pendant ces trois jours, c'est simple, on n'arrêtait pas de vomir. Trois jours à vomir, alors qu'on n'a plus rien à vomir. Chaque fois, l'idée d'y retourner épouvantait Étienne. En principe, il pense qu'il faut tout vivre lucidement, être présent à tout ce qui advient, même la souffrance, c'était déjà à cette époque son seul credo, mais là non, cela ne servait à rien, c'était trop dégoûtant, trop humiliant, mieux valait s'absenter de soi-même et il a demandé à ce qu'on l'abrutisse de médicaments. Sa mère était autorisée à venir et à lui tenir la cuvette, pas Aurélie : il ne voulait pas qu'elle le voie comme ça. Aujourd'hui, vingt ans après, il le regrette. C'est même, dit-il, un des vrais regrets de sa vie, beaucoup plus que d'avoir séché sa première chimiothérapie : Aurélie voulait être auprès de lui, c'était sa place puisqu'elle l'aimait, et il ne l'a pas laissée occuper cette place. Il ne lui a pas fait confiance.

En plus de le rendre horriblement malade, la chimiothérapie lui a comme il le redoutait la première fois fait perdre ses cheveux et ses poils. Presque tout est tombé, pas tout. Aurélie insistait pour qu'il rase le peu qui restait, mais il a refusé, gardé quelques longues mèches qui le rendaient encore plus hideux. Elle lui reprochait d'en rajouter, non sans raison. Il se regardait, nu, dans le miroir : cette chose maigre, blanche, glabre, sans jambe, c'était lui. Le jeune homme sportif qu'il était quelques mois plus tôt encore était devenu ce mutant. Aurélie a tenu bon presque un an, puis elle l'a quitté. Entre vingt-deux et vingt-huit ans, il est resté sans femme.

Il avait commencé une psychothérapie après son premier cancer. Cela n'avait rien à voir, assure-t-il, avec la maladie, dont il s'estimait alors guéri, non, il s'y était engagé à cause de problèmes sexuels. Il ne s'étend pas plus sur le sujet mais ce qui me paraît certain, c'est que la confiance sexuelle qui est la sienne aujourd'hui est à la mesure de la misère qui l'a précédée. Au moment du second cancer et de l'amputation, son psychothérapeute venait le voir tous les jours à la clinique. Il avait à peine dix ans de plus qu'Étienne. Un patient jeune, cancéreux, amputé, c'était une première pour lui. Il disait : on débute tous les deux, je ne sais pas comment faire, je ne sais pas où on va. Étienne trouvait cela rassurant.

La psychothérapie s'est transformée en analyse, qui a duré neuf ans. Tout au long de ces années où Étienne a été élève à l'ENM à Bordeaux, puis magistrat dans le Nord, il prenait deux fois par semaine le train de Paris et n'a manqué aucune de ses séances. De cette expérience assidue, il a tiré, plus encore qu'une familiarité, une confiance quasi religieuse dans l'inconscient. Il n'est pas, en tout cas ne se dit pas croyant, mais il a le goût et le don de s'abandonner à cette puissance qui, au fond de lui, est plus puissante que lui, peut-être aussi plus sage. Cette puissance ne lui est pas extérieure, ce n'est pas un dieu personnel ni transcendant. C'est ce qui tout en étant lui n'est pas lui, ce qui le dépasse, l'inspire, le malmène et le sauve, et qu'il a peu à peu appris à laisser faire. Je ne dirais pas qu'il nomme inconscient ce que les chrétiens nomment Dieu, mais peut-être ce que les Chinois nomment Tao.

Arrivé à ce point, je marche sur des œufs. J'imagine qu'il a beaucoup parlé de son cancer en analyse et, pour dire les choses brutalement, cela m'étonne qu'avec une telle foi dans le pouvoir de l'inconscient il se déclare à ce point hostile à toute interprétation psychosomatique du cancer. Là-dessus, il ne discute pas, il tire à vue. Les gens qui disent : ça vient de la tête, ou du stress, ou d'un conflit psychique pas résolu, j'ai envie de les tuer, dit-il, et j'ai envie de les tuer aussi quand ils disent ce qui va avec : tu t'en es sorti parce que tu t'es battu, parce que tu as eu du courage. Ce n'est pas vrai. Il y a des gens qui se battent, qui sont très courageux et qui ne s'en sortent pas. Exemple : Juliette.

Il a dit cela dès le premier jour, celui de la rencontre avec la famille, il l'a répété au cours de notre premier tête-à-tête et j'ai fait à chaque fois comme si j'étais d'accord, mais la vérité est que je ne suis pas certain d'être d'accord. Bien sûr, je n'ai ni théorie ni autorité pour en avoir sur une question aussi controversée et d'ailleurs intranchable. M'exprimant à ce sujet, je sais que je ne dis rien sur l'étiologie du cancer mais, au mieux, quelque chose sur moi, que voici : d'une part, intuitivement, je pense que non, le cancer n'est pas une maladie qui vous tombe dessus de l'extérieur, par hasard (en tout cas pas toujours, pas forcément), d'autre part et surtout je pense qu'Étienne au fond de lui ne le pense pas non plus, ou qu'il prétend le penser avec trop de véhémence pour que ce ne soit pas une défense.

J'ai relu *Mars*, de Fritz Zorn, qui m'a comme tant de lecteurs bouleversé lors de sa parution, en 1979. En voici les premières phrases : « Je suis jeune, riche et cultivé ; et je suis malheureux, névrosé et seul. J'ai eu une éducation bourgeoise et j'ai été sage toute ma vie. Naturellement, j'ai aussi le cancer, ce qui va de soi si l'on en juge d'après ce que je viens de dire. Cela dit, la question du cancer se présente d'une double manière : d'une part c'est une maladie du corps, dont il est bien probable que je mourrai prochainement, mais peut-être aussi puis-je la vaincre et survivre ; d'autre part c'est une maladie de l'âme, dont je ne puis dire qu'une chose : c'est une chance qu'elle se soit enfin déclarée. »

Et voici la dernière : « Je me déclare en état de guerre totale. »

Cela paraît trop beau, mais c'est vrai : *Zorn*, qui veut dire « colère », est un pseudonyme, le vrai nom de l'auteur était *Angst*, qui veut dire « angoisse ». Entre ces deux noms, entre ces deux phrases, ce jeune patricien docile, aliéné, « éduqué à mort », comme il dit, est devenu à la fois un rebelle et un homme libre. La maladie, l'approche terrifiante de la mort lui ont appris qui il était, et savoir qui on est — Étienne dirait plutôt : où on est —, cela s'appelle être guéri de la névrose. Je n'ai pas cessé de penser, relisant *Mars*, à la vie qui aurait été celle de Fritz Zorn s'il avait survécu, à l'homme accompli qu'il aurait pu devenir s'il lui avait été donné de jouir de cet élargissement de la conscience qu'il avait payé tellement cher. Et j'ai pensé que cet homme accompli, pour moi, c'était Étienne.

Je n'ai pas osé le lui dire, ni lui parler d'un autre livre, moins connu et qui m'a presque autant frappé, cet été-là. Il s'appelle *Le Livre de Pierre*, c'est un long entretien de Louise Lambrichs avec Pierre Cazenave, un psychanalyste qui a souffert pendant quinze ans d'un cancer et qui en est mort avant que son livre paraisse. Il ne se définissait pas comme « ayant un cancer », mais comme « cancéreux ». « Quand on m'a annoncé mon cancer, dit-il, j'ai compris que je l'avais toujours eu. C'était mon identité. » Psychanalyste et cancéreux, il est devenu psychanalyste pour cancéreux, en partant de l'intuition, personnelle et intime, mais vérifiée avec la plupart de ses patients, que « la pire des souffrances, c'est celle qu'on ne peut partager. Et le malade cancéreux, le plus souvent, éprouve doublement cette souffrance. Doublement parce que, malade, il ne peut partager avec son entourage l'angoisse qu'il ressent, et parce que sous cette souffrance en gît une autre, plus ancienne, datant de l'enfance et qui elle non plus n'a jamais été partagée, jamais été vue par personne. Or, c'est cela le pire pour quelqu'un : n'avoir jamais été vu, n'avoir jamais été reconnu ».

C'est à cela que sert, dit-il, la cure des cancéreux : à voir et reconnaître cette souffrance, à faire que d'elle au moins le patient guérisse. Cela ne l'empêchera pas de mourir mais, entre Molière qui se moquait des médecins dont les malades meurent guéris et le grand psychanalyste anglais Winnicott qui demandait à Dieu la grâce de mourir pleinement vivant, Pierre Cazenave est clairement du côté de Winnicott. Son client, c'est le malade qui accueille sa maladie, non comme une catastrophe accidentelle, mais comme une vérité qui le concerne intimement, une conséquence obscure de son histoire, l'expression ultime de son malheur et de son désarroi face à la vie. Chez ce malade-là, et quand Pierre Cazenave parle de ce malade-là il parle aussi de lui-même, quelque chose dans le narcissisme primaire n'a pas été construit. Une faille profonde entaille le plus ancien noyau de la personnalité. Il y a, dit-il, deux espèces d'hommes : ceux qui font souvent le rêve de tomber dans le vide et puis les autres. Les seconds ont été portés, et bien portés, ils vivent sur la terre ferme, s'y meuvent avec confiance. Les premiers au contraire souffriront toute leur vie de vertige et d'angoisse, du sentiment de ne pas exister réellement. Cette maladie du nourrisson peut perdurer longtemps à bas bruit chez l'adulte, sous forme d'une dépression invisible même par soi, et qui un jour devient un cancer. On n'est pas étonné alors, on le reconnaît. On sait que ce cancer, c'était soi. Toute sa vie, on a craint quelque chose qui, en fait, est déjà arrivé. Chez ceux qui ont vécu ce désastre et qui bien sûr l'ont oublié, c'est son souvenir qui resurgit à l'annonce de la maladie mortelle — le désastre actuel réactivant l'ancien et causant une détresse psychique intolérable dont ils ne comprennent pas l'origine. Cette détresse véritablement panique, Pierre Cazenave l'analyse comme le sursaut désespéré de cet être clandestin qui, au fond de soi, n'a jamais eu droit à l'existence et qui soudain entend que ses jours sont comptés. Pour qui a toujours eu le sentiment d'exister, l'annonce de la mort est triste, cruelle, injuste, mais on peut l'intégrer à l'ordre des choses. Mais pour qui, au fond de lui, a toujours eu l'impression de ne pas exister vraiment ? De n'avoir pas vécu ? À celui-ci, le psychanalyste propose de transformer la maladie et même l'approche de la mort en une chance ultime d'exister vraiment. Il cite cette phrase mystérieuse, déchirante, de Céline : « C'est peut-être ça qu'on cherche à travers la vie, rien que ça, le plus grand chagrin possible pour devenir soi-même avant de mourir. »

Pierre Cazenave n'est pas un théoricien, il parle seulement d'expérience : la sienne et celle de ses patients à qui le lie, c'est la formule par quoi il définit son art et j'aimerais être digne de la reprendre à mon compte, « une solidarité inconditionnelle avec ce que la condition d'homme comporte d'insondable détresse ». Dans le tableau clinique qu'il décrit, je reconnais quelqu'un qui n'était pas cancéreux, qui, c'est horrible à dire, n'a pas eu cette chance, et qui s'est inventé un cancer parce qu'il savait obscurément que c'était sa vérité, parce qu'obscurément il aspirait à ce que cette vérité soit reconnue par ses cellules. Comme elle ne l'a pas été, il n'a pas eu d'autre ressource que le mensonge. Ce quelqu'un, c'est Jean-Claude Romand. J'y reconnais aussi une part de moi-même, celle qui s'est reconnue en Romand, mais moi j'ai eu de la chance, j'ai pu faire des livres de mon mal plutôt que des métastases ou des mensonges. J'y reconnais enfin quelque chose d'Étienne, qui faisait d'horribles cauchemars, qui a pissé tard au lit, qui est persuadé que son père a été violé enfant. Alors, bien sûr, je ne crois pas que tous les cancers s'expliquent ainsi, mais je crois qu'il y a des gens dont le noyau est fissuré pratiquement depuis l'origine, qui malgré tous leurs efforts, leur courage, leur bonne volonté, ne peuvent pas vivre vraiment, et qu'une des façons dont la vie, qui veut vivre, se fraie un chemin en eux, cela peut être la maladie, et pas n'importe quelle maladie : le cancer. C'est parce que je crois cela que je suis tellement choqué par les gens qui vous disent qu'on est libre, que le bonheur se décide, que c'est un choix moral. Les professeurs d'allégresse pour qui la tristesse est une faute de goût, la dépression une marque de paresse, la mélancolie un péché. Je suis d'accord, c'est un péché, c'est même le péché mortel, mais il y a des gens qui naissent pécheurs, qui naissent damnés, et que tous leurs efforts, tout leur courage, toute leur bonne volonté n'arracheront pas à leur condition. Entre les gens qui ont un noyau fissuré et les autres, c'est comme entre les pauvres et les riches, c'est comme la lutte de classes, on sait qu'il y a des pauvres qui s'en sortent mais la plupart, non, ne s'en sortent pas, et dire à un mélancolique que le bonheur est une décision, c'est comme dire à un affamé qu'il n'a qu'à manger de la brioche. Alors, que la maladie mortelle et la mort puissent être pour ces gens-là une chance de vivre enfin, comme l'affirme Pierre Cazenave, je le crois, et je le crois d'autant plus que, s'il faut tout avouer, à certains moments de ma vie j'ai été assez malheureux pour y aspirer. Je pense, écrivant ceci, en être très loin désormais. Je pense même, si présomptueux qu'il soit de le dire, être guéri. Mais je veux me rappeler. Je veux me rappeler celui que j'ai été et que sont beaucoup d'autres. Je ne veux pas redevenir mais je ne veux pas non plus oublier ni traiter de haut celui que le renard dévorait et qui a commencé, il y a trois ans, à écrire ce récit.

Le Poisson-scorpion, le livre de Nicolas Bouvier que je lisais à Ceylan, se termine lui aussi sur une phrase de Céline, la voici : « La pire défaite en tout, c'est d'oublier, et surtout ce qui vous a fait crever. »

À sa sortie de l'ENM, Étienne a fait deux choix : celui d'adhérer au Syndicat de la Magistrature et celui d'un poste difficile, juge d'application des peines à Béthune. Le Syndicat, c'est le repaire des petits juges rouges qui refusent de faire partie du cercle des notables, s'accrochent aux basques des criminels en col blanc et à qui on reproche d'exercer une justice de classe en version inversée. L'exemple classique de cette dérive est l'histoire du notaire de Bruay-en-Artois accusé de viol et d'assassinat non sur des indices convaincants mais sur sa belle maison, sa belle voiture et sa bedaine de rotarien. Quant à Béthune, c'est comme Bruay justement, le Nord déshérité : chômage, misère, terrils en déshérence et viols, sur les parkings, d'analphabètes alcooliques par d'autres analphabètes alcooliques. Ces deux choix se tiennent, ils vont ensemble, malgré quoi ils n'ont pas tardé à entrer en contradiction. Assez vite, Étienne s'est senti adoubé par certains de ses aînés du Syndicat, qui évoluaient dans le monde politique. Ces soixante-huitards quadragénaires avaient su profiter de l'avènement de la gauche pour se partager les postes qui comptent. Ils avaient encore vingt bonnes années devant eux pour les monopoliser et bloquer les carrières de leurs cadets, mais un débutant talentueux et souple pouvait récupérer des miettes. C'était le second septennat Mitterrand. Jeune espoir de la gauche judiciaire, Étienne a été choisi pour participer à une commission de réforme de l'application des peines, qui aurait pu lui ouvrir la porte d'un cabinet ministériel. Dans son désir d'être juge entrait, de son propre aveu, du goût pour le pouvoir et pour une vie confortable, or il ne pouvait ignorer, lui qui a une conscience de classe aiguë, qu'il se déclassait. Les juges, autrefois, étaient des gens importants, mais l'année où il est sorti de l'ENM, en 1989, ils ont été rétrogradés par le protocole derrière les sous-préfets et, de fil en aiguille, on s'est mis à ne plus les inviter dans les réceptions officielles. À la différence de la plupart des hauts fonctionnaires, qui en province surtout ont voiture et logement de fonction, ils ne bénéficient d'aucun avantage en nature. Ils travaillent dans des locaux mal chauffés, avec de vieux téléphones gris, pas d'ordinateurs, des secrétaires revêches. En une génération, le notable qui tenait le haut du pavé est devenu un petit bonhomme qui se déplace en métro, déjeune d'un plateau-repas à la cafétéria, et de plus en plus souvent ce petit bonhomme est une femme, signe qui ne trompe pas de la prolétarisation d'un état. Étienne, qui aime ses aises et se veut un bourgeois, avait toutes les raisons de saisir la première occasion pour émigrer vers des sphères plus huppées. Jusqu'à quel point le lui aurait-on proposé, il ne le dit pas, mais je le sais trop orgueilleux pour se vanter et je crois que c'est par orgueil aussi qu'il a choisi, vraiment choisi, c'est-à-dire en ayant le choix, d'être petit juge de base parmi les gueux du Pas-de-Calais.

Ce qu'il fait dans son bureau de juge d'application des peines ressemble un peu à ce qui se passe dans le cabinet de l'analyste. Son rôle est d'écouter, et d'essayer de trouver ce qu'est capable d'entendre le type qu'il a en face de lui.

Sa clientèle se compose de gens très blessés : beaucoup sont héroïnomanes et séropositifs. Les chances qu'ils s'en sortent sont faibles, les bonnes paroles a priori vaines. Pourtant il en existe, de bonnes paroles, c'est-à-dire des paroles à la fois vraies et opportunes, quelquefois même efficaces.

Ce qu'Étienne découvre devant ces types perdus, écrabouillés, mal barrés dès le départ, c'est que plus ce qu'on lui dit est difficile à entendre, plus il est calme. Devant les souffrances d'autrui, il retrouve instinctivement la posture qui lui a permis de supporter les siennes lorsqu'il était cancéreux. S'ancrer au fond de lui-même, dans son ventre. Ne pas se révolter, ne pas lutter, laisser faire : le médicament, le cours de la maladie, celui de la vie. Ne pas chercher quoi dire d'intelligent, laisser venir les mots qui sortent de sa bouche : ce ne sont pas forcément les bons, mais c'est seulement comme cela que les bons ont une chance de sortir.

Souvent, il parle de lui. À quelqu'un qui a peur et se méprise, il parle de sa propre peur, de l'image dégradée qu'il a pu avoir de lui-même. À un malade, de sa maladie. Ce ne sont pas des sujets sur lesquels il observe une pudique réserve. Ses deux cancers, sa jambe en moins impressionnent ses clients et il le sait. Il s'en sert sans scrupules, c'est bien que ses misères servent à quelque chose.

Qu'elles servent à quoi, au fait ? À être plus humain ? Plus sage ? Meilleur ? Il dit qu'il déteste cette idée. Je réponds qu'à moi elle me paraît juste. Un peu bien-pensante, un peu catho dirait Hélène, mais quand même juste, et il en est la preuve vivante.

Tu veux dire quoi ? Que je suis un type bien parce que j'ai eu un cancer et qu'on m'a coupé une jambe ? Quand même pas ?

Je dis non, non, je reconnais que c'est plus compliqué que ça, qu'on peut avoir eu un cancer et rester une crapule ou un imbécile, mais en fait si, c'est ça que je dis. Et ce que je ne dis pas, de même que je ne parle pas de Fritz Zorn ou de Pierre Cazenave, c'est que selon moi son cancer l'a guéri.

J'essaie de l'imaginer, ce jeune juge qui clopine sur les trottoirs de Béthune. Il n'y habite pas, il ne faut pas exagérer, il a pris un appartement à Lille. Il y a ses livres, ses disques. Le soir, il retire sa prothèse et se couche seul dans son lit. Toujours seul. Les traitements, la dégradation physique, la perte des cheveux et des poils ont mis à rude épreuve sa libido. Il va mieux maintenant, ses cheveux ont repoussé, il a de l'esprit, on peut dire que c'est un homme séduisant mais on ne peut pas dire, honnêtement, que ce n'est pas un problème dans la vie et avec les femmes d'être unijambiste. Celle qui l'acceptera parce que c'est comme ça, celle qui l'aurait aimé avec deux jambes mais qui va le rencontrer et l'aimer avec une seule, il ne la connaît pas encore. Pressent-il que cela va venir, que quelque chose va basculer et rendre possibles l'amour, la confiance ? Ou bien désespère-t-il ? Il ne désespère pas, non. Même au fond du trou, il n'a jamais vraiment désespéré. Il a toujours gardé cet élémentaire appétit d'exister qui, à la sortie de ses cauchemardesques sessions de chimiothérapie, lui faisait pousser la porte du café en face de l'Institut Curie, s'accouder au comptoir et commander un énorme sandwich au saucisson qu'il dévorait en se disant que, tout de même, c'était bien de vivre, et de vivre dans la peau d'Étienne Rigal. Il n'empêche qu'il est prisonnier de ce que les psychiatres appellent un *double bind*, une double contrainte qui le fait perdre sur les deux tableaux. Pile tu gagnes, face je perds. Être rejeté parce qu'on n'a qu'une jambe, c'est dur, être désiré pour la même raison, c'est pire. La première fois, dit-il, qu'une fille m'a fait comprendre qu'elle ne voulait pas coucher avec moi à cause de ça, je l'ai pris dans la gueule. Mais il m'est arrivé d'entendre une autre fille dire devant un tas de gens : ça m'exciterait de coucher avec Étienne à cause de sa jambe de bois, et je t'assure, c'était plus difficile encore à encaisser. Pourtant, il faut apprendre à l'encaisser aussi. Une chose qui m'a aidé, c'est que, vers la fin de ce long désert sexuel, j'ai eu une liaison avec une fille qui avait été violée dans son enfance, par son père, et plus tard, dans son adolescence, par deux inconnus. Elle était complètement terrorisée par le sexe. Moi aussi, à l'époque, j'étais terrorisé par le sexe. On était tous les deux terrorisés, c'est sans doute pour ça qu'on s'est retrouvés ensemble au lit. On a fait ce qu'on a pu pour avoir moins peur et ça a été extraordinaire. Sexuellement extraordinaire, je t'assure, incroyable de tendresse et d'abandon : une des grandes expériences de ma vie. Je l'ai souvent racontée, dans mon cabinet de juge, à des femmes violées, ou à des garçons, d'ailleurs. Je leur disais : c'est vrai, ce qui vous est arrivé, ça pèse sur la sexualité, c'est un traumatisme terrible, un handicap, mais il faut que vous sachiez qu'il existe des gens à qui ce handicap chez vous fera un bien fou, et si vous l'acceptez ça vous en fera aussi.

En tapant sur Google les mots « sexualité, handicap », je suis tombé sur un site appelé *Overground*, destiné aux gens sexuellement attirés par les amputés. Ils se nomment eux-mêmes les « fervents » — en anglais, *devotees* — et certains sont plus que des fervents, des « prétendants » — *wannabees* —, c'est-à-dire qu'ils aspirent à se faire amputer eux-mêmes afin de s'identifier à l'objet de leur désir. Les prétendants qui passent vraiment à l'acte sont rares, la plupart se contentent de jouer avec l'idée, de bricoler des photomontages sur lesquels ils se voient avec le moignon dont ils rêvent. Ceux qui vont jusqu'au bout vivent un calvaire. J'ai lu le témoignage de l'un d'entre eux : pendant des années, il a essayé en vain de trouver un chirurgien compréhensif qui accepterait de lui couper une jambe saine, et pour finir massacré lui-même cette jambe au fusil de chasse, assez efficacement pour que l'amputation devienne inévitable. Fervents et prétendants constituent une communauté assez honteuse, qui voudrait s'affranchir de cette honte : nous ne sommes pas pervers, disent ses membres, nos désirs sont certes particuliers, peu répandus, mais ils sont naturels et nous voudrions pouvoir en parler au grand jour. Ces désirs, ils le reconnaissent, sont compliqués à réaliser. La conjonction idéale serait celle du fervent qui trouverait un prétendant, le prétendant se ferait amputer et tous deux jouiraient de leur complémentarité dans une parfaite harmonie : le grand avantage d'Internet est de favoriser ce type de rencontres, en partant du principe que tout est permis entre adultes consentants — même, comme il est arrivé il y a quelques années, le contrat entre un type qui désirait manger un de ses congénères et un autre qui, au moins au début, se déclarait partant pour être mangé. Mais cette conjonction idéale est rare, la vocation du prétendant plus fantasmatique qu'autre chose, et dans la réalité ce qui arrive le plus souvent, comme aux homosexuels du placard, c'est que le fervent — admettons que c'est un homme — est marié à une femme totalement ignorante de ses désirs et qui en serait horrifiée si elle les découvrait. On lui conseille, sur le site, de faire de prudentes approches, de proposer à sa compagne des jeux erotiques à base de béquilles, mais il est clair que le goût pour l'amputation est moins avouable que celui de la sodomie ou de l'ondinisme et qu'on a encore moins de chances d'y convertir quelqu'un qui ne l'aurait pas déjà. La troisième voie, qui devrait être la voie royale pour le fervent, c'est de rencontrer une personne déjà amputée. En principe, on pourrait penser que ces personnes, dont l'infirmité rebute beaucoup de gens, devraient être contentes d'en rencontrer d'autres qu'au contraire elle attire. Le problème, que même un site militant et prosélyte ne peut dissimuler, c'est que la plupart des amputés involontaires — c'est-à-dire la plupart des amputés — réagissent comme Étienne quand une fille lui dit qu'elle a envie de coucher avec lui à cause de sa jambe de bois : ça les dégoûte. Ils éprouvent de la répugnance pour le désir des fervents, à qui on ne peut que conseiller l'hypocrisie : courtisant une amputée, le fervent doit soigneusement lui cacher qu'il le fait à cause de son handicap ; il faut qu'elle se croie désirée malgré lui.

C'était ma seconde visite, Étienne et moi parlions depuis le matin. L'heure du déjeuner venue, il a téléphoné à sa femme pour lui proposer de nous rejoindre au restaurant italien où il m'avait déjà emmené la première fois. Je n'avais fait que croiser Nathalie à l'enterrement de Juliette, je me demandais avec un peu d'inquiétude ce qu'elle pouvait penser de l'entreprise bizarre dans laquelle son mari et moi nous étions embarqués, mais dès qu'elle s'est assise sur la banquette à côté de lui, blonde, décidée, rieuse, cette inquiétude s'est dissipée. La situation semblait l'amuser, puisque Étienne me faisait confiance elle me faisait confiance aussi, et ils ont pris un plaisir manifeste à me raconter à deux voix ce que dans leur mythologie personnelle ils appellent le quart d'heure américain — expression que je ne connaissais pas et qui désigne le moment où, dans une fête, les filles prennent l'initiative de la drague.

On est à l'automne 1994. Étienne achève son analyse. Bien que rien n'ait changé objectivement, il estime que quelque chose s'est ouvert en lui, que la balle est maintenant dans le camp de la vie. Son analyste l'approuve et ils s'acheminent ensemble vers une séance dont ils décident ensemble qu'elle sera la dernière. C'est un moment très troublant : deux fois par semaine, pendant neuf ans, on a dit à quelqu'un tout ce qu'on ne dit à personne, noué une relation qui ne ressemble à aucune autre, et voilà que d'un commun accord on met fin à cette relation en estimant que cette fin en est l'accomplissement ; oui, vraiment, c'est troublant. En sortant de cette dernière séance, Étienne reprend à la gare du Nord le train pour Lille où, en fin d'après-midi, il donne son premier cours à un groupe de très jeunes avocats. Nathalie fait partie de ce groupe, qui se rassemble ensuite au café pour discuter. Certains ont adoré Étienne, d'autres l'ont détesté. Elle, elle l'a adoré. Elle l'a trouvé brillant, original, iconoclaste. La douceur de sa voix l'a émue, elle devine derrière son humour une richesse d'expérience, un mystère qui la fascinent. Elle fait son enquête, apprend où il habite et qu'il habite seul, se promène seul, va seul acheter des livres à la Fnac. Il lui plaît de plus en plus. Aux cours suivants, il lui semble qu'il s'intéresse à une fille de sa promotion mais ça ne l'inquiète guère, d'abord parce que la fille est déjà engagée par ailleurs, ensuite et surtout parce que même si lui ne le sait pas encore elle sait, elle, qu'il est l'homme de sa vie. Elle l'invite à une soirée, il n'y vient pas. Le cours prend fin, c'était un cycle bref, quelques séances seulement. Alors elle va le voir au tribunal et lui explique que les étudiants, restés sur leur faim, en voudraient au moins une de plus. Ce n'est pas vrai mais elle rameutera une dizaine de copains pour faire de la figuration lors de cette séance supplémentaire qui a lieu chez Étienne, très informellement. À la fin, les figurants s'éclipsent. Nathalie, elle, s'attarde et lui propose d'aller au cinéma. Le film qu'ils vont voir, *Rouge*, de Kieslowski, raconte l'histoire d'un juge boiteux et misanthrope que joue Jean-Louis Trintignant, mais ils ne prêtent aucune attention à cette coïncidence car au bout de dix minutes elle l'embrasse. Ils finissent l'après-midi chez lui, elle reste la nuit. Étienne comprend qu'il est en train de lui arriver quelque chose d'énorme et prend peur. Il était prévu qu'il parte le lendemain pour une semaine de vacances à Lyon, chez une amie, et, pensant se calmer, prendre du recul, il part. Il reste chez son amie une nuit, au cours de laquelle il comprend que non seulement il est tombé amoureux mais que cet amour est confiant, partagé, certain, qu'il va construire toute sa vie dessus. Le matin, il appelle Nathalie : je rentre, est-ce que tu veux qu'on se retrouve chez moi ? est-ce que tu veux habiter avec moi ? Elle débarque avec ses affaires, ils ne se quitteront plus. Mais Étienne a autre chose à lui dire, qui est moins gai : bien qu'il n'ait pas fait de test depuis plusieurs années, pour ne pas se plomber davantage le moral, il est à peu près sûr que la chimiothérapie l'a rendu stérile. Nathalie ne nie pas que c'est un problème car elle veut des enfants, mais au lieu de s'arrêter au problème elle s'attelle aussitôt à lui chercher une solution. Elle achète un livre du biologiste Jacques Testart sur les diverses techniques de procréation assistée : si aucune ne marche, conclut-elle, on adoptera. Avant, il faut tout de même refaire le test. Elle décide, organise ; il suit, émerveillé. Tout ce qui pèse si lourd sur sa vie, sa jambe en moins, ses peurs, sa probable stérilité, elle le prend, s'en arrange : cela fait partie du lot et le lot lui convient. Elle l'accompagne se branler à la banque du sperme, la semaine suivante ils vont chercher les résultats. La secrétaire dit à Étienne que l'interne veut les voir personnellement, ce qui les inquiète plutôt, mais quand l'interne ouvre la porte de la salle d'attente elle sourit en les voyant blottis l'un contre l'autre sur la banquette de skaï noir, se tenant la main, et je souris moi aussi en les regardant, onze ans plus tard, sur la banquette du restaurant. J'ai annoncé beaucoup de mauvaises nouvelles ces jours-ci, leur dit-elle, alors j'avais envie d'en annoncer une bonne : vous pouvez avoir un enfant. En sortant, ils disent : bon, on s'y met ? Le mois suivant, Nathalie est enceinte.

Elle est du Nord, en a assez du Nord et lui aussi. Par ailleurs cela fait un moment qu'un de ses collègues pénalistes, avec l'air sagace de celui qui, pour vous, voit plus loin que vous, répète à Étienne qu'il est fait pour l'instance. Ce collègue est beaucoup plus âgé, de droite, catholique, un vrai magistrat à l'ancienne, ils ne sont tous les deux pas d'accord sur grand-chose mais ils s'estiment, et Étienne ne déteste pas l'idée de s'en remettre à l'avis d'un autre comme, faute d'avoir soi-même une inclination nette, on s'en remettrait au hasard, ou comme en pareil cas je m'en remets pour ma part aux conseils sibyllins du Yi-King. C'est bien de décider, estime-t-il, mais on peut décider de se laisser faire, d'accepter parce que ça vous chante un conseil ou une sollicitation, de ne pas coaguler le cours de la vie en se crispant sur quelque chose d'aussi contingent que sa volonté. A priori, je ne me voyais pas vraiment juge d'instance, mais si M. Bussières m'y voit si bien, pourquoi pas ? Pourquoi ne pas poser ma candidature à ce poste qui se libère au tribunal d'instance de Vienne ? Vienne, c'est tout près de Lyon, Nathalie peut s'inscrire au barreau de Lyon, et puis il fera plus chaud qu'à Béthune.

Vienne, sous-préfecture de l'Isère, est une ville de 30 000 habitants, avec des vestiges gallo-romains, un quartier ancien, une promenade bordée de cafés, un festival de jazz en juillet. C'est par ailleurs une ville aussi bourgeoise que Béthune est déshéritée. Cercle de notables, dynasties de commerce ou de robe, façades sévères derrière lesquelles se vident à huis clos les querelles d'héritage : ça amusait plutôt Étienne de se retrouver parachuté dans cette province des films de Chabrol, d'autant qu'il n'était pas question d'habiter Vienne, seulement d'y aller trois fois par semaine, une demi-heure de voiture depuis le quartier de Perrache où ils venaient de trouver l'appartement qu'ils habitent aujourd'hui. Ça l'amusait, oui, ses récits faisaient rire Nathalie, le centre de gravité de leur vie était ailleurs, dans ce bel appartement qu'ils prenaient plaisir à décorer et où venait de naître leur second enfant. N'empêche que quand, à la première audience qu'il présidait, l'avocat est arrivé une demi-heure en retard sans s'excuser, il a compris que se jouait une épreuve de force où il n'avait pas intérêt à s'écraser. Les avocats du barreau de Vienne sont là depuis vingt ans, ils seront là dans vingt ans, leurs parents étaient là avant eux, leurs enfants y seront après et quand ils voient se pointer un nouveau juge, leur premier soin est de lui faire comprendre qu'ils sont les propriétaires de la maison et lui un simple locataire, dont on entend bien qu'il se plie aux usages. Étienne a convoqué l'avocat et lui a dit gentiment : c'était la première fois, alors je n'ai pas fait d'incident d'audience, mais s'il vous plaît, ne recommencez pas, ou ça se passera mal.

Ça a marché.

Quand il était juge d'application des peines, son travail consistait à voir des gens dans son bureau, face à face. En jean et tee-shirt, il les écoutait, leur parlait, trouvait pour les aider des solutions concrètes qui la plupart du temps n'avaient rien de juridique. Les relations avec eux pouvaient s'étendre sur des années. À l'instance, désormais, il siégeait en robe sur une estrade, entouré d'une greffière et d'un huissier qui étaient en robe aussi et lui témoignaient un respect hiérarchique un peu trop compassé à son goût. Toujours à sa première audience, il y a eu un autre gag : en sortant de la salle de délibéré, il a galamment cédé le passage à sa greffière, que cette fantaisie a prise de court. Elle a refusé, aussi mal à l'aise que si elle le soupçonnait de vouloir en profiter pour la sodomiser, et il a remarqué par la suite qu'elle prenait grand soin de rester loin derrière lui tant qu'il n'avait pas franchi le seuil. Jusqu'au dernier instant, elle faisait mine de classer des dossiers sur la table, les mains tremblant un peu. Étienne souriait de cette solennité, mais les relations personnelles avec les justiciables lui manquaient. Les décisions qu'il prenait pesaient sur la vie de gens qu'il n'aurait vus, dans le meilleur des cas, que cinq ou dix minutes. Il n'avait plus affaire à des individus, mais à des dossiers. De plus, il fallait aller vite. L'engorgement des greffes pousse à pratiquer une justice mécanique, telle contravention appelant telle amende, tel vice contractuel déclenchant telle jurisprudence, et on se dépêche d'autant plus que la productivité, c'est-à-dire le nombre de jugements rendus, est un critère décisif de la notation d'un juge, donc de son avancement. Cela ne dérangeait pas Étienne d'être rapide, au contraire il aime ça, mais il s'est promis de ne pas céder à la tentation de l'abattage, de continuer à voir dans chaque dossier une histoire singulière, unique, appelant une solution de droit particulière.

Je suis allé deux fois à Vienne, cet automne-là, pour traîner au palais de justice. C'est un beau bâtiment du XVIIe siècle, dominant la petite place où se trouve le temple d'Auguste et de Livie, orgueil de la cité. Quand je n'étais pas « en audience », comme je me suis un jour surpris à le dire, je rencontrais des juges, des greffiers, des avocats, à qui m'avait recommandé Étienne. Je les questionnais sur ce que fait au juste un juge d'instance, sur la façon dont Juliette et lui le faisaient, et ils me demandaient ce que je projetais d'en faire, moi. Un pieux hommage à ma belle-sœur récemment disparue ? Un document sur la justice en France ? Un pamphlet sur le surendettement ? J'étais bien incapable de le dire. Je les sentais touchés de voir un écrivain s'intéresser aux tribunaux d'instance, qui n'intéressent pas grand monde, mais en même temps méfiants. Le nom d'Étienne ne m'ouvrait pas les portes aussi largement que je l'avais espéré. La magistrate qui lui a succédé, et que j'avais appelée de sa part pour lui dire que je souhaitais m'incruster une semaine ou deux au tribunal, m'a répondu qu'un stage ne s'improvisait pas comme ça. Je n'avais jamais parlé de stage, seulement prévenu par politesse que je comptais assister à des audiences dont la plupart étaient publiques, mais, comme souvent quand on fait la bêtise de demander une autorisation dont on n'a pas besoin, c'est devenu toute une affaire, elle ne pouvait prendre sur elle de me donner son accord, il fallait celui du premier président de la Cour d'appel. Et pourquoi pas du garde des Sceaux ? a plaisanté Étienne, pas plus étonné que ça. J'ai compris que l'ombre de son prédécesseur pesait sur la nouvelle maîtresse des lieux et qu'elle devait me voir, moi, comme une sorte d'espion à sa solde, un émissaire de l'Empereur venu réveiller des fantômes en pleine Restauration.

Au bout du compte, j'ai tout de même fait quelque chose qui ressemblait à un stage, et vérifié ce que m'avait dit Étienne : que le juge d'instance est l'équivalent pour la justice du médecin de quartier. Loyers impayés, expulsions, saisies sur salaire, tutelle des personnes handicapées ou vieillissantes, litiges portant sur des sommes inférieures à 10 000 euros — au-dessus, cela relève du tribunal de grande instance, qui occupe la partie noble du Palais de justice. Pour qui a fréquenté les assises ou même la correctionnelle, le moins qu'on puisse dire est que l'instance offre un spectacle ingrat. Tout y est petit, les torts, les réparations, les enjeux. La misère est bien là, mais elle n'a pas tourné à la délinquance. On patauge dans la glu du quotidien, on a affaire à des gens qui se débattent dans des difficultés à la fois médiocres et insurmontables, et le plus souvent on n'a même pas affaire à eux car ils ne viennent pas à l'audience, ni leur avocat parce qu'ils n'ont pas d'avocat, alors on se contente de leur envoyer la décision de justice par lettre recommandée, qu'une fois sur deux ils n'oseront pas aller chercher.

Le pain quotidien du pénaliste dans le Nord, c'était la délinquance des toxicos-séropos. Celui du civiliste à Vienne, c'est le contentieux de la consommation et du crédit. Vienne, je l'ai dit, est une ville bourgeoise, l'Isère n'est pas le plus pauvre des départements français, mais il a suffi de quelques semaines à Étienne pour découvrir qu'il vivait dans un monde où les gens croulent sous les dettes et ne s'en sortent pas. Aux audiences civiles, une petite histoire de mur mitoyen ou de dégât des eaux devenait rafraîchissante parce qu'elle rompait pour quelques dizaines de minutes la procession monotone des établissements de crédit assignant en justice des débiteurs défaillants.

À cette forme du malheur social, Étienne n'avait été préparé ni par la vie ni par ses études. La seule fois où un de ses professeurs, à l'ENM, avait parlé de droit de la consommation, c'était avec un dédain ironique, comme d'un droit à destination des imbéciles, des gens qui signent des contrats sans les lire et qu'il est démagogique de vouloir assister. Le fondement du droit civil, apprend-on dans les manuels, c'est le contrat. Et le fondement du contrat, c'est l'autonomie de la volonté et l'égalité des parties. Nul ne s'engage ou ne devrait s'engager contre son gré, ceux qui le font n'ont qu'à en accepter les conséquences : ils seront plus prudents la prochaine fois. Étienne n'avait pas eu besoin de huit ans dans le Pas-de-Calais pour apprendre que les hommes ne sont ni libres ni égaux, il n'en restait pas moins attaché, sans quoi il n'aurait pas été juriste, à l'idée que les contrats doivent être respectés. Élevé dans un milieu bourgeois, il n'avait jamais connu de vraies difficultés d'argent. Nathalie et lui avaient un compte joint, un livret de caisse d'épargne, une assurance-vie et un emprunt pour l'appartement, qu'ils remboursaient par prélèvements automatiques et qu'ils avaient calculé assez large pour n'avoir jamais à se demander s'il était raisonnable de partir en vacances. En matière de crédit *revolving*, tout ce qu'il connaissait c'est sa carte d'adhérent à la Fnac qui lui ouvrait droit, lui avait-on expliqué, à des facilités de paiement dont il n'usait jamais, préférant acheter comptant ses disques et ses livres et s'en offrir quelques-uns de plus avec ses points de fidélité. Quelquefois, rarement parce qu'il ne figurait pas sur les fichiers, il trouvait dans sa boîte à lettres des publicités pour des établissements de crédit. « Puisez dans votre réserve d'argent à votre gré », dit Sofinco. « Faites-vous plaisir dès aujourd'hui », propose Finaref. « Besoin d'argent ? Rapidement ? » s'inquiète Cofidis. « C'est le moment d'en profiter », assure Cofinoga. Il les jetait à la poubelle sans y prêter attention.

Depuis qu'il voyait défiler à l'audience ceux qui les avaient signés, il considérait d'un autre œil ces imprimés. Il découvrait combien il est facile de persuader les pauvres que, même pauvres, ils peuvent s'acheter une machine à laver, une voiture, une console Nintendo pour les enfants ou simplement de quoi manger, qu'ils rembourseront plus tard et que ça ne leur coûtera autant dire rien de plus que s'ils réglaient comptant. À la différence des prêts plus contrôlés et moins coûteux consentis par les banques classiques, dont les établissements de crédit sont d'ailleurs des filiales, ces contrats-là se concluent en un clin d'œil : il suffit de signer au bas de l'imprimé, qui porte le nom d'« offre préalable ». Cela peut se faire à la caisse du magasin, c'est valable tout de suite, reconduit tacitement, on tire ce qu'on veut, quand on veut, cela donne l'agréable impression d'être de l'argent gratuit. Cette agréable impression, le libellé des offres ne fait rien pour la dissiper. On ne parle pas d'emprunt, mais de « réserve d'argent », pas de crédit, mais de « facilité de paiement ». On dit par exemple : « Vous avez besoin de 3 000 euros ? 3 000 euros pour un euro par mois, ça vous dirait ? Eh bien, chère Madame, cela tombe bien, car en tant que fidèle cliente — de notre magasin, de notre centre de vente par correspondance —, vous nous avez été recommandée pour bénéficier d'une offre tout à fait exceptionnelle. Dès aujourd'hui, vous pouvez demander l'ouverture d'une réserve de crédit pouvant aller jusqu'à 3 000 euros. » Le coût extrêmement élevé de ce crédit figure en tout petits caractères au verso de l'offre, on en prend connaissance ou pas, le plus souvent pas, de toute manière on signe parce que c'est le seul moyen quand on n'a pas d'argent de s'acheter ce dont on a besoin, ou d'ailleurs pas toujours besoin mais envie, simplement envie, car même quand on est pauvre on a des envies, c'est ça le drame. Là où la banque aurait la prudence de dire non, l'établissement de crédit dit toujours oui, c'est pourquoi les banquiers orientent obligeamment vers lui leurs clients toujours dans le rouge. Si vous êtes déjà lourdement endetté, il ne tient pas à le savoir. Il ne contrôle rien : signez au bas de l'offre, dépensez, c'est tout ce qu'il vous demande. Tout va bien tant qu'on rembourse sa mensualité, ou plutôt ses mensualités car le propre de ce genre de crédits est de se cumuler, on se retrouve comme un rien avec une dizaine de ces cartes. Fatalement, arrivent les incidents de paiement : on ne peut plus faire face. L'organisme de crédit intente une action en justice. Il demande le recouvrement des sommes dues, plus celui des intérêts prévus par le contrat, plus celui des pénalités de retard également prévues par le contrat, et cela fait beaucoup plus qu'on n'avait imaginé.

Un procès, cette année-là, a fait grand bruit. Il s'agissait d'un couple qui gagnait 2 600 euros par mois, lui comme ouvrier, elle comme aide-soignante. Ils ont voulu se suicider et tuer leurs cinq enfants parce qu'au bout de douze ans de vie à crédit, avec six comptes en banque, vingt et un crédits *revolving*, quinze cartes magnétiques et près de 250 000 euros de dettes, leurs créanciers se sont retournés. Les relances de recouvrement ont succédé aux offres engageantes et, tout le monde leur tombant dessus en même temps, il est devenu impossible de basculer un crédit sur un autre, d'ouvrir une nouvelle ligne permettant de temporiser. Le jeu n'était plus jouable, c'était fini. Une dernière carte, pas encore refusée, a servi à acheter des vêtements neufs pour que les enfants arrivent correctement vêtus dans l'autre monde, que leur père se représentait avec une sinistre candeur comme « le même, mais sans les dettes ». Le suicide collectif a échoué, une des filles seulement a succombé. Aux assises, le père a pris quinze ans et la mère dix. Cette affaire a ému toute la France. Elle est pathétique, me dit Étienne, mais pas vraiment exemplaire car les Cartier usaient du crédit avec insouciance, et pour vivre au-dessus de leurs moyens. Ils achetaient une télévision et une console de jeux pour chaque enfant, de l'électroménager haut de gamme, ils remplaçaient compulsivement leur voiture, leurs meubles, leur équipement, s'abonnaient à tout et n'importe quoi, bref ils avaient le profil des gens à qui le moins dégourdi des vendeurs sait en poussant la porte de leur pavillon qu'il pourra fourguer ce qu'il voudra. Les sociologues définissent ce profil comme celui du surendetté « actif », que la crise a rendu minoritaire par rapport au surendetté « passif ». À celui-ci, on ne peut pas faire grief de consommer avec excès et d'user sans discernement du crédit, tout simplement parce qu'il est pauvre, très pauvre, et qu'il n'a d'autre choix qu'emprunter pour remplir son caddie de paquets de nouilles. C'est le RMIste de plus de cinquante ans, ou la femme seule avec des enfants, au chômage, sans qualification, sans autre perspective, dans le meilleur des cas, que de trouver un emploi à temps partiel, précaire et mal payé, avec l'effet pervers classique que travailler, si elle y arrive, sera finalement moins avantageux pour elle que vivoter des aides à quoi elle peut prétendre. Ceux-là n'ont que des dettes et rien pour les payer. Leurs dossiers se retrouvent en piles sur le bureau du juge d'instance.

Et que fait-il, le juge d'instance ? En principe, il n'a pas beaucoup de marge. Il voit bien qu'il y a d'un côté un pauvre type étranglé, de l'autre une grosse boîte qui ne fait pas de sentiment, mais ce n'est pas la vocation de la grosse boîte de faire du sentiment et ce n'est pas celle du juge non plus. Entre le pauvre type et la grosse boîte, il y a un contrat, et le rôle du juge est de faire exécuter ce contrat, soit en faisant payer le débiteur, soit en le faisant saisir. Le problème, c'est que la plupart du temps le débiteur est insolvable et même insaisissable, c'est-à-dire qu'il n'a que le strict nécessaire pour survivre. Jusqu'au milieu du XIXe siècle, on sortait de cette impasse en le condamnant à la prison pour dettes — institution dont Étienne m'a appris que si elle est tombée en désuétude, ce n'est pas par humanité mais parce que l'entretien des prisonniers incombait à leurs créanciers, non à l'État, et que l'intérêt économique l'a emporté sur la satisfaction de voir le coupable puni. Aujourd'hui, il existe une autre solution, qui est la commission de surendettement.

Étienne était encore à l'ENM, en 1989, quand sous la pression de l'urgence sociale la loi Neiertz a créé dans chaque département ces commissions chargées de trouver une solution là où de toute évidence il n'y en a pas. Pour le professeur qui daubait sur le droit balbutiant de la consommation, considéré comme une assistance imméritée aux imbéciles, c'était un peu la fin du monde, l'institution de quelque chose d'absolument nouveau et de juridiquement scandaleux : le droit à ne pas payer ses dettes. En théorie, il ne s'agit pas de cela, mais d'évaluer ce qu'en se serrant la ceinture au maximum les personnes surendettées peuvent payer chaque mois et de leur proposer, ainsi qu'à leurs créanciers, un plan de remboursement. En fait, une fois fini de jongler avec les délais, les reports, les rééchelonnements, un moment arrive où il faut bien parler d'effacement, et cette révolution juridique s'est confirmée quinze ans plus tard, la situation ayant encore empiré, avec le vote de la loi Borloo instituant la « procédure de rétablissement personnel », également appelée « faillite civile ». On applique désormais aux particuliers le principe de la faillite commerciale, c'est-à-dire que si au vu de leur dossier on estime leur situation « irrémédiablement compromise » — ce qui à aucun point de vue n'est un diagnostic facile à poser —, on efface purement et simplement leurs dettes, et tant pis pour leurs créanciers.

On n'en était pas encore là quand Étienne est arrivé à Vienne, en 1997. Mais les associations de consommateurs et des parlementaires, aussi bien de droite que de gauche, militaient en ce sens contre le lobbying des établissements de crédit. Ils citaient l'exemple de l'Alsace et de la Moselle où c'est pratiqué depuis longtemps sans que la terre s'arrête de tourner. Et dès 1998 la loi Aubry a rendu possible une remise partielle des dettes, que recommandaient de plus en plus souvent les commissions de surendettement. Ces avis étaient-ils ou non suivis par le juge, eh bien cela dépendait du juge, de sa philosophie du droit et de la vie.

J'ai suivi à Vienne quelques audiences de surendettement. Elles n'étaient pas présidées par Étienne, qui n'est plus aujourd'hui à l'instance, mais par un juge nommé Jean-Pierre Rieux, qui avait précédé Juliette à son poste et qui, après sa mort, a été chargé d'assurer son intérim. Étienne, qui a travaillé deux ans avec lui, m'en avait parlé avec amitié : tu verras, c'est le contraire de moi, mais il sait où il est. « Il sait où il est », c'est dans la bouche d'Étienne le plus grand des compliments. J'en comprenais mal le sens au début, je le comprends mieux maintenant, sans doute parce que moi-même je sais mieux où je suis. La cinquantaine, costaud, ancien rugbyman, ancien éducateur devenu magistrat sur le tard et par la petite porte, Jean-Pierre aime bien rappeler que jusqu'en 1958 ce qu'on appelle maintenant le juge d'instance s'appelait le juge de paix. C'est comme ça qu'il voit son métier : concilier, faire en sorte que les gens s'arrangent entre eux. Une des choses qu'il aimait, qu'on fait de moins en moins parce qu'on n'a plus le temps, c'est le transport sur les lieux. Un type vient vous dire : le portail électrique que m'a installé l'entreprise Machin ne marche pas. Vous faites quoi ? Vous allez voir le portail électrique. Vous prenez la voiture, vous embarquez votre greffière, vous appelez l'entreprise Machin pour qu'elle vienne sur les lieux aussi, avec un peu de chance on se met d'accord pour signer, sur place, un procès-verbal de conciliation, et après tout le monde va boire un coup. Ces manières paysannes, ce n'était pas le genre d'Étienne. Il n'aimait pas se transporter sur les lieux. Ce qu'il aimait, ou plutôt ce qu'il s'est pris à aimer, c'est le droit pur, la subtilité du raisonnement juridique, alors que Jean-Pierre reconnaît volontiers être un juriste expéditif. J'y connais rien, moi, au droit, dit-il en haussant les épaules, tout ce que je veux c'est que les gens ne se fassent pas trop arnaquer.

Les audiences de surendettement, au contraire

des audiences civiles, ne se déroulent pas dans la grande salle du tribunal, mais dans une petite pièce baptisée bibliothèque parce que quelques codes traînent sur une étagère, et sans aucun décorum. La greffière porte robe et rabat, mais le juge est en manches de chemise. On pourrait se croire dans un bureau de l'ANPE ou d'un quelconque service social, et ce qu'on voit et entend ne dément pas cette impression.

La situation comporte peu de variantes. Des gens ont déposé un dossier à la commission de surendettement, qui est dans chaque département une antenne de la Banque de France (comme on lui a retiré tous ses pouvoirs, à la Banque de France, il faut bien l'occuper, dit Jean-Pierre). Il se peut que leur dossier ait été déclaré irrecevable et qu'ils contestent cette décision. Il se peut qu'il ait été déclaré recevable, que la commission ait établi un plan de remboursement et qu'un ou plusieurs créanciers contestent ce plan, qui diminue ou même annule leur créance. Il se peut enfin que le plan soit validé par le juge sans autre forme de procès.

Avant que la greffière fasse entrer le client, Jean-Pierre jette un coup d'œil sur la couverture en carton du dossier. La longueur de la colonne où s'alignent les noms des créanciers permet d'évaluer l'étendue des dégâts. S'agissant de Mme A., il hoche la tête : il a vu pire.

Quarante-cinq ans, obèse, boudinée dans un jogging vert et mauve, les cheveux courts plaqués sur le front et de grosses lunettes fantaisie à motifs fluo, Mme A. n'en mène visiblement pas large. Jean-Pierre, en l'interrogeant, fait tout pour la rassurer. Il est cordial, bonhomme, il dit bon, on va voir ce qu'on peut faire, et rien que son ton indique qu'on va pouvoir faire quelque chose. Mme A. gagne 950 euros par mois comme assistante hospitalière, elle a deux enfants de six et quatre ans à sa charge, elle touche les allocations familiales et l'aide personnalisée au logement, mais comme elle travaille cette aide a baissé et ne couvre désormais qu'un tiers de son loyer. Sa situation est devenue critique quand elle a divorcé, trois ans plus tôt, car toutes les charges se sont multipliées par deux. Quand Jean-Pierre lui demande si elle a une voiture, elle sent que c'est une question dangereuse parce qu'une voiture, c'est un bien qu'on peut saisir, et elle s'empresse d'expliquer qu'elle en a absolument besoin pour se rendre à son travail. Jean-Pierre dit qu'il n'est pas question de toucher à sa voiture qui a de toute manière plus de dix ans et, pardon de vous le dire, ne vaut rien. Et des frais de garde pour vos enfants, vous avez des frais de garde ? Oui, avoue Mme A., comme si c'était honteux.

Sur la base de toutes ces informations, la commission a calculé selon un barème prévu par le Code du travail la part de ses revenus qui peut être affectée au remboursement de ses dettes :

57 euros par mois. Les dettes en question, entre les impôts, l'OPAC de Vienne, qui lui loue son appartement, le Crédit municipal de Lyon et les établissements de crédit France-Finances et Cofinoga, s'élèvent à 8 675 euros. La commission a fait son calcul : elle peut, en dix ans, rembourser au maximum 6 840 euros. Restent 1 835 euros, qu'elle propose d'effacer. Le problème est de savoir qui va en subir les conséquences. Le fisc doit être payé en priorité, c'est la loi. Arrive juste derrière l'OPAC de Vienne, créancier à vocation sociale qu'on n'a pas intérêt à ruiner. Donc, ceux qui vont passer à l'as, c'est le Crédit municipal, France-Finances et Cofinoga. À tous les trois, la commission a communiqué cette proposition. Deux n'ont pas réagi, ce qui veut dire qu'ils consentent. France-Finances en revanche conteste, et Mme A. s'en inquiète beaucoup parce qu'ils lui ont envoyé une lettre très dure, en lui disant qu'elle ne veut pas payer alors qu'ils savent très bien qu'en fait elle peut. Vous avez la lettre ? demande Jean-Pierre. Mme A. fouille en reniflant dans la pochette plastifiée qu'elle a posée sur la table devant elle en arrivant et à laquelle elle n'a cessé de s'accrocher comme à une bouée. Elle tend la lettre à Jean-Pierre qui la parcourt, puis lui demande si des gens sont venus voir ses voisins ou lui ont téléphoné sur son lieu de travail. Oui. D'accord, dit Jean-Pierre, maintenant je vais vous expliquer ce qui va se passer. Je vais rendre ma décision dans deux mois, c'est la règle, mais

je préfère vous la dire tout de suite. Ce que je vais faire, c'est que je vais suivre la proposition de la commission. Cela veut dire que je vais effacer votre dette chez France-Finances et qu'ils n'auront plus le droit de vous envoyer de lettres, ni de vous appeler à votre travail, ni d'en parler à vos voisins. S'ils le font, c'est eux qui violent la loi et vous pouvez venir me voir. Maintenant, de votre côté, vous avez 57 euros par mois à payer, au fisc et à l'OPAC, et ça, il faut absolument les payer, tous les mois. Tant que vous le faites, tant que vous respectez scrupuleusement votre plan, vous n'aurez pas d'ennuis. L'autre chose, c'est que vous ne devez pas faire de nouveaux emprunts. Aucun. Vous avez compris ? Mme A. a compris et s'en va soulagée.

Celle-là, commente Jean-Pierre une fois qu'elle a refermé la porte, c'est sûr qu'elle fera tout ce qu'elle pourra. Je ne dis pas qu'elle y arrivera, parce qu'avec 950 euros par mois, deux gamins à charge, le litre d'essence à dix balles alors que tu as besoin de ta bagnole pour aller au boulot, le loyer qui monte et l'aide au logement qui baisse, je me demande comment on s'en sort. Ils me font rigoler, ceux qui disent qu'un plan de surendettement c'est trop facile, on vous efface vos dettes et basta, mais c'est une vie d'enfer, on ne fait plus que payer, payer pendant dix ans, il n'y a pas d'épargne possible, pas de crédit possible, pas de consommation de confort, et c'est calculé tellement juste qu'on n'a pas droit à l'erreur, la moindre dépense imprévue devient un désastre. La bagnole te lâche, tu es mort. Une bonne partie des gens qui viennent ici, il ne faut pas se faire d'illusions, on les voit revenir. Elle, j'espère que non, mais eux, regarde : rien que la liste.

Sur le dossier de M. et de Mme L., il y a une bonne vingtaine de créanciers : banques, bailleurs, établissements de crédit, mais aussi garagistes, petits commerçants, ils ont une ardoise partout et même si aucune somme n'est très élevée, l'addition est lourde. Ils entrent. La trentaine tous les deux, lui squelettique, le teint terreux, le visage ravagé de tics, elle boulotte, couperosée, et si Mme A. tout au long de l'audience était au bord des larmes, elle semble bien au-delà, perdue dans l'apathie. Ils sont séparés depuis peu, mais restent solidaires face à leurs créanciers. Elle a gardé le logement où elle vit avec leurs quatre enfants, lui dort dans la voiture qui ne roule plus. Ces derniers temps, elle a travaillé quelques mois comme serveuse et lui comme démarcheur à domicile : il essayait de fourguer des extincteurs de plus de cinquante kilos à des vieillards qui ne pouvaient même pas les soulever. On l'a viré parce qu'il n'en plaçait pas assez et elle, de son côté, n'a pas pu continuer parce que la voiture, donc, ne roule plus, que son service prenait fin tard dans la nuit et qu'il n'y avait pas de bus pour rentrer. Tous deux sont séropositifs. Avec des ressources réduites aux aides sociales, un endettement aussi massif et un espoir de « retour à meilleure fortune », selon l'expression juridique en vigueur, quasi nul, on se demande pourquoi on ne les a pas aiguillés vers la faillite civile, qui effacerait toutes leurs dettes, plutôt que vers la commission de surendettement qui ne peut pas aller jusque-là. Ils doivent près de 20 000 euros. On a évalué, Dieu seul sait comment, leur capacité de remboursement à 31 euros par mois. C'est assez pour établir un plan sur cent vingt mois, sans le moindre espoir qu'il soit respecté. Mais ils ne demandent pas plus, on voit bien qu'ils sont épuisés, tout ce qu'ils veulent en fait c'est une trêve, quelques semaines à l'abri des sociétés de recouvrement qui malgré leur évidente insolvabilité leur sortent le grand jeu : les papillons rouges bien visibles sur la boîte à lettres, la tournée des voisins qu'on informe obligeamment de leurs déboires et même la visite aux enfants qu'on vient voir le mercredi après-midi en leur disant de passer le message à papa et maman. S'ils ne payent pas ce qu'ils doivent, on vous chassera de votre maison. Ils vous aiment, papa et maman, ils ne veulent pas que vous dormiez dans la rue, alors demandez-leur de payer ce qu'ils doivent, peut-être que vous, leurs enfants, ils vous écouteront. J'ai l'air de faire du misérabilisme mais c'est ainsi que cela se passe, et le pire, ajoute Jean-Pierre, c'est que les types qui font ce métier de chiens sont eux-mêmes de pauvres bougres, il en voit passer toutes les semaines en commission de surendettement, quand on leur demande ce qu'ils font comme boulot, c'est ça : ils bossent à temps partiel pour des boîtes de recouvrement et quand les bras lui en tombent ils ne voient même pas pourquoi. Bref. Jean-Pierre a demandé aux L. si la faillite civile ne leur conviendrait pas mieux, en précisant que faillite civile, cela voulait dire effacer toutes les dettes, mais ils ont dit que non, ils avaient déjà fait un dossier, ils étaient trop fatigués pour se lancer dans un autre. Jean-Pierre a soupiré et dit d'accord. Mais vous l'avez bien vu, votre plan de remboursement ? Vous avez vu qu'il y a 31 euros par mois à payer ? Ils ont répondu oui et j'avais l'impression qu'il aurait pu dire 310 ou 310 000 euros, ils auraient répondu oui aussi bien. Jean-Pierre, avant de les laisser partir, a voulu s'assurer qu'ils étaient bien suivis par les services sociaux, qu'il y avait des gens, quelque part, à qui ils pouvaient parler, ils ont redit oui, oui, et ils sont ressortis comme s'ils n'en pouvaient plus d'être dans cette pièce, de répondre à ces questions, de faire acte de présence dans une obligation de l'existence. Leur plan de désendettement avait été communiqué à tous leurs créanciers, assorti d'une convocation de pure forme. Seul un des établissements de crédit le contestait, mais il n'avait envoyé personne, jugeant probablement et à juste raison l'affaire perdue d'avance. Cependant, quand la greffière est allée chercher les clients suivants, elle est rentrée, assez surprise, avec un type en chemise à carreaux qui venait lui aussi pour le dossier L. Il avait reçu la convocation, alors il venait. Il travaillait à Intermarché, qui assignait pour deux chèques en bois de 280 euros. Entendant cela, je me suis dit : Intermarché, au point où on en est, ils peuvent bien supporter que 280 euros leur passent sous le nez. Mais comme toujours c'était plus compliqué, parce qu'en fait d'Intermarché il s'agissait d'une supérette franchisée à Saint-Jean-de-Bournay, un village pas loin de Rosier, et le type en chemise à carreaux n'était pas du tout un représentant cynique de la grande distribution mais un pauvre exploité qui en est de sa poche quand 280 euros manquent dans la caisse. Il venait de croiser les L. qui sortaient, il les avait reconnus et, l'air emmerdé, admettait : c'est sûr qu'ils n'ont pas l'air bien à leur aise. Vous l'avez dit, a confirmé Jean-Pierre avec un soupir, alors je ne vais pas vous raconter de blagues. Il arrive un moment, malheureusement, où on ne peut que constater les choses et moi, je ne suis pas plus fort que la Banque de France, je ne peux pas inventer d'argent là où il n'y en a pas. Vous voyez la liste : il y a beaucoup de créanciers, pratiquement pas de revenus, quatre enfants, alors... Alors ? a répété le franchisé. Alors, vous l'avez vu, leur plan de remboursement. La Banque de France propose le paiement d'un certain nombre de créances et l'effacement des autres. Il y a eu un silence, puis le franchisé a dit : ah... c'est une solution. On voyait bien que cette solution, il la trouvait saumâtre, et surtout qu'il était choqué de l'entendre défendue par un juge. Jean-Pierre alors s'est levé et, le plan en main, a contourné la table pour venir s'asseoir à côté du franchisé et lui expliquer : ça n'est pas foutu, remarquez. Il s'agit de plans sur cent vingt mois, ce qui honnêtement me paraît un peu ambitieux étant donné la précarité de leur vie. Mais vous voyez, pour vous, on ne propose pas l'effacement pur et simple. Ce qu'on propose, c'est rien du tout pendant cinquante-trois mois, le temps de payer des créanciers prioritaires, et ensuite 31 euros pendant neuf mois. Ce n'est pas impossible que vous récupériez votre argent d'ici un peu plus de quatre ans. Je ne peux pas vous le promettre, je ne sais pas où ils en seront dans quatre ans, mais c'est possible. Le franchisé est reparti pas vraiment rasséréné, pas écœuré non plus.

Étienne a appris le métier de juge d'instance aux côtés de Jean-Pierre. Sur le fond, ils étaient d'accord. Ils pensaient que les établissements de crédit exagèrent et n'étaient pas fâchés quand l'occasion se présentait de les coincer. Mais ils bricolaient. Ils essayaient d'arranger les affaires au cas par cas, sans théorie juridique, sans se soucier de faire jurisprudence. Puis Étienne a appris qu'un autre juge d'instance, Philippe Florès, avait fait de son tribunal de Niort la pointe avancée de la protection du consommateur. Étienne est conscient de sa valeur, il ne prétend pas à la modestie et c'est pour cette raison, dit-il, qu'il ne craint jamais de demander quand il ne sait pas, ni de copier sur ceux qui savent mieux que lui. Il est donc entré en contact avec Florès et il s'est mis à son école, moins empirique que celle de Jean-Pierre.

Florès était sorti de l'ENM en même temps que lui, mais il s'était tout de suite retrouvé juge d'instance, au moment où se mettaient en place les commissions de surendettement. Lui aussi, en dépit ou à cause du fait qu'il vient d'une famille pauvre, ça l'avait choqué. Ça allait contre tout ce qu'au fil de longues études on lui avait appris sur le respect des contrats et le droit qui n'est pas fait pour les imbéciles. Sur ce point, il n'a pas tardé à changer d'avis : le droit est fait aussi pour les imbéciles, pour les ignorants, pour tous les gens qui certes ont signé un contrat mais qu'on a tout de même bien arnaqués.

Il existe une loi, pourtant, qui vise à limiter ces arnaques : la loi Scrivener, votée en 1978 sous Giscard mais d'inspiration plus social-démocrate que libérale, en ce sens qu'elle limite la liberté a priori sacro-sainte des contrats.

En pure logique libérale, les gens sont libres, égaux, et assez grands pour s'entendre sans que l'État s'en mêle. En pure logique libérale, un propriétaire a parfaitement le droit de proposer à son locataire un bail aux termes duquel il peut le chasser ou doubler son loyer quand ça lui chante, exiger qu'il éteigne la lumière à sept heures du soir ou porte une chemise de nuit plutôt qu'un pyjama : du moment que le locataire a le droit symétrique de ne pas accepter ce bail, tout va bien. La loi, cependant, tient compte de la réalité, et du fait que dans la réalité les parties ne sont pas aussi libres et égales que dans la théorie libérale. L'un possède, l'autre demande, l'un a le choix, l'autre moins, c'est pourquoi les baux locatifs sont encadrés, et le crédit aussi bien. D'un côté il faut l'encourager parce que cela fait marcher l'économie, de l'autre il faut empêcher les gens de se faire trop avoir parce que cela dégrade la société. La loi Scrivener déclare donc abusives les clauses qui rendraient le contrat trop léonin et impose au prêteur, puisque c'est lui qui le rédige, un certain nombre d'exigences formelles, modèles types, mentions obligatoires, contraintes de lisibilité, bref quelques règles visant à ce qu'au moins l'emprunteur sache à quoi il s'engage.

Le problème, avec la loi Scrivener, c'est que les établissements de crédit qu'elle est supposée encadrer ne la respectent pas et que les consommateurs qu'elle est supposée protéger ne la connaissent pas. Florès la connaissait à fond et s'est mis en tête, seul dans son coin, de la faire respecter. Rien de plus, mais rien de moins.

La plupart de ses confrères, en ouvrant un dossier du type Cofinoga contre Mme Machin, se bornaient à constater : effectivement, Mme Machin ne paye plus les mensualités prévues par son contrat; effectivement, et aux termes de ce contrat, Cofinoga est fondé à lui réclamer capital, intérêts et pénalités ; effectivement, Mme Machin n'a pas le sou, mais la loi est la loi, les contrats sont les contrats, et même si je trouve ça désolant je n'ai pas d'autre choix, moi juge, que de prendre une décision exécutoire, c'est-à-dire faire saisir Mme Machin, ou alors l'orienter vers la commission de surendettement.

Florès, lui, regardait à peine ce que devait Mme Machin, il allait tout droit au contrat. Il y relevait souvent des clauses abusives et presque toujours des irrégularités formelles. La loi exige par exemple qu'il soit composé en corps huit, et il ne l'était pas. Elle exige que sa reconduction soit proposée par lettre, et il n'en était pas question. Florès s'était fait un petit tableau des irrégularités les plus fréquentes, il cochait les cases et, à l'audience, concluait : le contrat ne vaut rien. L'avocat de Cofinoga ouvrait de grands yeux. S'il avait de la ressource, il disait : Monsieur le Président, ce n'est pas votre affaire. C'est à la partie défaillante de soulever ces objections, ou à son avocat, mais vous ne pouvez pas vous substituer à elle. Faites appel, se contentait de répondre Florès.

En attendant, il déclarait Cofinoga fondé à réclamer son capital, mais pas les intérêts ni les pénalités. Or ce que l'emprunteur rembourse d'abord, ce n'est pas le capital, mais les intérêts et le montant de l'assurance. Si le juge décide qu'il ne doit rembourser que le capital et que ce qu'il a *déjà* remboursé, c'était du capital, il se retrouve à lui dire : vous ne devez plus, mettons

1 500 euros, mais 600, et quelquefois plus rien du tout, et quelquefois même c'est Cofinoga qui vous doit de l'argent. Mme Machin s'évanouissait de joie.

Philippe Florès, à Niort, était le pionnier de cette technique juridique. Étienne, à Vienne, n'a pas tardé à suivre sa trace (j'avais écrit : « à l'égaler », mais Étienne, sur le manuscrit, a noté : « Quand même pas ! » Dont acte). Il s'en donnait à cœur joie, à l'audience civile et surtout dans les audiences de surendettement, où sa passion de relever les irrégularités et de prononcer la déchéance des intérêts changeait radicalement la donne. D'abord, du point de vue du malheureux surendetté, ce n'est pas du tout pareil de lui dire : vous ne pouvez pas payer, votre situation est irrémédiablement compromise, alors je n'ai pas le choix, j'efface, et de lui dire : on vous a fait tort, je répare ce tort. C'est beaucoup plus plaisant, à entendre comme à prononcer, et Étienne ne boudait pas ce plaisir. Par ailleurs, une fois la dette globale allégée, on pouvait bâtir des plans de remboursement qui n'étaient plus totalement irréalistes. Là encore, c'est au juge de décider qui on remboursera en priorité, qui on remboursera plus tard si on peut et qui on ne remboursera pas du tout. C'est une décision politique. Ceux qu'on ne rembourse pas du tout, ce n'est pas seulement qu'on n'a pas les moyens de les rembourser, mais aussi qu'ils ne méritent pas d'être remboursés. Parce qu'ils se conduisent mal, parce que ce sont les méchants de l'affaire, parce qu'il est moral que l'arnaqueur soit quelquefois arnaqué. Bien sûr, Étienne ne formule pas les choses aussi crûment. Il préfère distinguer parmi les créanciers ceux qui seront gravement lésés par l'effacement de leur créance et ceux qui le seront moins : d'un côté le petit garagiste, le petit bailleur privé, le petit franchisé de Saint-Jean-de-Bournay qui, s'ils ne sont pas payés, peuvent eux-mêmes basculer dans le surendettement ; de l'autre le gros établissement de crédit ou la grosse société d'assurances qui a de toute façon inclus le risque d'impayé dans le prix de son contrat. Il préfère dire que le petit fournisseur, le petit garagiste, le petit franchisé de Saint-Jean-de-Bournay, une fois échaudés, risquent de devenir méfiants, de ne plus se laisser attendrir, que le lien social en souffrira et que c'est avant tout cela son rôle de juge : sauvegarder un peu de lien social, faire en sorte que les gens puissent continuer à vivre ensemble.

N'empêche, même Jean-Pierre commençait à trouver qu'il en faisait trop. En blaguant à demi, il le traitait de Robespierre, de petit juge rouge. Il disait : c'est trop facile, et surtout ce n'est pas le rôle d'un juge, de diviser le monde entre grosses boîtes cyniques et pauvres naïfs aux abois et de se mettre corps et âme au service des seconds. Étienne, à ce reproche, répondait comme Florès : je ne fais qu'appliquer la loi. Il l'appliquait, en effet, mais à sa façon, et en se souvenant d'un texte qui l'avait impressionné à l'ENM, la harangue de Baudot. Ce Baudot, un des inspirateurs dans les années soixante-dix du Syndicat de la Magistrature, avait été sanctionné par le garde des Sceaux, à l'époque Jean Lecanuet, pour avoir tenu à de jeunes juges ce discours : « Soyez partiaux. Pour maintenir la balance entre le fort et le faible, entre le riche et le pauvre qui ne pèsent pas le même poids, faites-la pencher plus fort d'un côté. Ayez un préjugé favorable pour la femme contre l'homme, pour le débiteur contre le créancier, pour l'ouvrier contre le patron, pour l'écrasé contre la compagnie d'assurances de l'écraseur, pour le voleur contre la police, pour le plaideur contre la justice. La loi s'interprète, elle dira ce que vous voulez qu'elle dise. Entre le voleur et le volé, n'ayez pas peur de punir le volé. »

Les avocats des banques et des établissements de crédit, quant à eux, sortaient des audiences à la fois penauds et furieux, obligés d'expliquer à leurs clients que si on avait perdu, alors que dans ces cas-là, avant, on gagnait à tous coups, c'est parce qu'il y avait au tribunal de Vienne un emmerdeur, ce juge unijambiste qui mesurait les caractères et disait que désolé, ce n'était pas du corps huit, donc adieu intérêts et pénalités. Si le coup du corps huit ne marchait pas, il soulevait un autre lièvre : aucun contrat ne trouvait grâce à ses yeux. Il existait dans le département, à Bourgoin, un autre tribunal d'instance où le juge opérait à l'inverse d'Étienne : les créanciers sortaient toujours contents de chez lui. Ils se sont mis à faire des pieds et des mains pour tricher avec le découpage territorial et porter leurs affaires devant cet homme compréhensif : dur aux pauvres, doux aux riches, plaisantait Étienne, mais le juge de Bourgoin ne se voyait certainement pas ainsi et aurait dit de lui-même la même chose qu'Étienne et Florès : j'applique la loi. Cette façon de l'appliquer, en 1998 ou 1999, était encore largement majoritaire. Les juges de Niort et de Vienne passaient, même auprès de leurs collègues, pour des gauchistes et des agités. Cependant, cela commençait à changer.

Les établissements de crédit, analysait Florès, ont environ 2 % d'impayés. C'est marginal, c'est provisionné, ça ne les empêche pas de dormir. Ce qui les empêche de dormir, c'est le risque de contamination. Ils savent très bien que 90 % de leurs contrats violent la loi. Tant qu'il y a en France deux ou trois juges qui le relèvent et en profitent pour faire sauter leurs intérêts, ça va encore, et ça va d'autant mieux qu'ils sont souvent infirmés en appel. Mais s'il y en a cinquante ou cent, c'est une tout autre affaire. Ça va se mettre à leur coûter très cher.

Ces perspectives exaltaient Étienne et Philippe Florès. Ils se voyaient à la fois comme de petits David affrontant le Goliath du crédit et comme des éclaireurs que la masse du troupeau finirait fatalement par rejoindre. Ils faisaient circuler des copies de leurs jugements au sein de l'Association des juges d'instance, cherchaient à convertir leurs collègues. Chaque ralliement était une victoire, les rapprochant de la masse critique à partir de laquelle la jurisprudence basculerait et les banques trembleraient sur leurs bases.

Étienne a ressenti un frémissement de triomphe le jour où les représentants d'un gros établissement de crédit ont demandé à le rencontrer. Il leur a donné rendez-vous. Ils sont entrés à quatre dans son bureau, deux cadres de la société, dont l'un était venu spécialement de Paris, et deux avocats de Vienne. J'aimerais raconter leur entrevue comme une scène de film policier. Cela commencerait doucement, on plaisanterait : alors comme ça, c'est vous, l'empêcheur de tourner en rond ? Mais les plaisanteries tournent à la menace voilée, et bientôt plus voilée du tout. Intimidation, tentative de corruption. Un des types, en costume et chapeau mou, parle en marchant de long en large. Le juge unijambiste le regarde faire son numéro sans perdre son calme. Les porte-flingues ne mouftent pas. Pour finir, celui qui parle s'arrête devant le juge et dit, la bouche tordue : je vous écraserai. Il saisit une bricole sur le bureau, la broie entre ses mains pâles et nerveuses, en ouvrant le poing laisse tomber les débris : je vous écraserai *comme ça*. En fait, cela ne s'est pas du tout passé ainsi. La conversation a été courtoise et technique, entre gens de bonne compagnie. Les types ont reconnu que les jugements de Vienne les embêtaient, et qu'ils craignaient ce que Florès espérait : de les voir faire boule de neige. En outre, ils les désapprouvaient : si on allait dans cette direction, le crédit deviendrait impossible et on serait tous bien avancés. Mais ils n'étaient pas venus développer des désaccords juridiques, plutôt demander des conseils. Comment ne plus prêter le flanc à ces contestations ? Comment faire pour être dans les clous ?

C'est simple, a répondu Étienne, un peu étonné : il y a une loi, respectez-la.

Les types ont soupiré : c'est compliqué...

Qu'est-ce qui est compliqué ? La loi dit que le contrat doit être composé en corps huit, il ne l'est pratiquement jamais et je ne me prive pas d'en profiter pour vous faire sauter vos intérêts. Vous pouvez dire : c'est de l'enculage de mouches. Dites-moi plutôt pourquoi, la connaissant, vous n'appliquez jamais cette règle qui est après tout facile à appliquer. J'ai une idée, moi, de la réponse : c'est simplement parce que ça vous arrange que les contrats ne soient pas lisibles. Pourquoi est-ce que vous n'envoyez jamais de lettre proposant la reconduction du contrat ? Pourquoi est-ce que vous considérez cette reconduction comme tacite, ce qui est contraire à la loi et que je ne me prive pas non plus de relever ? Je vais vous dire pourquoi, je le sais par quelqu'un de chez vous (en fait, c'était Florès qui s'était fait des copains au sein des organismes de crédit et tenait d'eux des tuyaux intéressants). Parce qu'à un moment, vous les avez envoyées, ces lettres, et que vous avez eu 30 % de résiliations. C'est embêtant, ça. Une carte dormante, l'expérience prouve qu'on s'en servira un jour ou l'autre, alors qu'une carte résiliée, c'est foutu : un client en moins. Pourquoi est-ce que vous ne mentionnez le taux d'intérêt qu'en tout petits caractères perdus au verso d'une pub tonitruante ? Vous le savez bien, pourquoi. Parce qu'il est monstrueux, votre taux d'intérêt. 18 %, 19 %, c'est supérieur au taux d'usure, et vous fourguez ça en douce à des gens qui s'ils se rendaient compte ne signeraient pas.

C'est là que vous vous trompez, a répondu le cadre venu de Paris. Ils signent de toute façon parce qu'ils n'ont pas le choix. Vous pouvez toujours dire : ce serait plus avantageux de contracter un prêt classique, le problème de nos clients, c'est que des prêts classiques, on ne les leur accorde pas. C'est comme d'assurer sa voiture quand on a tellement de malus que plus personne ne veut vous assurer : ça coûte cher, forcément. Vous parlez sans arrêt d'information. Un jour vous dites que nous n'informons pas assez nos clients sur ce à quoi ils s'engagent, et le lendemain que nous ne nous informons pas assez, nous, sur leurs capacités de remboursement. Mais nos clients, ce qu'ils veulent, c'est de l'argent, pas des informations qui les dissuadent d'en emprunter. Et ce qu'on veut, nous, c'est gagner de l'argent en prêtant, pas recueillir des informations qui nous dissuadent de prêter. Nous ne faisons que notre métier, le crédit est une chose qui existe, et ce que vous faites, vous, avec votre perpétuel pinaillage sur la forme des contrats, c'est simplement le procès de la publicité. C'est toujours comme ça, la publicité. On écrit en gros : achetez votre voiture pour 30 euros par mois, et puis il y a un astérisque, et en bas, en petits caractères qu'il faut regarder attentivement, c'est vrai, il y a des clauses qui font que ça coûte un peu plus de 30 euros par mois, ou alors que c'est valable à une certaine période et pas une autre. Tout le monde sait ça, les gens ne sont pas idiots. Mais vous, si je comprends bien, vous voudriez un monde sans publicité, sans crédit, peut-être aussi un monde sans télé, parce que c'est bien connu que la télé décervelle les gens...

Bien sûr, a conclu Étienne en souriant, d'ailleurs je passe mes vacances en Corée du Nord. Non, ça me va très bien, un monde où on a le droit de violer la loi. Mais je veux aussi, moi juge, avoir le droit de la faire respecter. C'est ça, le libéralisme. Non ?

Une chose fait rire Étienne quand il raconte sa rencontre avec Juliette. Ce sont les mots qui lui ont traversé l'esprit la première fois qu'il l'a vue. On a frappé à la porte de son bureau, il a dit : oui, entrez, et quand il a levé les yeux elle s'avançait vers lui sur ses béquilles. Alors il a pensé : chouette ! Une boiteuse.

Ce n'est pas d'avoir eu cette pensée qui le fait rire encore aujourd'hui, mais qu'elle ait jailli si spontanément, à peine formée et déjà habillée de ces trois mots dont il garantit l'exactitude — le « chouette ! » compris. L'instant d'après, il a vu qu'au-dessus des béquilles il y avait un visage avenant, un beau sourire, quelque chose d'ouvert, de joyeux et de grave qui faisait bien sûr partie de l'impression générale, mais ce qui est venu d'abord, avant l'impression générale, c'est les béquilles. Sa façon d'avancer vers lui sur ses béquilles : il a tout de suite pris ça comme un cadeau. Et il s'est tout de suite senti joyeux de pouvoir lui faire un cadeau en retour. C'était tout simple : il suffisait de se lever et de contourner le bureau pour lui montrer que, même s'il n'avait pas de béquilles, il boitait lui aussi.

Quand, au début de l'automne, j'ai décidé de venir à Vienne pour traîner au palais de justice et voir en quoi consiste le travail d'un juge d'instance, j'ai compris que le moment était venu d'appeler Patrice. Comme je ne lui avais pas encore parlé de mon projet, dont seuls Étienne et Hélène étaient informés, j'appréhendais ce coup de fil. Il a paru un peu étonné, mais pas le moins du monde méfiant. Il m'a dit : tu n'as qu'à venir à la maison.

Il m'attendait sur le quai de la gare, Diane dans les bras, et m'a demandé si ça ne m'ennuyait pas qu'on passe faire des courses à Intermarché. Les filles ne vont pas à la cantine, il lui faut assurer trois repas par jour, trois repas pour trois petites filles dont la dernière n'a qu'un an et demi, et il ne s'énerve pas, à peine si de temps à autre il élève la voix quand elles font trop de bêtises. Je me suis tout de suite mis à l'aider, à sortir les courses du coffre, à mettre le couvert et débarrasser, à vider et remplir la machine à laver la vaisselle, à passer l'éponge sur la table en formica jaune, à ramasser par terre le riz et les yaourts jetés par Diane du haut de sa chaise, en sorte qu'au bout d'une heure je faisais partie de la maisonnée. Patrice accueillait ma présence avec placidité, elle n'avait pas l'air de lui poser de questions, et aux petites non plus. Après le déjeuner, il a couché Diane pour la sieste, Amélie et Clara ont traversé la place pour aller à l'école et nous sommes allés prendre le café dans le jardin, sous le catalpa. Nous parlions de choses et d'autres, de l'organisation de la vie quotidienne depuis que Juliette n'était plus là. Patrice ne semblait ni curieux ni impatient d'en venir au fait, et donnait encore moins l'impression de quelqu'un qui laisse venir pour que l'autre se découvre le premier. J'étais venu passer quelques jours avec eux, nous bavardions en prenant le café, c'était aussi simple que cela. Dans le train qui me conduisait à Vienne, je m'étais anxieusement demandé comment j'allais lui parler, quels arguments pourraient le disposer en ma faveur, mais à présent je ne me demandais plus rien de tel. Le café bu, j'ai sorti mon carnet, comme dans la cuisine d'Étienne, et dit : maintenant, j'aimerais que tu me parles de Juliette. Et, pour commencer, de toi.

Son père, un grand type sec, austère, avec un collier de barbe, est professeur de mathématiques.

Sa mère, institutrice, a cessé de travailler pour élever leurs enfants. L'amour de la montagne les a poussés à s'établir, d'abord à Albertville, ensuite dans un village près de Bourg-Saint-Maurice où ils ont acheté une maison. Militant écologiste de la première heure, le père est un ennemi farouche des stations de ski géantes, de la publicité, de la télévision qu'il a toujours refusé d'avoir, de la société de consommation en général. Ses fils, tout en l'admirant, le redoutaient un peu. Leur mère, de son côté, les choyait. Elle tenait à ce qu'ils soient des petits garçons épanouis et confiants, et Patrice estime sans amertume qu'elle les a un peu trop protégés, lui en tout cas. Elle lui a fait par exemple redoubler le CM2, ne l'estimant pas prêt à entrer en sixième parce qu'il avait peur de se faire embêter dans la cour de récréation. Quand ses frères et lui étaient enfants, tout allait bien : ils avaient une bande de copains avec qui ils jouaient aux cow-boys dans les rues du village. Les choses ont changé à l'adolescence. Les copains ont abandonné leurs études après le collège, il n'était pas question que les trois frères abandonnent les leurs. Les copains avaient des mobylettes, fumaient, draguaient les filles ; les trois frères n'avaient pas de mobylettes, ne fumaient pas, ne draguaient pas les filles : ils avaient assez bien intégré les valeurs familiales pour trouver que c'était nul et, au lieu d'aller au bal le samedi soir, écouter dans leur chambre, lumières éteintes, leurs disques de Graeme Allwright et des Pink

Floyd. Ils ne se sentaient pas supérieurs, mais différents, oui. Les copains, qu'ils revoient aujourd'hui, sont garagistes, maçons, loueurs de skis ou dameurs de pistes à Bourg-Saint-Maurice ; les deux frères de Patrice sont devenus instituteurs comme leur mère et n'ont pas quitté la Savoie, lui est dessinateur en Isère : personne ne s'est beaucoup éloigné de ses bases, personne n'a spectaculairement réussi ni spectaculairement échoué, pourtant les différences demeurent. Quand, après sa sieste, nous avons emmené Diane chez la nounou qui la garde quelques heures l'après-midi, Patrice m'a parlé d'elle et de son mari en disant que ce n'était pas du tout le même milieu qu'eux : par quoi il entendait qu'ils vivent avec la télé allumée, soutiennent des équipes de foot et, politiquement, penchent à droite, voire à l'extrême droite. Une fois dit cela, il a ajouté que c'étaient des gens formidables et j'étais sûr en l'entendant qu'il le pensait, que dans le constat qu'il faisait de leur différence de valeurs il n'entrait aucun dédain, aucun de ces snobismes qui peuvent être d'autant plus virulents que, vue de l'extérieur, la distance semble infime. Cela n'empêche pas Patrice de parler à ses voisins d'Attac et de la taxe Tobin, sans grand succès, sans le moindre doute sur la justesse de ses convictions, sans mépris non plus pour ceux qui ne les partagent pas et déplorent qu'il y ait trop d'étrangers en France.

Il n'était pas très bon à l'école et dit lui-même qu'il était paresseux. Il aimait rêver dans son coin, se raconter des existences imaginaires dans des mondes peuplés de chevaliers, de géants et de princesses. Il donnait forme à ces rêveries en composant des « Livres dont vous êtes le héros ». Quand il a raté son bac, il a refusé de redoubler : rien de ce qu'on enseignait au lycée ne l'attirait. Le problème, c'est que rien d'autre ne l'attirait, aucun métier sauf, tout de même, celui de dessinateur de bandes dessinées. À l'embarrassante question : tu veux faire quoi plus tard ? il avait trouvé une réponse. C'était un refuge plutôt qu'une véritable vocation, reconnaît-il : une façon de tenir à distance le monde réel où il fallait être fort et se battre pour s'imposer. Ses parents ont accepté de l'envoyer à Paris où il partagerait une chambre de bonne avec un cousin et travaillerait aux planches qui lui ouvriraient les portes des éditeurs. Avec le recul, il regrette de n'avoir pas fait une école de dessin, où il aurait acquis des bases techniques. Il était complètement autodidacte, dessinant au stylo à bille sur des feuilles de papier quadrillé et ignorant à peu près tout de ce qui se faisait dans le domaine qu'il avait choisi. Il connaissait Johan et Pirlouit, Spirou, Tintin, Blueberry, et s'en tenait là. Quelquefois, chez Gibert Jeune, il parcourait *L'Écho des savanes*, *Fluide glacial*, des bandes dessinées pour adultes, mais s'en détournait comme si rien qu'en regardant ces images agressives, sophistiquées, grinçantes, il trahissait l'univers enfantin auquel il restait attaché. Il se promenait dans les rues de Paris avec son cousin qui étudiait l'alto et qui était aussi romantique que lui. Quelquefois, ils allaient au parc de Sceaux et grimpaient dans un arbre. Ils y restaient toute la journée, juchés sur leurs branches, à rêver de la princesse qu'ils rencontreraient un jour. À la fin de l'année, tout de même, Patrice a tracé le mot « fin » au bas de la dernière planche de sa bande dessinée, et ensuite essayé de la placer. Le type qui l'a reçu chez Casterman lui a dit gentiment que ce n'était pas mal, mais trop naïf, trop fleur bleue. Patrice est ressorti, son carton à dessin sous le bras, déçu mais pas vraiment étonné. Il n'a pas frappé à d'autres portes. Le monde de la bande dessinée était plus dur que celui de *ses* bandes dessinées.

L'âge du service militaire venu, il n'a songé ni à la coopération, comme les jeunes bourgeois dégourdis, ni à se faire réformer, comme les jeunes bourgeois révoltés : il était contre la guerre et l'armée, il trouvait donc normal d'être objecteur de conscience. Il s'est ainsi retrouvé à faire de l'animation vaguement médiévale dans un château près de Clermont-Ferrand, ce qui aurait pu lui plaire si ses compagnons ne s'étaient pas révélés aussi grossiers et égrillards que des bidasses, puis dans un centre de documentation pédagogique où on employait ses compétences à dessiner des saynètes pour l'enseignement des langues. Libéré de l'armée au bout de deux ans, il est allé s'inscrire à l'ANPE, qui lui a trouvé un emploi de chauffeur livreur. Il a emménagé dans un petit studio à Cachan. Objectivement, il y avait de quoi se faire du souci pour son avenir, mais lui ne s'en faisait pas. Le souci n'est pas son fort, ni les plans de carrière ni la peur du lendemain.

Il s'est inscrit à un cours de théâtre amateur, à la MJC du Ve arrondissement. On y faisait surtout de l'improvisation et des exercices d'expression corporelle, ce qui lui plaisait beaucoup plus que de monter des pièces à proprement parler. On s'allongeait par terre, sur des tapis de mousse, on mettait de la musique plus ou moins planante, la seule consigne était de se laisser aller. Au début on était replié sur soi-même, roulé en boule, et puis on commençait à bouger, on se redressait lentement, on s'ouvrait comme une fleur qui se tourne vers le soleil, on tendait les mains vers les autres, on entrait en contact avec eux. C'était magique. D'autres exercices, à deux, consistaient à se tenir face à face et à se regarder dans les yeux en tâchant de faire passer une émotion : méfiance, confiance, crainte, désir... L'expérience du théâtre a révélé à Patrice combien il était mal à l'aise dans les relations avec autrui. Les photos qu'il m'a fait voir le montrent beau garçon même à cette époque-là, mais lui-même décrit le jeune homme qu'il était comme un échalas boutonneux, avec une barbe toute neuve, des lunettes rondes, une boule de cheveux à l'afro et des écharpes tricotées par sa mère. Le théâtre l'a ouvert. C'était un chemin vers l'autre et surtout vers les filles. Il avait grandi dans une fratrie de garçons et non seulement il n'avait jamais couché avec une fille mais, très littéralement, il n'en connaissait pas. Grâce au cours de théâtre, il en a rencontré, invité quelques-unes au café ou au cinéma, mais son romantisme allait jusqu'à la pudibonderie et il était effarouché par celles qui lui paraissaient trop libres. C'est alors que Juliette est arrivée.

Quand Hélène me disait que Juliette était la plus jolie des trois sœurs et qu'elle en était jalouse, je secouais la tête. Je l'avais vue malade, je l'avais vue mourante, j'avais vu des photos d'enfance sur lesquelles, d'ailleurs, Hélène et elle se ressemblent énormément. Sur celles que m'a montrées Patrice, elle est en effet exceptionnellement jolie, avec une grande bouche sensuelle et pleine de dents, comme Julia Roberts ou Béatrice Dalle, et un sourire qui n'est pas seulement rayonnant, comme le disent tous ceux qui l'ont connue, mais vorace, presque carnassier. Sociable, drôle, à l'aise en société, elle avait un éclat qui aurait dû décourager un garçon comme Patrice. Heureusement, il y avait ses béquilles. Elles la rendaient accessible.

Ils ne se sont pas vus tout de suite en tête-à-tête, leurs premières sorties ont eu lieu en groupe. Leur professeur les emmenait au théâtre, au théâtre il y a des escaliers à monter et

Juliette ne pouvait pas les monter. Patrice est timide mais costaud. Dès la première fois, il a pris Juliette dans ses bras et personne ensuite ne lui a plus disputé ce privilège. Ils ont monté, l'un portant l'autre, tous les escaliers qui se présentaient à eux. Ils se sont mis à visiter des monuments, de préférence avec beaucoup d'étages, et, lorsqu'ils étaient assis l'un à côté de l'autre dans la pénombre des théâtres, à se tenir les mains. On était très sensibles des mains tous les deux, se rappelle Patrice. Leurs doigts s'effleuraient, se caressaient, s'enchevêtraient pendant des heures, ce n'était jamais pareil, toujours nouveau, toujours bouleversant. Il osait à peine croire que c'était à lui que ce miracle arrivait. Puis ils se sont embrassés. Puis ils ont fait l'amour. Il l'a déshabillée, elle a été nue dans ses bras, il a manipulé doucement ses jambes presque inertes. Pour tous les deux, c'était la première fois.

Patrice avait trouvé la princesse de ses rêves. Belle, intelligente, trop belle et trop intelligente pour lui, estimait-il, et pourtant avec elle tout était simple. Il n'y avait pas de coquetterie, pas de traîtrise, pas de coups fourrés à redouter. Il pouvait être lui-même sous son regard, s'abandonner sans craindre qu'elle n'abuse de sa naïveté. Ce qui leur arrivait était aussi sérieux pour elle que pour lui. Ils s'aimaient, ils allaient donc être mari et femme.

Leurs différences de caractère, au début, les ont tout de même inquiétés, surtout elle. Non seulement Patrice n'avait pas de vrai métier mais il ne se souciait pas d'en avoir. Gagner de quoi survivre en conduisant des camionnettes ou en animant un atelier de bande dessinée dans un centre de loisirs de la Ville de Paris lui suffisait. Juliette au contraire était déterminée, volontaire. Elle attachait une grande importance à ses études. Ça l'embêtait que Patrice soit si rêveur, si peu combatif, et ça embêtait Patrice qu'elle fasse du droit. À Assas, qui plus est, une faculté connue pour être un repaire de fachos. Sans être activement politisé, Patrice se disait anarchiste et ne voyait dans le droit qu'un instrument de répression au service des riches et des puissants. Si encore Juliette avait voulu être avocate, défendre la veuve et l'orphelin, il aurait pu comprendre, mais juge ! De fait, à un moment, Juliette avait pensé s'inscrire au barreau. Elle avait fait un magistère de droit des affaires, mais l'enseignement l'avait écœurée. On apprenait aux étudiants comment ruser pour permettre à leurs futurs clients de faire leurs profits à leur guise et leur extorquer de juteux honoraires. Ce libéralisme ouvertement assimilé à la loi du plus fort, le cynisme souriant de ses professeurs et de ses condisciples, tout cela donnait raison aux diatribes idéalistes de Patrice. Elle aimait le droit, lui expliquait-elle patiemment, parce qu'entre le faible et le puissant c'est la loi qui protège et la liberté qui asservit, et c'est pour faire respecter la loi au lieu de la détourner qu'elle voulait devenir magistrate. Patrice comprenait le principe mais tout de même, pour lui, avoir une femme juge, c'était difficile à avaler.

La différence de milieux était difficile à avaler aussi. Juliette habitait chez ses parents et chaque fois qu'il allait la retrouver dans leur grand appartement près de Denfert-Rochereau il était affreusement mal à l'aise. Tous deux scientifiques de haut niveau, Jacques et Marie-Aude sont catholiques, élitistes, plutôt à droite, et Patrice se sentait chez eux toisé de haut, lui et sa famille où l'on est provincial, professeur de collège ou institutrice, et où l'on roule dans de vieilles guimbardes constellées de stickers hostiles aux centrales nucléaires. Le dogme, chez les siens, c'est la discussion : on peut discuter de tout, on doit discuter de tout, de la discussion jaillit la lumière. Or, aux yeux des parents de Juliette, comme d'ailleurs des miens, il n'y a pas plus de discussion possible avec un écologiste savoyard qui pense que les fours à microondes sont dangereux pour la santé qu'avec quelqu'un qui viendrait dire que la Terre est plate et que le Soleil lui tourne autour. Il n'y a pas là deux opinions également dignes d'être prises en considération, mais d'un côté des gens qui savent, de l'autre des gens qui ne savent pas, et on ne va pas faire semblant de s'affronter à armes égales. Il fallait reconnaître à Patrice qu'il était gentil, qu'il aimait sincèrement Juliette, mais il symbolisait tout ce qu'ils avaient en horreur : les cheveux longs, la niaiserie soixante-huitarde, par-dessus tout l'échec. Ils le voyaient comme un raté et ne pouvaient se résoudre à ce que leur fille si douée s'éprenne d'un raté. Lui, de son côté, avait des objets d'hostilité abstraits et généraux : le grand capital, la religion considérée comme opium du peuple, la science devenue folle, mais il n'était pas dans son caractère d'étendre ces aversions de principe à des personnes particulières. Le mépris qu'il ressentait de la part de ses futurs beaux-parents le désarmait, il n'était pas capable de le leur rendre, tout au plus de penser qu'il aurait mieux valu pour lui ne pas croiser leur route. Mais il l'avait croisée, il aimait Juliette, il fallait se débrouiller avec ça.

De ce mépris, je pense qu'elle a plus souffert que lui, parce qu'elle était bien la fille de ses parents et qu'elle n'a pas pu ne pas le voir avec les yeux de ses parents. Elle n'était pas du genre à se raconter d'histoires. C'est en toute lucidité qu'elle l'a choisi. Mais avant de le choisir elle a hésité. Elle a dû se représenter très précisément, dans une lumière crue et même cruelle, ce que ce serait de passer sa vie avec Patrice. Les limites dans lesquelles ce choix l'enfermait. Et, d'un autre côté, l'assise qu'il lui donnerait. La certitude d'être aimée totalement, d'être toujours portée.

Patrice lui-même en est venu à se poser des questions. Le droit, les beaux-parents, l'impératif de réussir, rien de tout cela n'était pour lui. Avec elle, il était trop loin de ses bases. Et puis, était-il raisonnable de faire sa vie avec une handicapée sans avoir jamais connu d'autre fille ? Il raconte qu'un jour ils en ont discuté, et conclu raisonnablement qu'ils n'étaient pas faits pour vivre ensemble. Ils se sont dit pourquoi. Patrice était le plus loquace, c'était toujours comme cela entre eux. Il disait ce qui lui passait par la tête et le cœur, se livrait sans réserve, tandis qu'elle, on ne savait jamais très bien ce qu'elle pensait. À l'issue de cette discussion, ils ont résolu de se séparer et se sont mis à pleurer. Ils sont restés deux heures à pleurer dans les bras l'un de l'autre, sur le lit à une place de la petite chambre de Cachan, et en pleurant chacun a compris qu'il n'existait aucun chagrin dont l'autre ne pourrait le consoler, que le seul chagrin inconsolable était précisément celui qu'ils s'infligeaient à ce moment. Alors ils ont dit que non, ils n'allaient pas se séparer, qu'ils allaient vivre ensemble, qu'ils ne se quitteraient jamais, et c'est exactement ce qu'ils ont fait.

Juliette a fait comprendre à ses parents qu'elle admettait qu'ils désapprouvent son choix mais exigeait qu'ils le respectent, et ils se sont installés dans un studio minuscule au huitième étage d'un immeuble Sonacotra, dans le XIIIe arrondissement. L'ascenseur était souvent en panne, Patrice montait Juliette dans ses bras. Quelques étages plus bas, il y avait un foyer qui accueillait d'ex-taulards, à qui elle servait bénévolement de conseiller juridique. Ils vivaient avec très peu d'argent : la pension d'invalide de Juliette, qui mettait un point d'honneur à ne pas demander un sou à sa famille, les piges que touchait Patrice pour des bandes dessinées dans un magazine destiné aux collectionneurs de télécartes. Plus tard, ils ont habité Bordeaux où, presque dix ans après Étienne, Juliette étudiait à l'ENM. Elle était brillante et, comme partout où elle passait, très aimée. Un dessin de Patrice, représentant Marianne sous ses traits, a été choisi comme emblème de sa promotion. Amélie est née. À sa sortie de l'école, Juliette a choisi le civil, l'instance, et Vienne parce qu'elle s'était assurée qu'il y avait un ascenseur au tribunal.

Plus Patrice me parlait, cet après-midi sous le catalpa, plus j'étais étonné de la confiance qu'il me témoignait. Je n'avais pas l'impression que cette confiance s'adressait à moi en particulier : il l'aurait témoignée à n'importe qui, parce qu'il n'avait jamais pris le pli de se méfier. Un vague beau-frère écrivain, auteur qui plus est de livres réputés noirs et cruels, débarquait chez lui pour en écrire un sur sa femme morte et le priait de raconter sa vie, alors il racontait sa vie. Il ne cherchait pas à se donner le beau rôle, ni d'ailleurs le mauvais. Il ne jouait aucun rôle, n'avait aucun souci de mon opinion. Il n'était pas fier, il n'avait pas honte. Consentir à être sans défense lui donnait une grande force. De lui aussi, Étienne dit avec admiration : il sait où il est.

Amélie et Clara sont rentrées de l'école et nous sommes partis tous les quatre à bicyclette pour chercher Diane chez la nounou. Patrice avait un siège sur son porte-bagages pour Clara, mais Amélie savait déjà pédaler seule, sans petites roues sur le côté. Nous avons traversé la route et le terre-plein devant l'école, nous sommes passés devant l'église puis nous sommes engagés sur la petite route menant au cimetière. C'est vraiment la campagne, là, avec des vallons et des vaches. On va dire un petit coucou à maman ? a proposé Patrice. Nous avons appuyé les vélos contre le mur du cimetière, il a pris Clara dans ses bras. La tombe de Juliette est recouverte de terre meuble, entourée de grosses pierres rondes peintes en couleurs vives par les enfants du village. Chacun a écrit son prénom sur la sienne. Je repensais au jour de l'enterrement. Patrice avait lu à l'église un texte simple et émouvant, disant qu'il avait perdu son amour, Étienne ensuite un texte véhément, disant que la mort n'est pas douce, Hélène enfin le texte que je l'avais vue écrire, disant que la petite vie tranquille de Juliette n'avait été ni petite ni tranquille, mais pleinement vécue et choisie. Il y avait eu aussi une sorte d'homélie prononcée par le parrain de Juliette, qui était diacre et avait perdu sa fille d'un cancer. Étienne m'a dit plus tard n'avoir pas aimé les sourires bénins, catholiques, dont il accompagnait la nouvelle que Juliette était désormais près du Père et qu'il fallait nous en réjouir ; en même temps il reconnaissait que cela faisait du bien à certains de l'entendre, alors pourquoi pas ? La procession, ensuite, avait suivi la route que je venais de suivre avec Patrice et les filles. Elle n'avait aucune solennité mais c'était bien ainsi. Au lieu de le mettre dans un corbillard, on portait le cercueil à l'épaule. Il y avait beaucoup d'enfants, beaucoup de jeunes couples : c'était l'enterrement d'une très jeune femme. Les choses s'étaient gâtées devant la tombe parce que Patrice, agacé lui aussi par le discours du diacre et ce qu'il considérait comme des simagrées bondieusardes, avait dit que maintenant chacun pouvait faire ses adieux à Juliette de la façon qui lui convenait. À l'église, déjà, il avait retiré la croix posée sur le cercueil. Comme les siens, il croit à la sincérité et à la spontanéité en toutes circonstances, c'est ainsi que lui-même vit et il s'en trouve bien, mais faute du décorum qu'apporte le rituel religieux tout s'est délité. Au lieu de former une file et chacun à son tour de jeter un peu de terre sur le cercueil, les gens se sont égaillés n'importe comment, livrés à leur initiative désemparée, personne n'osant vraiment faire ce qui lui convenait ni sans doute ne le sachant. On se bousculait au bord de la tombe, les enfants essayaient d'y placer les galets qu'on leur avait fait peindre à l'école. Un croyant, pour remettre un peu d'ordre, a entonné un « Je vous salue, Marie » que quelques-uns seulement ont repris. La plupart des gens étaient sortis du cimetière et se rassemblaient sur la route en petits groupes silencieux et navrés, certains fumant déjà des cigarettes, personne ne savait plus si la cérémonie était achevée ou non et c'est le fossoyeur qui en a décidé en s'approchant avec sa pelleteuse qu'il a déversée dans la tombe, pour en finir. Lorsqu'il lui incombait la responsabilité d'un rite social, Patrice s'y prenait mal, à mon avis, mais seul avec ses filles et moi il était parfaitement naturel, ses mots étaient simples et justes, et j'ai pensé que pour elles ces fréquentes visites au cimetière devaient être apaisantes. Clara, dans les bras de son père, se taisait, mais Amélie faisait en habituée le tour des tombes voisines. Elle les trouvait moins jolies que celle de sa mère. Je n'aime pas le marbre, disait-elle, je trouve ça triste, et à son ton un peu sentencieux on devinait à la fois qu'elle répétait une phrase entendue dans la bouche d'un adulte et qu'elle la répétait à chaque visite, parce que la répétition lui faisait du bien. Je la regardais en me demandant si je serais toujours en relation avec elle quand elle serait adulte. Si j'écrivais ce livre, sans doute que oui. Est-ce que je serais toujours alors avec Hélène ? Est-ce qu'ensemble nous aurions participé à leur éducation, comme Hélène le souhaitait si fort ? Est-ce que nous les aurions emmenées chaque année en vacances, et pas seulement le premier été après la mort de leur mère ? Dans dix ans, Amélie serait une jeune fille dans la vie de qui j'aurais peut-être un rôle, celui d'une sorte d'oncle qui avait écrit un livre sur ses parents, un livre où il était question d'elle petite. Je l'imaginais lisant ce livre et je me suis dit que c'était sous son regard et sous celui de ses deux sœurs que je l'écrivais.

Après dîner, j'ai lu une histoire à Clara pour l'endormir. Il y était question d'un petit crapaud qui a peur tout seul dans le noir, qui entend des bruits bizarres et va se réfugier dans le lit de son papa et de sa maman. Moi, je n'ai plus de maman, a dit Clara. Ma maman est morte. J'ai dit : c'est vrai, et je n'ai pas trouvé quoi ajouter. Je pensais à mes propres enfants, aux histoires que je leur lisais quand ils étaient petits. Je pensais qu'Hélène et moi avions failli avoir un enfant ensemble, qu'elle avait perdu juste après la mort de sa sœur, et que nous n'en aurions sans doute plus. Je me rappelais Clara pendant la semaine de vacances qu'elle avait passée chez nous avec Amélie. Elle répétait : quand nous retournerons à la maison, peut-être que Maman sera là. Elle ne pouvait s'empêcher d'imaginer qu'à un moment une porte s'ouvrirait et que sa maman serait là, sur le seuil. J'ai pensé que c'était une bonne chose, ces visites fréquentes à la tombe : au moins, il y avait un lieu où elle était, ce n'était pas partout et nulle part. Peu à peu, elle cesserait d'être derrière toutes les portes.

Les filles couchées, Patrice et moi sommes descendus dans son atelier au sous-sol, où il m'avait préparé un lit. Il m'a parlé d'une bande dessinée dont il avait le projet, une de ses habituelles histoires de chevaliers et de princesses qui devait s'appeler « Le Preux ». Ah oui ? Le Preux ? J'ai souri et lui, en écho, a eu un petit rire d'excuse et de fierté à la fois qui voulait dire quelque chose comme : eh oui, on ne se refait pas. En attendant de se mettre au Preux, il avait une commande, des sketches d'une page qui se passaient dans un chenil et dont les personnages étaient une demi-douzaine de chiens aux caractères bien typés : rottweiler hargneux, caniche snob, dalmatien rouleur de mécaniques, sympathique corniaud dont j'ai deviné qu'il devait être le héros positif de ces histoires. Quand j'en ai fait la remarque, Patrice a eu le même petit rire, ce rire qui signifiait : bien joué, tu m'as reconnu. Preux et corniaud, c'est moi. J'ai regardé les planches, une par une. C'était de la bande dessinée pour enfants, un peu vieillotte mais d'un trait délicat et sûr, et d'une incroyable modestie. Je dis incroyable, je devrais dire incompréhensible, c'est quelque chose que je ne peux pas comprendre. Je suis ambitieux, inquiet, il me faut croire que ce que j'écris est exceptionnel, que ce sera admiré, je m'exalte en le croyant et m'effondre quand je cesse d'y croire. Patrice, non. Il prend plaisir à dessiner ce qu'il dessine mais il ne croit pas que c'est exceptionnel et n'a pas besoin de le croire pour vivre en paix. Il ne cherche pas non plus à changer de style. Ce serait pour lui aussi impossible que de changer ses rêves : il n'a pas de prise là-dessus. J'ai pensé qu'en cela il était un artiste.

Tandis que nous regardions ses dessins, le téléphone a sonné. Ah ! Antoine ! a dit Patrice en décrochant. Alors, ça y est ? Ça y était. Laure, la femme d'Antoine, venait d'accoucher de leur fils premier-né. Arthur ? C'est beau, Arthur. Debout à côté de Patrice qui félicitait son beau-frère, j'ai eu peur qu'il dise que j'étais là. J'imaginais, même s'il avait autre chose à penser, l'étonnement d'Antoine apprenant que j'étais venu sans Hélène passer quelques jours à Rosier, et plus encore celui de leurs parents. Je n'avais pas demandé à Patrice de garder le secret sur ma visite, pourtant lui qui, j'en suis certain, ne ment jamais, a menti par omission en ne mentionnant pas ma présence.

Marie-Aude et Jacques sont les derniers à qui j'ai parlé de ce livre. Contrairement à celui de Patrice, leur deuil m'intimide. Je craignais en les questionnant de réveiller leur chagrin, ce qui est absurde car il ne dort jamais et le temps ne l'apaisera pas. Ils affrontent ce chagrin en s'occupant de leurs petites-filles, chaque fois qu'ils le peuvent, avec une attention et une délicatesse extrêmes, pas en parlant. Patrice, Étienne, Hélène et moi, chacun à notre manière, croyons aux vertus thérapeutiques de la parole. Jacques et Marie-Aude, comme mes parents à moi, s'en défient : *never explain, never complain* pourrait être leur devise. J'ai donc attendu d'avoir presque fini ce travail pour, en même temps, les en informer et leur demander d'y concourir en me racontant ce qu'ils sont les mieux placés pour raconter : la première maladie de Juliette. Même entre eux, ils n'en parlent pas, non plus que de sa seconde maladie et de sa mort, mais dans l'espoir que ce livre fasse un jour, plus tard, du bien aux petites, ils ont accepté. Ils ont commencé dans des fauteuils de leur salon, à bonne distance l'un de l'autre, puis il est venu s'asseoir à côté d'elle sur le canapé, il lui a pris la main, ne l'a plus lâchée. Chaque fois que l'un parlait, l'autre le fixait avec tendresse et inquiétude, craignant qu'il ne s'effondre. Les larmes jaillissaient, ils se reprenaient, s'excusaient : c'est leur façon à eux de tenir et de s'aimer.

Juliette avait seize ans, elle entrait en première quand elle a montré à sa mère une grosse boule au cou, qui lui faisait mal. On l'a aussitôt emmenée à l'hôpital Cochin, puis dans un centre de radiothérapie où a été diagnostiquée une maladie de Hodgkin, ce cancer du système lymphatique que s'était inventé Jean-Claude Romand. Jacques et Marie-Aude ne croient pas à l'inconscient mais à l'activité aléatoire des cellules, il serait à la fois vain et cruel de soulever devant eux l'hypothèse psychosomatique ; de plus, dans le cas de leur fille, il n'y a pas grand-chose pour l'étayer, même si Patrice évoque un sentiment d'abandon, dans son enfance, dont il lui arrivait de parler à la fin de sa vie. Une question autrement urgente se posait : celle du traitement. Ils étaient pour l'équipe médicale des interlocuteurs difficiles, parce que très informés, très exigeants, et le médecin qui soignait Juliette a fini par se décharger sur eux du choix entre radio et chimiothérapie. Ils estiment aujourd'hui qu'il était monstrueux de leur laisser ce choix et, avec lui, ce doute stérile et torturant : en prenant l'autre option, aurait-on évité ce qui est arrivé par la suite ? Juliette a subi une radiothérapie, traitement moins lourd et qui ne fait pas tomber les cheveux. Au bout de quelques mois, on l'a considérée comme guérie. Elle a repris la danse, les cours, participé à un défilé de mode. On ne parlait plus de sa maladie, du reste on en avait à peine parlé : Antoine, qui avait quatorze ans à l'époque, n'a jamais entendu le mot cancer.

L'été suivant, en Bretagne, elle a commencé à trébucher et à perdre l'équilibre. Elle d'habitude si vive, on la trouvait mal lunée, pas en train. En fait, elle essayait de cacher et surtout de se cacher à elle-même que ses jambes la portaient de plus en plus mal. L'histoire ressemble à celle d'Étienne, quelques années plus tôt, sauf qu'elle, ce n'était pas une récidive du cancer. Les premiers examens n'étaient pas concluants, on lui a fait pas moins de trois ponctions lombaires dont elle devait garder un souvenir atroce. Ses parents craignaient une sclérose en plaques. Enfin, un neurologue de l'hôpital Cochin leur a dit la vérité. Elle avait une lésion qui remontait à la radiothérapie. En comptant les vertèbres pour dégager la partie de son dos qui devait être exposée aux rayons, on avait dû se tromper et superposer deux champs d'irradiation. La moelle épinière, dans la zone deux fois trop irradiée, s'était endommagée, du coup l'influx nerveux passait mal dans les jambes, dont elle était en train de perdre l'usage. Mais qu'est-ce qu'on peut faire ? ont demandé Jacques et Marie-Aude, effondrés. Essayer de limiter les dégâts, a répondu le neurologue avec une moue peu encourageante. Attendre que ça se stabilise. Ce qui est perdu est perdu, ce qu'il faut voir maintenant, c'est jusqu'où ça va aller.

C'est à partir de là que le véritable cauchemar a commencé. Ni Jacques ni Marie-Aude n'osaient répéter à Juliette ce qu'avait dit le neurologue. Ils restaient évasifs, attendaient d'être seuls pour éclater en sanglots. Jacques revoyait en boucle une petite scène qui s'était déroulée six mois plus tôt : il avait accompagné Juliette pour son traitement et, en attendant derrière la porte, écouté les radiologues discuter entre eux du centrage, c'est-à-dire des repères tracés sur le dos de sa fille ; ils semblaient n'être pas d'accord, il y avait eu un éclat de voix qui l'avait un peu inquiété et, rétrospectivement, il se disait que l'erreur avait été commise à ce moment-là. Car il s'agissait bien d'une erreur, et cette erreur n'était pas d'avoir choisi la radio contre la chimio : la radio avait bel et bien guéri Juliette de son lymphome, seulement on l'avait mal faite et elle payait de ses jambes cette négligence. Ils ont fait le siège du centre de radiothérapie, voulu mettre le chef du service en face de ses responsabilités. C'était, se souviennent-ils, un homme froid et suffisant, à la fois indifférent à leur détresse et dédaigneux de leurs compétences scientifiques. Il a écarté d'un revers de main le diagnostic du neurologue de Cochin, nié toute erreur et mis ce qu'il fallait bien appeler désormais le handicap de Juliette au compte d'une « hypersensibilité » au traitement dont on ne pouvait accuser personne, sauf la nature. Tout juste s'il n'a pas dit que c'était sa faute à elle. Jacques et Marie-Aude ont haï ce mandarin comme de leur vie ils n'ont jamais haï personne, en ayant confusément conscience qu'à travers lui c'était leur impuissance qu'ils haïssaient. Quand ils ont demandé pour finir à consulter le dossier de leur fille, il a promis en soupirant de le leur communiquer, mais ne l'a pas fait : on leur a dit ensuite qu'il avait disparu.

Et Juliette, pendant ce temps, que pensait-elle ? Hélène se rappelle qu'elle souffrait de ce que dans la famille on appelait ses « migraines » : elle restait des journées entières dans le noir, on ne pouvait ni lui parler ni la toucher, toute sollicitation sensorielle devenait pour elle une torture. Elle se rappelle aussi ce que lui a confié leur mère, entre deux portes et à mi-voix : que Juliette risquait de finir dans un fauteuil roulant mais qu'il ne fallait pas qu'elle le sache car si elle le savait elle cesserait de lutter. Marie-Aude elle-même, aujourd'hui, lâche dans un souffle qu'elle n'osait pas partir travailler le matin parce qu'elle craignait que Juliette, malgré tout le courage dont on la créditait, « fasse une bêtise ». L'atmosphère dans la maison était infiniment plus pesante qu'un an plus tôt. Le Hodgkin est une maladie grave mais qui se guérit neuf fois sur dix et, même si le danger était réel, on l'a vite et à juste raison considéré comme circonscrit, puis écarté : c'était un incident de parcours, alors que là, on s'enfonçait dans la catastrophe.

« Irréversible » était le mot tabou. Jacques et Marie-Aude décrivent cette année comme une lutte de chaque instant, d'abord pour ne pas le prononcer, ensuite pour trouver le courage de le faire. Ce qu'ils refusaient de dire à leur fille, ils ont d'abord refusé de l'admettre, eux. Puis il a bien fallu. La majorité de Juliette approchant, on leur a représenté la nécessité de constituer un dossier lui ouvrant droit à des allocations, à une carte de handicapé, à passer son permis sur une voiture spécialement aménagée et à d'autres avantages qui feraient désormais partie de sa vie. Ce dossier contenait une déclaration faisant état d'une lésion stabilisée, mais définitive, de la moelle épinière. Ils ont repoussé autant qu'ils ont pu le moment de réunir ces pièces, de les signer, d'en faire signer certaines à Juliette, qui ne les a pas commentées. Elle a reçu sa carte d'invalide quelques jours avant son dix-huitième anniversaire.

À dix-huit ans, cette fille ravissante et sportive a dû admettre qu'elle ne marcherait jamais plus comme tout le monde. Une de ses jambes resterait presque inerte et l'autre complètement, elle les traînerait en s'appuyant sur des béquilles, elle ne pourrait pas les écarter quand elle ferait l'amour pour la première fois. Il faudrait qu'on l'aide, comme on l'aidait pour sortir de la baignoire ou pour monter un escalier. Dans un des textes lus à son enterrement, quelqu'un a relié sa vocation pour la justice à l'injustice qu'elle avait subie. Cependant, quand ses parents ont pensé faire un procès au centre de radiothérapie, Juliette, qui était déjà étudiante en droit, s'y est opposée. Ce n'était pas *plus* injuste d'être handicapée à cause du traitement qu'à cause de la maladie. Ce n'était même pas spécialement injuste : c'était dommage, oui, malheureux, mais la justice n'avait rien à voir là-dedans. Pour s'arranger avec son handicap, elle préférait se désintéresser de sa cause et de ses éventuels responsables.

Le sachant définitif, elle avait horreur qu'on lui dise gentiment : on ne sait jamais, ça va peut-être revenir. Avec les meilleures intentions du monde, la mère de Patrice voulait espérer qu'un déclic se produirait un jour, qu'un jour elle marcherait à nouveau. Adepte des médecines parallèles, elle a beaucoup insisté pour que Juliette aille voir une guérisseuse qui lui a imposé les mains, puis a montré à Patrice comment masser son dos : de haut en bas, très longuement, et lorsqu'il arrivait au sacrum il devait en secouant avec vigueur la main disperser les énergies mauvaises. Pendant plusieurs semaines, il a consciencieusement exécuté la consigne, attendant un mieux. Elle, de son côté, aimait qu'il la masse, mais gratuitement, pas dans l'espoir d'une guérison. Elle a fini par le lui dire, et par lui dire aussi que ça ne lui plaisait pas qu'on l'emmène sur des sentiers de montagne dans une sorte de chaise à porteurs, ou sur les plages des Landes en l'exhortant à se rouler dans les vagues, comme si cela pouvait lui faire du bien. Il y avait assez de choses qui lui faisaient du bien pour qu'elle ne s'oblige pas à ces simagrées. Si ingénieux soient-ils, les appareillages permettant de skier ou de gravir le mont Blanc à quelqu'un qui ne tient pas sur ses jambes ne l'intéressaient pas. Ce n'était pas pour elle. Patrice a compris cela et renoncé à l'espoir de la voir remarcher un jour. Il ne l'avait pas connue sans ses béquilles, il l'aimait avec elles.

La scène se passe dans le bureau d'Étienne à six heures du soir, quelques mois après leur rencontre. Tous deux ont eu une lourde journée. Ils auraient dû rentrer directement, lui à Lyon, elle à Rosier, mais Juliette sait déjà qu'Étienne avant de fermer boutique aime rester un moment assis dans son fauteuil, les yeux fermés, sans bouger. Il ne pense pas spécialement au travail accompli, ni à celui qui l'attend, ou s'il y pense c'est sans y mettre de volonté, sans s'y attarder. Il suit ce qui lui traverse la tête, laisse flotter, ne juge pas. Elle aime, elle, le rejoindre à ce moment-là, et lui qui jusqu'alors préférait le goûter seul attend avec plaisir ses visites. Ils parlent ou ne parlent pas : cela ne leur pose pas de problème de rester silencieux ensemble. Dès qu'elle entre, ce soir-là, et s'assied en croisant ses béquilles contre l'accoudoir du fauteuil, il sent que ça ne va pas. Elle dit que non, ça va. Il la presse. Elle finit par lui raconter un incident survenu dans l'après-midi. Un incident, c'est trop dire : une petite tension, mais qu'elle a ressentie de façon pénible. Elle a demandé à un huissier d'aller lui chercher ses dossiers dans sa voiture, et l'autre y est allé en soupirant. C'est tout. Il n'a rien dit, juste soupiré, mais en soupirant il disait, en tout cas Juliette a entendu, que ça l'énervait d'être obligé de lui rendre service parce qu'elle était handicapée. Pourtant, dit-elle, je fais vraiment attention à ne pas abuser...

Étienne l'interrompt : tu as tort. Tu devrais abuser davantage. Il ne faut pas tomber dans ce piège-là, ne pas s'emmerder la vie en jouant le handicapé qui fait comme s'il n'était pas handicapé. Il faut être clair avec ça, considérer que les gens te doivent ces petits services, d'ailleurs c'est vrai qu'ils te les doivent, et la plupart du temps ils sont bien contents de te les rendre parce qu'ils sont bien contents de n'être pas à ta place et que te rendre service leur rappelle à quel point ils en sont contents : on ne peut pas leur en vouloir, si on commençait on n'en finirait pas, mais c'est la vérité.

Elle sourit, amusée comme souvent par sa véhémence. On pourrait s'en tenir là mais, ce soir, il ne veut pas s'en tenir là et il ajoute : tu en as marre, hein ?

Elle hausse les épaules.

Moi aussi, reprend-il, j'en ai marre.

Et, quand il me raconte cette scène, il le répète : j'en ai marre.

Puis il m'explique : c'est une phrase très

simple mais extrêmement importante, parce que c'est une phrase qu'on s'interdit. On s'interdit non seulement de la prononcer, mais autant que possible de la penser. Parce que si on commence à penser : « j'en ai marre », on se retrouve assez vite à penser : « ce n'est pas juste » et : « je pourrais avoir une autre vie ». Or ces pensées-là sont insupportables. Si on commence à se dire : « ce n'est pas juste », on ne peut plus vivre. Si on commence à se dire que la vie pourrait être différente, qu'on pourrait courir comme tout le monde pour attraper le métro ou jouer au tennis avec ses enfants, la vie est pourrie. « J'en ai marre », et derrière « j'en ai marre », « ce n'est pas juste », et derrière « ce n'est pas juste », « la vie pourrait être différente », ce sont des pensées qui ne mènent à rien. Il n'empêche que ce sont des pensées qui existent et que cela ne fait pas de bien non plus d'employer toute son énergie à faire comme si elles n'existaient pas. C'est compliqué, de s'accommoder de ces pensées-là.

Avec soi-même, on a un peu de marge, mais la règle, et ils s'aperçoivent qu'elle est la même pour tous les deux, c'est de ne pas en parler aux autres. Quand ils disent les autres, ils entendent l'autre principal, Nathalie pour lui, Patrice pour elle. À eux, qui peuvent en principe tout entendre, il est important de taire ces pensées-là. Parce qu'elles leur font du mal, un mal composé de chagrin, d'impuissance et de culpabilité, qu'il faut faire attention à ne pas leur refiler. Mais il faut faire attention aussi à ne pas faire trop attention, à ne pas trop se surveiller avec l'autre. Quelquefois, dit Étienne, je me laisse aller devant Nathalie. Je lâche que j'en ai marre, que je trouve ça trop dur et trop injuste d'avoir une jambe en plastique, que j'ai envie d'en chialer, et je chiale. Ça sort quand la pression est trop forte, tous les trois ou quatre ans, ensuite c'est bon jusqu'à la prochaine fois. Et toi, tu le dis quelquefois à Patrice ?

Quelquefois.

Et tu pleures ?

C'est arrivé.

Tandis qu'ils échangent ces paroles, les larmes commencent à couler sur leurs joues à tous deux. Elles coulent sans honte, sans retenue, il y a même de la joie à les verser. Car pouvoir dire : « c'est dur », « ce n'est pas juste », « on en a marre », sans craindre que l'interlocuteur se sente coupable, pouvoir le dire en étant sûr — ce sont les mots d'Étienne — que l'autre entend ce qu'on a dit tel qu'on l'a dit, rien de plus, qu'il ne projette rien dessus, c'est une joie immense, un soulagement immense. Alors ils continuent. Ils savent ou ils devinent que cet abandon-là n'aura lieu qu'une fois, qu'ils ne se l'accorderont plus sans quoi il deviendrait une complaisance, mais ce soir ils s'y laissent aller.

Moi, dit Étienne, quand je suis aux cabinets, je compte des points de tennis. Je les visualise. Je n'ai plus joué au tennis depuis vingt ans mais dans ma tête j'y joue encore et je sais que ça me manquera jusqu'à la fin.

Moi, enchaîne Juliette, c'est la danse. J'adorais danser, j'ai dansé jusqu'à dix-sept ans, ça ne fait pas beaucoup, et à dix-sept ans j'ai su que je ne danserais plus jamais. Le mois dernier, le frère de Patrice s'est marié, je regardais les autres danser et ça me faisait envie à en crever. Je souriais, je les aimais, j'étais heureuse d'être là mais à un moment ils ont passé un truc qu'on passait tout le temps quand j'avais mes jambes, *YMCA*, tu te rappelles : Ouaille-aime-ci-hé ! Je crois que j'aurais donné dix ans de ma vie pour danser là-dessus, les cinq minutes que dure cette chanson.

Plus tard, quand ils se sont soûlés de ces confidences, elle dit, plus gravement : en même temps, si ça ne m'était pas arrivé, je n'aurais peut-être pas connu Patrice. Certainement pas. Je ne l'aurais même pas vu, si ça se trouve. J'aurais aimé un tout autre genre d'homme : plus brillant, plus conquérant, le genre qui me correspondait sur le marché parce que j'étais jolie et brillante. Je ne dis pas que l'infirmité m'a rendue plus intelligente et profonde, mais c'est grâce à elle que je suis avec Patrice, c'est grâce à elle qu'il y a les petites, et là, c'est le contraire du regret, c'est le contraire de l'amertume, il ne se passe pas un jour sans que je me dise : j'ai l'amour. Tout le monde court après, moi je ne peux pas courir mais je l'ai. J'aime cette vie, j'aime ma vie, je l'aime totalement. Tu comprends ?

Très bien, dit Étienne. Moi aussi j'aime ma

vie. C'est pour ça que c'est tellement difficile de dire à Nathalie : j'en ai marre. Parce que si elle l'entend, elle pense que je voudrais une vie différente et comme elle ne peut pas me la donner ça la rend triste. Mais dire qu'on en a marre, ça ne veut pas dire qu'on voudrait une vie différente, ni même qu'on est triste. Tu es triste, toi ?

Elle ne l'est plus.

Ils s'étaient reconnus. Ils avaient traversé les mêmes souffrances, dont on n'a pas idée si on ne les a pas traversées. Ils venaient du même monde. Leurs parents à tous deux étaient parisiens et bourgeois, scientifiques et chrétiens — ceux de Juliette de droite, ceux d'Étienne de gauche, mais cette différence comptait peu comparée à l'idée, également haute, que se faisaient ces familles de leur rang. Ils avaient épousé tous deux des gens d'un milieu plus modeste, comme on disait dans le leur (note d'Étienne : « pas dans le mien »), et les aimaient profondément. Leurs mariages étaient le centre de leurs vies, la clé de leurs accomplissements. Ils avaient tous les deux cette assise et on les aurait surpris en leur disant, avant qu'ils se rencontrent, qu'il leur manquait quelque chose. Mais ce quelque chose dont ils n'éprouvaient pas le manque, ils l'ont accueilli quand il est survenu avec émerveillement et gratitude. Étienne, fidèle à sa manie de contredire ses interlocuteurs, récuse le mot d'amitié, mais je dis qu'être amis, c'est cela, et qu'avoir dans la vie un véritable ami, c'est aussi rare et précieux qu'un véritable amour. Il est vrai qu'entre un homme et une femme c'est plus compliqué, parce que le désir s'en mêle et avec lui l'amour. Là-dessus, les concernant, je n'ai rien à dire, ou seulement que Patrice d'un côté, Nathalie de l'autre, ont compris que pour la première fois quelqu'un d'autre comptait dans la vie de Juliette et dans celle d'Étienne, et qu'ils en ont pris leur parti.

Hormis celle que je viens de rapporter, ils n'avaient guère de conversations intimes. Leurs échanges tournaient autour du travail. On peut aimer travailler avec quelqu'un comme on aime faire l'amour avec quelqu'un, et Étienne, qui survit à Juliette, sait qu'il gardera toujours la nostalgie de leur entente. Il n'y avait aucun contact physique entre eux. Ils s'étaient serré la main au début de leur premier rendez-vous, mais pas à la fin, ni jamais par la suite. Ils ne s'embrassaient pas non plus, ne se saluaient même pas d'un signe de tête, ne se disaient ni bonjour ni au revoir. Qu'ils se soient quittés la veille ou pendant un mois de vacances, ils se retrouvaient comme si l'un revenait de la pièce voisine où il était allé chercher un dossier une minute plus tôt. Mais il y avait, dit-il, quelque chose de charnel et de voluptueux dans leur façon de faire du droit ensemble. Ils aimaient tous les deux le moment où se découvre la faille, où le raisonnement vient bien, se déroule de lui-même : j'adore, disait Juliette, quand tes yeux se mettent à briller.

Leurs styles, comme magistrats, différaient en tous points. Juliette était posée, rassurante. Elle commençait toujours l'audience en expliquant comment elle allait se dérouler. Ce qu'était la justice, pourquoi on était là. Le principe de la preuve et celui du contradictoire. S'il fallait recommencer ces explications, elle les recommençait. Elle prenait tout le temps nécessaire, venait au secours des justiciables qui comprenaient mal ou s'exprimaient mal. Étienne, au contraire, était brusque et parfois brutal, capable de couper un avocat en disant : je vous connais, maître, je sais ce que vous allez dire, ce n'est pas la peine que vous plaidiez, affaire suivante. Les gens sortaient de ses audiences déstabilisés, et rassérénés de celles de Juliette. Ces différences se retrouvaient jusque dans le style de leurs jugements, me dit Étienne, qui décrit celui de Juliette comme classique, clair, équilibré, et le sien comme plutôt roman : rugueux, irrégulier, avec des sautes de ton que j'aimerais être capable de percevoir mais honnêtement, non, je n'ai pas l'oreille assez exercée pour cela.

Ils ont mené les mêmes combats, plus exactement Juliette s'est ralliée aux combats d'Étienne en matière de droit du logement et surtout de droit de la consommation, mais je pense qu'ils n'y étaient pas poussés par les mêmes raisons. Si un type aussi brillant qu'Étienne a choisi l'instance, la province, des affaires minuscules, c'est à mon avis parce qu'il aimait mieux être le premier dans son village que courir le risque d'être le second ou le centième à Paris, aux assises, dans l'arène. L'Évangile, Lao-tseu, le Yi-King invitent d'une même voix à « favoriser le petit », mais quand des gens comme Étienne ou moi, qui nous ressemblons beaucoup là-dessus, adoptons ces stratégies d'humilité, c'est évidemment par goût inquiet et contrarié de la grandeur, et je devine dans ses engagements une vanité d'auteur, un désir de reconnaissance appliqués à des objets dont il me faut avouer qu'ils me paraissent un peu dérisoires — comme si la vanité d'auteur qui me tenaille, moi, s'appliquait à quelque chose d'incomparablement plus noble.

Juliette n'avait pas ce genre de problèmes. L'obscurité lui convenait, elle supportait très bien qu'Étienne passe pour son mentor et fasse parler de lui plus qu'elle. Des jugements qu'ils avaient longuement discutés ensemble mais qui étaient ses jugements à lui paraissaient, sous son nom, dans les revues juridiques. À plusieurs reprises, il lui a proposé d'envoyer à ces revues tel ou tel de ses jugements à elle, de la mettre en lumière, elle, mais elle a refusé. Je pense que ce qui l'animait était à la fois le goût désintéressé de la justice et la satisfaction inattendue de pouvoir être un juge selon le cœur de son mari. Ils parlaient beaucoup de politique, tous les deux, comme d'ailleurs ils parlaient beaucoup de tout, et, s'ils s'accordaient sur l'essentiel, Patrice était tellement méfiant à l'égard de toutes les institutions, tellement prompt à les dénigrer quoi qu'elles fassent, qu'elle se retrouvait par réaction à tenir dans leur couple le rôle ingrat du parti de l'ordre. Pourtant, elle estimait avoir fait beaucoup de chemin par rapport à son milieu d'origine. Elle votait pour les socialistes, ou pour les Verts quand ils ne gênaient pas trop les socialistes, elle lisait les articles qu'il lui conseillait dans *Politis* ou *Le Monde diplomatique*, mais ce n'était jamais assez aux yeux de Patrice, et elle ne voyait pas de raison de se rallier à toutes les valeurs de son milieu à lui. Malgré cette fidélité, qu'il lui reprochait, à son éducation bourgeoise, c'est elle qui lui avait appris la formule, un classique à l'ENM, selon laquelle le Code pénal est ce qui empêche les pauvres de voler les riches et le Code civil ce qui permet aux riches de voler les pauvres, et elle était la première à reconnaître qu'il y avait du vrai là-dedans. En prenant son poste à l'instance, elle s'attendait à devoir plus souvent qu'à son tour entériner un ordre social injuste, et voilà que grâce à Étienne elle se retrouvait à la pointe d'un combat hasardeux, exaltant, pour défendre la veuve et l'orphelin, le pot de terre contre le pot de fer. Bien entendu, elle récusait cette rhétorique, elle disait qu'elle n'était pour ni contre personne, soucieuse seulement de faire respecter la loi, mais désormais, « le juge de Vienne », comme commençaient à dire les classeurs de jurisprudence, c'était deux boiteux au lieu d'un.

Au moment où elle a remplacé Jean-Pierre Rieux, cette jurisprudence se durcissait. Les établissements de crédit, mécontents qu'une poignée de juges de gauche soutienne systématiquement contre eux les emprunteurs défaillants, faisaient appel. Les affaires se retrouvaient devant la Cour de cassation. Or, non moins systématiquement, la Cour de cassation, qui est par vocation de droite, s'est mise à infirmer les jugements en instance. Les malheureux qui s'étaient réjouis de n'avoir plus d'intérêts ni de pénalités à payer apprenaient qu'au bout du compte, si, parce qu'un juge plus puissant avait tapé sur les doigts du juge qui leur était favorable. Pour cela, la Cour de cassation usait de deux armes et c'est ici que, pardon, il va falloir être un petit peu technique.

La première arme s'appelle le délai de forclusion. La loi dit que le créancier doit agir dans les deux ans suivant le premier incident de paiement, faute de quoi c'est forclos et on l'envoie promener. L'idée est de l'empêcher de surgir au bout de dix ans pour réclamer des sommes énormes qu'il aurait laissées s'accumuler sans jamais rappeler son débiteur à l'ordre. Cette mesure protège le débiteur, c'est certain. Maintenant, ce qu'y ajoute la Cour de cassation, c'est qu'il faut être équilibré et que la même contrainte doit s'appliquer aux deux parties : le débiteur a donc deux ans lui aussi pour contester la régularité de son contrat après qu'il l'a signé ; au bout de deux ans, c'est fini, il n'a plus le droit de s'en plaindre. J'ignore ce qu'en pense le lecteur, s'il a lu ce paragraphe attentivement. Je n'exclus pas que dans mon appréciation de ces points de droit, mais aussi de politique et de morale, je sois trop influencé par Étienne. Cependant je vois mal comment ne pas trouver cet équilibre déséquilibré. Car c'est toujours le créancier qui assigne le débiteur en justice, jamais l'inverse. Il lui suffit donc d'attendre tranquillement deux ans pour attaquer en étant sûr que, même s'il est bourré de clauses abusives, personne ne pourra plus dire un mot contre son contrat. Il aurait fallu, pour s'en défendre, que l'emprunteur le sache illégal en le signant. Il aurait fallu qu'il soit parfaitement informé, alors que l'esprit de la loi était d'empêcher qu'on profite de son ignorance.

Pour Étienne, Florès et maintenant Juliette, cette façon de détourner au profit du prêteur un texte destiné à protéger l'emprunteur, c'était un sérieux bâton dans les roues. Leurs jugements s'appuyaient sur la loi, mais lorsqu'il s'agit d'interpréter la loi, c'est la Cour de cassation qui a le dernier mot, et elle l'avait de plus en plus souvent. Il leur restait un peu de marge, cependant, la forclusion ne jouait pas à tous coups. Comme si une paire de tours les mettait en échec, ils avaient encore des diagonales pour s'échapper. La situation est devenue critique quand l'adversaire, en plus des tours, a sorti sa dame. La dame de la Cour de cassation, c'est un arrêt qui tombe au printemps 2000 et qui dit que le juge ne peut pas relever d'office, c'est-à-dire de sa propre initiative, un manquement à la loi. On reconnaît la théorie libérale : on n'a pas plus de droit que celui qu'on réclame; pour réparer un tort, il faut que celui qui l'a subi s'en plaigne. Dans le cas d'un litige entre un consommateur et un professionnel du crédit, si le consommateur ne se plaint pas du contrat, ce n'est pas au juge de le faire à sa place. Cela se tient dans la théorie libérale, dans la réalité le consommateur ne s'en plaint jamais, parce qu'il ne connaît pas la loi, parce que ce n'est pas lui qui a porté le litige en justice, parce que neuf fois sur dix il n'a pas d'avocat. Peu importe, dit la Cour de cassation, l'office du juge, c'est l'office du juge : il n'a pas à se mêler de ce qui ne le regarde pas; s'il est scandalisé, il doit le rester en son for intérieur.

Étienne, Florès et Juliette étaient scandalisés mais ligotés, les débiteurs qu'ils avaient nourris de faux espoirs consternés. Les établissements de crédit, eux, pavoisaient.

Un jour d'octobre 2000, Étienne dans son bureau parcourt des revues juridiques. Il tombe sur un arrêt commenté de la Cour de justice des Communautés européennes, qu'il commence à lire distraitement, puis de plus en plus attentivement. L'histoire, c'est un contrat de crédit à la consommation prévoyant que tout litige sera porté devant le tribunal de Barcelone, où l'organisme de crédit a son siège. Parce que l'organisme de crédit a son siège à Barcelone, ce serait au consommateur qui habite Madrid ou Séville de faire le voyage pour se défendre ? La clause est abusive, cela saute aux yeux du juge de Barcelone, qui la dénonce. Mais en Espagne non plus il n'a pas le droit de le faire d'office, alors il saisit la CJCE. La CJCE rend son arrêt. Étienne lit cet arrêt. Avant même d'avoir fini, il se lève et descend au rez-de-chaussée. Il entre dans la petite salle jouxtant la grande où Juliette est en train de siéger, ouvre la porte de séparation et lui fait signe de venir. Juliette, comme une actrice qu'on hélerait de la coulisse en pleine représentation, ne comprend pas, veut l'ignorer, mais il insiste. Au grand étonnement de la greffière, de l'huissier, des parties qui s'opposent sur une affaire de sanibroyeur défectueux, Juliette suspend l'audience, empoigne ses béquilles, clopine jusqu'à la petite salle où l'attend Étienne. Qu'est-ce qui se passe ? Regarde ça. Il lui tend la revue. Elle lit.

« Quant à la question de savoir si un tribunal saisi d'un litige relatif à un contrat conclu entre un professionnel et un consommateur peut apprécier d'office le caractère abusif d'une clause de ce contrat, il convient de rappeler que le système de protection mis en œuvre par la directive européenne repose sur l'idée que le consommateur se trouve dans une situation d'infériorité à l'égard du professionnel en ce qui concerne tant le pouvoir de négociation que le niveau d'information. L'objectif poursuivi par la directive, qui impose aux États membres de prévoir que des clauses abusives ne lient pas les consommateurs, ne pourrait être atteint si ces derniers se trouvaient dans l'obligation d'en soulever eux-mêmes le caractère abusif. Il s'ensuit qu'une protection efficace du consommateur ne peut être atteinte que si le juge national se voit reconnaître la faculté d'apprécier d'office une telle clause. »

Ouf. Dans un film, une musique intensément dramatique devrait accompagner la découverte de ces lignes par l'héroïne. On verrait ses lèvres bouger à mesure qu'elle avance dans sa lecture, son visage exprimerait d'abord la perplexité, puis l'incrédulité, enfin l'émerveillement. Elle lèverait les yeux vers le héros en balbutiant quelque chose comme : mais alors... cela veut dire ?

Contrechamp sur lui, calme, intense : tu as bien lu.

Je me moque un peu et il y a, c'est vrai, quelque chose de comique dans le contraste entre cette prose indigeste et le transport qu'elle a causé, mais on peut se moquer de la même façon d'à peu près toutes les entreprises humaines où l'on n'est pas soi-même impliqué, de tous les engagements, de tous les enthousiasmes. Étienne et Juliette menaient un combat dont l'issue avait une incidence sur la vie de dizaines de milliers d'individus. Depuis des mois, ils essuyaient défaite sur défaite, ils étaient sur le point de s'avouer vaincus, et voilà qu'Étienne trouvait la botte secrète qui allait changer le cours de la bataille. Il est toujours jouissif, quand un petit chef vous brime en disant : c'est comme ça, pas autrement, je n'ai de comptes à rendre à personne, de découvrir qu'il y a au-dessus de lui un grand chef, et qu'en plus ce grand chef vous donne raison. Non seulement la CJCE dit le contraire de la Cour de cassation, mais elle a le pas sur elle, le droit communautaire ayant une valeur supérieure au droit national. Étienne ne connaissait rien au droit communautaire, mais le trouvait déjà formidable. Il commençait à développer la théorie qu'il nous a sortie, je m'en souviens, le matin de la mort de Juliette : plus la norme de droit est élevée, plus elle est généreuse et proche des grands principes qui inspirent le Droit avec un grand d. C'est par décret que les gouvernements commettent de petites vilenies, alors que la Constitution ou la Déclaration des droits de l'homme et du citoyen les proscrivent et se meuvent dans l'espace éthéré de la vertu. Par bonheur, la Constitution ou la Déclaration des droits de l'homme valent plus que le décret, et on serait bien bête de ne pas sortir cet as pour contrer les manœuvres d'un valet ou même d'un roi. Faire payer son débiteur est un droit, c'est entendu, mais mener une vie décente en est un autre et, lorsqu'il faut arbitrer entre les deux, on peut soutenir que le second relève d'une norme juridique plus haute, donc l'emporte. Pareil pour, d'un côté le droit qu'a le propriétaire d'encaisser ses loyers, de l'autre celui qu'a le locataire de dormir sous un toit, et c'est grâce aux combats menés depuis une dizaine d'années par des juges comme Étienne et Juliette que le second de ces droits est en train de devenir opposable, c'est-à-dire, en pratique, supérieur au premier.

Bref. Étienne s'excite, ses yeux brillent. Juliette le lui a dit : elle aime que ses yeux brillent. Elle aime et partage son excitation, mais dans leur attelage c'est plutôt son rôle à elle d'avoir les pieds sur terre, de rappeler en toute occasion le principe de réalité. Elle dit : il faut réfléchir. En appeler au droit européen pour contrer la jurisprudence nationale et faire enrager la Cour de casse, on peut toujours dire : ça ne coûte rien, mais ce n'est pas vrai, ça peut coûter très cher. Cette jurisprudence est contestée par des associations de consommateurs avec qui Florès est en contact, qui mènent contre elle une guerre de tranchées. Le *blitzkrieg* qu'ils sont en train d'imaginer tous les deux dans leur coin risque, s'il échoue, de saper ce travail de longue haleine. Si la CJCE leur dit non, les établissements de crédit pourront longtemps s'en prévaloir.

Suivent quelques jours de fièvre, de coups de téléphone et de mails avec Florès, mais aussi avec un professeur de droit communautaire, Bernadette Le Baut Ferrarese, qui, consultée, se passionne pour la question. La réponse de la CJCE, selon elle, n'est pas acquise mais cela vaut la peine d'essayer, en sachant que c'est comme la grâce présidentielle au temps de la peine de mort : quitte ou double, on n'a plus d'autre carte pour après. Finalement, ils décident d'y aller. Qui va y aller ? Qui va rédiger le jugement provocateur ? Ce pourrait être n'importe lequel des trois juges mais la question, apparemment, ne s'est pas posée : c'est Étienne qui aime le plus monter en première ligne.

Depuis quelques mois s'empilent sur son bureau des dossiers relatifs à un contrat proposé par notre vieille connaissance la Cofidis et joliment appelé *Libravou*. Ce contrat *Libravou* pourrait être étudié à l'école comme exemple de flirt poussé avec l'arnaque. C'est présenté comme une « demande gratuite de réserve d'argent » avec le mot « gratuite » imprimé en très gros, le taux d'intérêt figure, lui, en tout petits caractères au verso et il est de 17,92 %, ce qui avec les pénalités est supérieur au taux d'usure. Dans la pile, Étienne choisit au hasard le dossier où encapsuler sa petite bombe : Cofidis SA contre Jean-Louis Fredout. Ce n'est pas une grosse affaire : Cofidis réclame 16 310 F, dont 11 398 de capital, le reste en intérêts et pénalités. À l'audience, M. Fredout est absent, il n'a pas d'avocat. Celui de la Cofidis en revanche est un grognard du barreau de Vienne, un vieil habitué de la maison qui ne s'alarme pas quand Étienne fait remarquer que « les clauses financières manquent de lisibilité », que « ce défaut de lisibilité est à rapprocher de la mention de gratuité en des formes particulièrement apparentes » et que pour ces raisons « les clauses financières peuvent être regardées comme abusives ». Il ne s'alarme pas, il connaît par cœur les pinaillages d'Étienne, il a d'ailleurs pour lui de l'estime, et c'est sur un ton goguenard mais pas du tout agressif, comme on tient sa partie dans un numéro de duettistes bien rodé, qu'il répond que même si les clauses sont abusives on s'en fout, parce que le contrat date de janvier 1998, l'assignation d'août 2000, le délai de forclusion est largement expiré, donc désolé, Monsieur le Président, c'était un baroud d'honneur sympathique mais la loi est la loi, on s'en tient là.

Bien, dit Étienne, on s'en tient là. Jugement dans deux mois. Plus il s'écrase en apparence, plus il jouit intérieurement. S'il ne tenait qu'à lui, il rendrait bien le jugement la semaine suivante, mais il faut faire comme si de rien n'était, observer le délai habituel. L'audience prend fin le vendredi à six heures du soir et le samedi matin il est devant son ordinateur, à la maison. Il rédige dans la fièvre et l'allégresse, il rit tout seul. Au bout de deux heures, il a fini, le jugement fait quatorze pages, ce qui est inhabituellement long. Il appelle Juliette pour le lui lire à voix haute, et elle aussi, il la fait rire. Puis c'est le tour de Florès et celui de Bernadette, complètement enrôlée dans la conjuration. On laisse reposer, on vérifie tout, on pèse et repèse chaque mot. C'est extrêmement technique, bien sûr, mais l'idée se résume simplement. Le jugement consiste à dire : je ne peux pas rendre de jugement parce que la loi n'est pas claire, et pour la clarifier je dois poser une question à la CJCE. Cette question, qu'on appelle une question préjudicielle, la voici : est-il conforme à la directive européenne que le juge national, à l'expiration du délai de forclusion, ne puisse soulever d'office une clause abusive dans un contrat ? Répondez-moi par oui ou par non, je jugerai en conséquence.

Après, on se ronge les ongles pendant les deux mois réglementaires, au terme desquels on envoie aux parties et surtout à la CJCE ce jugement qui n'en est pas vraiment un, puisqu'il est suspendu à la réponse que recevra la question préjudicielle. Quelque temps après, Étienne croise dans un couloir l'avocat de la Cofidis, un peu désarçonné par cet objet juridique non identifié. Mais bon, blague-t-il, si ça vous amuse... Nous, on va se pourvoir en cassation, la Cour de casse cassera, c'est son boulot, et en cassant le jugement elle annulera votre question. On aura juste perdu un an, moi je m'en fous, vous aussi, c'est seulement votre pauvre gars qui va se faire des illusions et qui à l'arrivée paiera plein pot. Étienne, qui a prévu le coup, sourit. Je ne crois pas, dit-il, que ça se passe comme ça : la Cour de cassation dit elle-même qu'il n'y a de pourvoi possible que contre les jugements sur le fond, pas contre les jugements avant dire droit, et ce que vous avez reçu est un jugement avant dire droit. L'autre hausse les sourcils. Vous êtes sûr ? Certain, répond Étienne.

Ah bon.

L'usine à gaz se met en marche. Au Luxembourg, on commence par faire traduire la question d'Étienne dans toutes les langues européennes et on l'envoie à tous les États membres. Libre à qui veut de réagir. Six mois passent. Un matin d'avril 2001 arrive au tribunal une épaisse enveloppe à en-tête de la CJCE. Étienne est seul à son bureau mais il se fait violence : il attend Juliette pour l'ouvrir. Ils demandent à n'être pas dérangés. L'enveloppe contient deux documents : un très épais, c'est un rapport de la Cofidis, l'autre plus court, c'est l'avis de la Commission européenne. Ils se doutent bien de ce que contient le premier, tout le suspense est concentré dans le second, et c'est pour cela, pour jouir de ce suspense torturant et délicieux qu'ils se forcent à lire d'abord le premier. Vingt-sept pages serrées, composées par un pool d'avocats réunis en cellule de crise. L'ennemi sent le danger et sort l'artillerie lourde. Dès le préambule, il est question d'un « climat de rébellion improductif », de la « fronde entretenue par certains juges relayés par certains syndicats, et même par certains membres du Syndicat de la Magistrature ». Tu vois, observe Étienne enchanté, ça écrit toujours pareil, les Versaillais, à toutes les époques. Suivent, en ordre de combat, les arguments proprement juridiques dont j'épargne le détail au lecteur et qui viennent à l'appui de l'argument principal, politique celui-ci : si on continue à chercher des poux sur la tête des établissements de crédit et à favoriser les emprunteurs défaillants, c'est tout le système qui trinquera et l'emprunteur honnête qui en subira les conséquences. Rien d'inattendu donc, si ce n'est la véhémence du ton. Dans un autre cadre il paraîtrait bénin, dans celui de la prose juridique c'est de l'attaque personnelle, au bazooka. C'est flatteur, excitant. Ils ont lu le rapport sans sauter une ligne. Maintenant, reste à connaître le verdict. La Commission n'est pas la CJCE, elle rend un avis, pas une décision, mais cet avis est généralement suivi et si la Commission dit non, c'est sûr, la CJCE dira non. Non, ce serait la défaite, l'humiliation. Il faudra bien les supporter, Étienne et Juliette ne vont pas se faire hara-kiri dans le bureau mais ce sera très dur à supporter, ils en ont conscience tous les deux. Lis la première, dit Étienne, tu es plus costaud que moi. Juliette commence à lire. Principe d'effectivité... compensation par le juge de l'ignorance d'une des parties... référence à l'arrêt de Barcelone...

Elle lève la tête, sourit : c'est oui.

C'est comme si on était sur un pont de bois, dit Étienne. Un pont branlant, dangereux. On a posé un pied. On voit que ça tient. Alors on pose l'autre.

(Je me rends compte, en la recopiant, de ce que cette métaphore a de hardi pour un unijambiste.)

Étienne n'attend pas que la CJCE confirme l'avis de la Commission pour doubler la mise en posant une seconde question préjudicielle. Sa question porte toujours sur l'office, c'est-à-dire sur le droit qu'a le juge de relever une injustice dont la victime ne s'est pas plainte, mais il l'aborde cette fois par un autre front. Un certain M. Giner remplace M. Fredout et la société ACEA la société Cofidis, à ceci près l'affaire est pratiquement la même. Étienne, à l'audience, fait observer que le taux effectif global, dit TEG, n'est pas mentionné dans l'offre de crédit, ce qu'il considère comme irrégulier. Personne hormis Juliette n'est au courant du succès de son premier raid, personne ne se doute qu'il en prépare un second. L'avocat d'ACEA sort donc sans se méfier l'argument qu'il avait prévu de sortir dans le cas prévisible où le pinailleur pinaillerait. L'irrégularité, s'il y en a une, relève d'un ordre public de protection, le juge n'a pas à s'en mêler.

L'ordre public de protection, c'est encore une trouvaille de la Cour de cassation, qui depuis les années soixante-dix le distingue de l'ordre public de direction. L'ordre public de protection ne concerne pas la société, seulement l'individu. C'est à celui-ci de faire valoir son droit et le juge, qui représente la société, n'a donc pas lieu de s'y intéresser d'office. L'ordre public de direction, c'est autre chose : il concerne l'intérêt général et notamment l'organisation du marché. Sa violation peut et doit donc être relevée par le juge.

Étienne trouve cette distinction débile. Il dit : j'ai fait du pénal dans le Nord, j'en fais de nouveau à Lyon aujourd'hui. C'est au nom de l'ordre public que j'accepte de remplir cette fonction extrêmement déplaisante qui consiste à incarcérer des gens. C'est au nom de l'ordre public que j'accepte de foutre en prison des bougnoules qui ont volé des autoradios. La justice est une chose violente. J'accepte cette violence, mais à condition que l'ordre qu'elle sert soit cohérent et indivisible. La Cour de cassation dit qu'en protégeant M. Fredout et M. Giner on ne protège que M. Fredout et M. Giner, qui devraient être assez malins pour se protéger tout seuls, sinon tant pis pour eux. Je ne suis pas d'accord. J'estime qu'en protégeant M. Fredout et M. Giner je protège la société tout entière. J'estime qu'il n'y a qu'un seul ordre public.

Un des avantages du droit communautaire, c'est qu'il ne se contente pas d'édicter des règles : il dit quelle intention il poursuit en les édictant et on est donc en droit d'invoquer cette intention. Celle de la directive à laquelle je me réfère, continue Étienne, est parfaitement claire, et parfaitement libérale. Il s'agit d'organiser la libre concurrence sur le marché du crédit. C'est pour cela qu'elle impose dans toute l'Europe que les contrats mentionnent le TEG : pour que la concurrence joue en toute transparence. Ne pas le mentionner, c'est une irrégularité, tout le monde est d'accord là-dessus, mais la Cour de casse m'interdit de relever cette irrégularité sous prétexte qu'en le faisant je m'occupe juste des gens — ordre public de protection — et pas du marché — ordre public de direction. Je demande donc à la CJCE : la mention du TEG est-elle là pour protéger l'emprunteur ou pour organiser le marché ? Comme la directive dit en toutes lettres : pour organiser le marché, ma question est en fait encore plus simple : dites-moi si j'ai bien lu. Si j'ai bien lu, la jurisprudence de la Cour de casse n'a pas de sens.

Étienne, avec le recul, trouve le jugement Fredout mal rédigé et même un peu spécieux. La CJCE, à son avis, aurait pu le rétorquer, il soupçonne qu'elle l'a approuvé pour de mauvaises raisons : parce qu'elle ne voulait pas rater une occasion en or de marquer sa prééminence sur le droit national. Le jugement Giner, en revanche, il en est très fier. C'est un objet juridique qui le ravit. D'abord parce que ce n'est pas un jugement de gauche. Étienne ne se voit pas du tout comme le dangereux gauchiste que dénoncent les avocats de la Cofidis. Il se définit comme social-démocrate, mais croit aux vertus de la concurrence : ça ne rend que plus jouissif de prendre un établissement de crédit ultra-libéral à sa propre logique, avec un argument auquel pourrait souscrire Alain Minc. Surtout, il aime le style, le contraste entre l'énormité du problème posé — c'est quoi, l'ordre public ? — et la fausse naïveté confondante, socratique, de la question qui le résout — est-ce que j'ai bien lu ? Il aime cette façon simple et évidente de mettre dans le mille. Je le comprends. C'est ce que j'aime aussi dans mon travail : quand c'est simple, évident, quand ça tombe juste. Et bien sûr quand c'est efficace.

L'efficacité, parlons-en. Étienne a pu avant de quitter son poste à Vienne prononcer dans l'affaire Fredout la déchéance des intérêts dus à la société Cofidis. Dans l'affaire Giner, le créancier sentant le vent tourner a préféré laisser tomber. Cette double victoire et surtout le fait qu'elle fasse jurisprudence ont valu à Juliette et Étienne d'être, comme il s'en targue, « insultés dans le Dalloz » par des professeurs de droit qui présentent « le juge de Vienne » comme une espèce d'ennemi public numéro un. À plus long terme, l'effet de leur combat, c'est que la loi sur la forclusion a été modifiée, l'office du juge élargi, et que les dettes de dizaines de milliers de pauvres gens s'en trouvent en toute légalité allégées. C'est moins spectaculaire que, disons, l'abolition de la peine de mort. C'est assez pour se dire qu'on a servi à quelque chose, et même qu'on a été de grands juges.

Étienne dit qu'il s'est fait muter à Lyon comme juge d'instruction parce qu'au bout de huit ans à l'instance il était épuisé, et puis parce qu'il faut bien s'en aller un jour, alors autant que ce soit sur une victoire. Les avocats de Vienne insinuent dans son dos que cette mutation était une sanction : il emmerdait le monde, la Chancellerie l'avait dans le nez. Quelle que soit la vérité, il est le premier à reconnaître que ce n'était pas une promotion, que Vienne a été le poste de sa vie et qu'il en aura peut-être dans la suite de sa carrière de plus prestigieux, mais de plus excitants, ça l'étonnerait.

Quitter l'instance, c'était aussi quitter Juliette. De Vienne à Lyon il n'y a qu'une demi-heure de voiture, mais ils savaient très bien que le ciment de leur amitié, c'était le compagnonnage quotidien, les dossiers sur lesquels on se penche à deux, pouvoir à tout moment pousser la porte du bureau de l'autre, vivre ensemble au travail comme d'autres couples vivent ensemble à la maison. Il y a eu, les premiers temps de leur séparation, quelques déjeuners en tête-à-tête, quelques dimanches avec les deux familles, mais ce n'était si évidemment *pas ça* qu'ils n'ont pas insisté. Étienne en est venu à penser que même s'ils ne se revoyaient plus, ce n'était pas tellement grave parce que Juliette faisait désormais partie de lui, qu'elle était devenue une instance de son esprit, l'interlocuteur à qui s'adressait une partie de son monologue intérieur, et il ne doutait pas que pour elle c'était pareil. Ils se téléphonaient. Elle lui racontait le tribunal en son absence, les petites histoires de greffières et d'huissiers, il y prenait plaisir comme aux rêveries d'enfant où on est mort mais où on ne manque rien de ce qui se dit à son enterrement. Avec la magistrate qui l'avait remplacé, elle s'entendait moins bien mais c'était normal : elle avait vécu quelque chose d'extraordinaire et ne pouvait pas s'attendre à ce que ce soit toujours comme ça. L'exaltation qui l'avait portée pendant leurs cinq ans de bagarres contre les banques et la Cour de cassation était retombée, laissant la place à la fatigue. Elle travaillait énormément pour être à jour dans ses dossiers, se couchait à minuit, se levait à cinq heures, mais elle avait toujours peur de ne pas y arriver, de prendre un retard qu'elle ne rattraperait jamais. Il sentait en l'écoutant qu'elle perdait pied, il aurait voulu être près d'elle pour l'aider comme il savait le faire, en rendant le travail le plus aride joyeux et passionnant. Il a été soulagé quand elle lui a annoncé qu'elle était enceinte : au moins, elle allait souffler. Mais la grossesse a été plus difficile que les deux précédentes. C'est elle qui avait décidé d'avoir un troisième enfant, cela faisait un peu peur à Patrice, mais elle y tenait : ce serait le dernier. Diane est née le 1er mars 2004. On s'est revus à la maternité, puis à Rosier, autour du berceau. Amélie et Clara jouaient à la maman avec leur petite sœur. Juliette les dévorait des yeux toutes les trois, ses trois filles, et dans son regard Étienne a vu de l'amour, bien sûr, du bonheur, mais aussi quelque chose qu'il n'a pas su ou pas voulu analyser et qui lui a déchiré le cœur. Elle a repris le travail au retour des vacances d'été, c'était sa seconde rentrée au tribunal sans lui. Dans leurs conversations téléphoniques, les mots fatigue, faiblesse, épuisement revenaient sans cesse, à quoi s'est ajouté angoisse, qu'il ne l'avait jamais entendue prononcer.

Un matin de décembre, un bruit de respiration oppressée a réveillé Patrice. Juliette, à côté de lui, sanglotait et suffoquait à la fois. Il a essayé de la calmer. Entre deux spasmes, elle est parvenue à lui dire qu'elle ne savait pas ce qui lui arrivait mais qu'elle sentait que c'était quelque chose de grave. Patrice a obtenu un rendez-vous chez le généraliste de Vienne, en urgence. Comme c'était samedi et que les filles n'allaient ni à l'école ni chez la nounou, il a fallu partir tous les cinq. Pendant la consultation, Amélie et Clara ont fait des dessins dans la salle d'attente. Le généraliste a envoyé Juliette faire une radio des poumons, en urgence aussi. Pour distraire les filles qui commençaient à s'énerver, Patrice les a emmenées dans une librairie où il y avait un rayon de livres pour enfants qu'elles ont mis en désordre. Diane pleurant dans ses bras, il rangeait patiemment les albums derrière les deux aînées, s'excusant auprès de la libraire qui, par bonheur, avait des enfants aussi et savait ce que c'est. On est retournés au cabinet de radiologie, puis, munis de la radio, chez le généraliste qui a pris l'air soucieux et dit d'aller à Lyon, maintenant, pour un scanner. On est remontés en voiture. Les examens avaient pris toute la matinée, les filles n'avaient pas déjeuné, pas fait la sieste, Diane pas été changée, toutes trois criaient à qui mieux mieux sur la banquette arrière, Juliette à l'avant n'était pas en état de les calmer, c'était l'enfer. À l'hôpital de Lyon, nouvelle attente pour le scanner. Heureusement, il y avait un espace de jeux pour les enfants, avec une piscine pleine de ballons. Une vieille dame qui semblait très mal en point demandait toutes les dix minutes à Patrice où elle était et il lui répétait : à l'hôpital, à Lyon, en France. Il était si débordé qu'il n'a pas vraiment eu le loisir de s'inquiéter mais quand le diagnostic est tombé : embolie pulmonaire, il s'est surpris à être soulagé parce qu'une embolie pulmonaire, c'est sérieux mais ce n'est pas un cancer. On a décidé de transporter Juliette, en ambulance, à la clinique protestante de Fourvière où on la mettrait sous perfusion d'anticoagulants pour dissoudre les caillots de sang qui bouchaient les vaisseaux irriguant ses poumons. Patrice est convenu avec elle de ramener les petites à la maison, puis de revenir avec un sac de vêtements et d'affaires de toilette car Juliette resterait à la clinique quelques jours. Avant de partir, il a vu le médecin, d'après qui le scanner ne révélait rien d'alarmant. La seule chose un petit peu gênante, c'était, dans les poumons, des traces de fibrose qui remontaient probablement à la radiothérapie subie quinze ans plus tôt. Les rayons avaient dû fibroser les organes, il était difficile de distinguer les lésions nouvelles des anciennes, mais bon, dans l'ensemble, ça allait, tout était sous contrôle.

Aussitôt installée à la clinique protestante, Juliette a appelé Étienne. Il se souvient de ses mots : viens, viens tout de suite, j'ai peur. Et, quand il est entré dans la chambre, une demi-heure plus tard : c'est pire que de la peur, c'est de l'horreur.

Qu'est-ce qui te fait horreur ?

D'un geste vague, elle a désigné le tuyau qui la reliait à la poche de la perfusion, sur sa potence : ça. Tout ça. Être encore malade. Manquer d'air. Mourir étouffée.

Sa voix était véhémente, hachée, chargée

d'une révolte qu'il ne lui connaissait pas. Ce n'était pas son genre, la révolte, ni l'amertume, ni le sarcasme, mais ce jour-là il l'a vue révoltée, amère, sarcastique. Son visage, que même la plus grande fatigue n'arrivait d'ordinaire pas à rendre revêche, était fermé, presque hostile. Avec un petit rictus qui lui ressemblait encore moins que le reste, elle a dit : je me demandais ces jours-ci s'il fallait que je prenne une complémentaire-retraite, mais je crois que ça ne va pas être la peine. Autant de gagné.

Étienne n'a pas relevé, juste demandé calmement si on lui avait dit qu'elle allait mourir, et elle a dû admettre que non. On lui avait dit la même chose qu'à Patrice : embolie pulmonaire, peut-être liée à la radiothérapie, et ça la faisait chier, c'était son mot, un mot qu'elle n'utilisait jamais, mais ce jour-là si, ça la faisait chier de devoir payer encore pour une vieille maladie dont elle se croyait quitte.

Il y a eu un moment de silence, puis elle a repris, plus doucement : j'ai horriblement peur de mourir, Étienne. Tu sais, quand j'ai été malade, à seize ans, je me faisais de la mort une idée romantique. Je trouvais ça séduisant, je ne savais pas si j'étais vraiment menacée, mais j'étais partante. Toi aussi, un jour, tu m'as dit qu'à dix-huit ans tu pensais qu'un cancer, ça pourrait être sympa. Je me rappelle très bien, tu as dit « sympa ». Mais maintenant, à cause des petites, ça me fait horreur. L'idée de les laisser me fait horreur. Tu comprends ?

Étienne a hoché la tête. Il comprenait, bien sûr, mais au lieu de dire ce que n'importe qui d'autre aurait dit à sa place : qui te parle de mourir ? Tu as une embolie pulmonaire, pas un cancer, ne t'affole pas, il a dit : si tu meurs, elles n'en mourront pas.

Ce n'est pas possible. Elles ont trop besoin de moi. Personne ne les aimera jamais autant que moi.

Qu'est-ce que tu en sais ? Tu es bien prétentieuse. J'espère que tu ne vas pas mourir maintenant mais si tu dois, il va falloir que tu travailles, pas seulement à te dire mais à penser vraiment : leur vie ne s'arrêtera pas avec moi. Même sans moi, elles pourront être heureuses. C'est du boulot.

Quand Patrice est revenu, ayant confié les filles aux voisins, Juliette n'a rien laissé paraître devant lui de cette bouffée de panique dont Étienne a été le seul témoin. Elle a endossé le rôle de la malade modèle, confiante et positive, qu'elle n'allait pratiquement plus quitter. Les médecins disaient que l'alerte était passée, il n'y avait pas de raison de ne pas le croire et peut-être l'a-t-elle cru. Au bout de cinq jours, on l'a renvoyée chez elle avec une ordonnance pour un bas de contention et des anticoagulants grâce auxquels elle récupérerait bientôt sa capacité respiratoire.

Elle ne l'a pas récupérée. L'air lui manquait

toujours, elle haletait comme un poisson hors de l'eau, tendait le cou, la poitrine constamment oppressée. Est-ce que c'est insupportable ? lui a demandé le médecin au téléphone. Insupportable, non, puisqu'elle le supportait, mais très pénible, et pas seulement pénible : angoissant. Attendez un petit peu, que les médicaments fassent leur effet. Faisons le point début janvier.

Pendant les fêtes de Noël, qu'ils ont passées chez les parents de Patrice, en Savoie, ses filles lui reprochaient d'être tout le temps fatiguée, de ne pas décorer le sapin, de ne rien faire avec elles. Alors elle donnait le change, plaisantait, jouait au jeu de la vieille maman toute cassée qu'il faut mettre à la poubelle, et cela faisait rire les petites, elles criaient : non ! non ! pas à la poubelle ! mais à Patrice elle confiait que c'est exactement comme ça qu'elle se sentait : abîmée de l'intérieur, irréparable, bonne pour la casse. Il y avait beaucoup de monde dans la maison, du bruit, du va-et-vient, des cavalcades d'enfants dans les escaliers. Ils se réfugiaient le plus possible tous les deux dans leur chambre, s'allongeaient sur le lit dans les bras l'un de l'autre et elle murmurait en lui caressant la joue : mon pauvre, tu as tiré le mauvais numéro. Patrice protestait : il avait tiré le meilleur qui existe au monde et, touchée par son évidente sincérité, elle répondait : c'est moi qui ai tiré le meilleur numéro du monde. Je t'aime.

Le jour de Noël a aussi été celui du tsunami. On a appris qu'Hélène et Rodrigue étaient saufs avant même de savoir à quoi ils avaient échappé, mais on n'a manqué ensuite aucun journal télévisé, aucune des émissions spéciales qui permettaient de suivre la catastrophe en direct, minute après minute. Ces plages tropicales dévastées, ces bungalows de paillote, ces gens à peine vêtus qui criaient et pleuraient, cela semblait incroyablement loin de la Savoie sous la neige, de la maison en pierre trapue, du feu dans la cheminée. On remettait une bûche, on compatissait, on jouissait de se sentir en sécurité. Juliette ne se sentait pas en sécurité, pas du tout. On la traitait en convalescente plus qu'en malade, on faisait comme si ça allait mieux mais elle savait très bien, au fond d'elle-même, que ça n'allait pas mieux, que ce n'était pas normal de manquer d'air tout le temps. Elle voyait que Patrice s'inquiétait et elle ne voulait pas l'inquiéter davantage. J'imagine qu'elle a pensé appeler Étienne et que si elle ne l'a pas fait, ce n'était pas pour ne pas l'inquiéter, elle savait qu'elle pouvait l'inquiéter, lui, tant qu'elle voulait, mais parce qu'appeler Étienne c'était comme prendre un médicament extraordinairement puissant et efficace, qu'on se garde en réserve pour quand on aura *très* mal. Elle avait très mal déjà, mais elle commençait à se douter que bientôt ce serait pire.

Le lendemain de leur retour à Rosier, Patrice a dû la ramener à l'hôpital. De nuit, aux urgences, elle étouffait. On a diagnostiqué une complication de l'embolie : de l'eau dans la plèvre, c'est ce qui la comprimait et gênait sa respiration. Elle a passé le Nouvel An à l'hôpital de Vienne. On a drainé ses poumons, évacué le liquide. De nouveau, on l'a laissée rentrer chez elle en lui disant que maintenant ça devrait aller mieux. De nouveau, les jours ont passé sans que ça aille mieux. De nouveau, on l'a hospitalisée, cette fois en pneumologie à Lyon-Sud. De nouveau, on a drainé ses poumons, évacué le liquide de la plèvre, mais cette fois on a analysé ce liquide, on y a trouvé des cellules métastasées et on lui a annoncé qu'elle avait de nouveau un cancer.

Ce matin-là, Étienne avait accompagné Timothé, son fils aîné, à son cours de tennis. Assis sur un banc, derrière le grillage, il le regardait jouer quand son téléphone a sonné dans sa poche. Juliette a dit ce qu'elle avait à dire, de but en blanc. Sa voix ne tremblait pas, elle était calme, rien à voir avec l'appel au secours épouvanté de la clinique protestante, un mois plus tôt. Étienne s'est enfoncé dans le calme aussi, comme il sait le faire, en s'ancrant tout entier au fond de son ventre. Il a pensé filer tout de suite à Lyon-Sud mais il s'est ravisé, à la fois parce qu'il travaillait ce jour-là, parce qu'elle lui avait dit que Patrice était avec elle et parce qu'il aimait mieux la voir en tête-à-tête, enfin parce qu'il sait d'expérience que la soirée est dans une chambre d'hôpital le moment le plus difficile et aussi le moment de la plus grande intimité.

Il est arrivé après le dîner. Elle l'a regardé s'avancer jusqu'au pied du lit, mais pas plus loin. Pas question de se pencher sur elle, de l'embrasser, de lui presser l'épaule ou la main. Il savait que toute la journée elle avait pu s'abandonner dans les bras de Patrice, l'écouter murmurer à son oreille les mots tendres, dérisoires, apaisants qu'on dit à une petite fille qui se réveille la nuit d'un cauchemar : n'aie pas peur, je suis là, prends ma main, serre ma main, tant que tu serres ma main il ne t'arrivera rien de mal. Avec Patrice, elle pouvait être une petite fille : c'était son homme. Avec lui, Étienne, c'était autre chose, et elle était une autre femme : une femme de tête qui dirigeait sa vie et qui réfléchissait sur elle. Patrice était son repos, pas Étienne. Mais elle devait prendre soin de Patrice, pas d'Étienne. Elle devait avoir du courage pour Patrice, alors qu'avec Étienne elle avait droit à ce qu'on s'interdit devant ceux qu'on aime : l'épouvante, le désespoir.

Elle semblait aussi calme qu'au téléphone, le matin. Ils sont restés tous deux silencieux un moment puis elle a dit que ce n'était pas un cancer du poumon, mais du sein. L'origine était dans le sein, le poumon c'était une métastase. On lui avait fait une scintigraphie, l'après-midi, pour savoir s'il y en avait aussi dans les os, avec un résultat incertain, ou qu'on n'avait peut-être pas osé lui annoncer. De toute façon, c'était mauvais.

Il a pensé à une phrase qui l'avait frappé dans un livre du biologiste Laurent Schwartz : la cellule cancéreuse est la seule chose vivante qui soit immortelle. Il a pensé aussi : elle a trente-trois ans. Au lieu de s'asseoir dans le fauteuil, près du lit, il est allé poser les fesses, le plus loin possible d'elle, sur l'énorme radiateur en fonte qui diffusait dans la chambre une chaleur étouffante. Comme elle ne disait plus rien, il a parlé. Il lui a dit qu'à partir de maintenant ça allait changer tous les jours : les traitements, les protocoles, les espoirs, les faux espoirs, c'est ça le plus dur dans la maladie et il fallait qu'elle s'y prépare. Il lui a dit de limiter au maximum les visites de gens bien intentionnés qui ne font que vous bouffer de l'énergie. Il lui a dit que l'essentiel était de tenir, jour après jour. De s'économiser. Si elle tenait assez bien pour que dans quelques mois il soit question de reprendre le travail, Vienne, ça suffisait, c'était trop lourd, elle devait demander comme lui sa mutation à Lyon. Il a été très directif là-dessus, allant jusqu'à lui proposer d'écrire sa lettre et d'en parler au premier président de la Cour d'appel, à Grenoble. Il n'a pas reparlé des filles, ni de se préparer à les quitter, ni de les préparer, elles. Il savait que c'est à cela qu'elle pensait mais il n'avait rien de plus à dire pour le moment que ce qu'il avait dit l'autre fois, à la clinique protestante, et il s'est tu.

Il y a encore eu un silence, puis Juliette a dit qu'elle ne voulait pas être dépossédée de sa maladie comme elle l'avait été à seize ans. Ses parents avaient mis tout leur amour, toute leur énergie, toute leur science à la protéger, s'ils avaient pu ils auraient eu le cancer à sa place, mais elle ne voulait plus qu'on ait le cancer à sa place. Elle voulait le vivre pleinement, jusqu'à la mort si c'est la mort qui l'attendait au bout, comme cela semblait probable, et elle comptait sur Étienne pour l'y aider.

Est-ce que tu te souviens, lui a-t-il demandé, de la première nuit de ta maladie, la première fois ? La nuit qui a suivi le jour où on t'a dit que tu avais un cancer ?

Non, Juliette ne s'en souvenait pas. Elle ne se souvenait pas d'avoir entendu les mots : tu as un cancer. Elle ne se souvenait pas non plus d'avoir compris, après coup, que ce qu'elle avait eu était un cancer. Cela s'était produit, forcément, puisqu'elle le savait, mais le moment où elle était passée de l'ignorance ou de la confusion à ce savoir-là, le moment où le mot avait été prononcé lui échappait. Tu comprends ce que j'appelle avoir été dépossédée de ma maladie ?

Très bien, a dit Étienne. Alors ta première nuit, c'est celle-ci. Je vais te parler de la mienne, c'est important.

J'ai déjà raconté qu'à la fin de ma première rencontre avec Étienne, après deux heures de monologue d'où j'étais ressorti avec l'impression qu'on m'avait mis le cerveau dans une centrifugeuse, il s'est tourné vers moi et m'a dit : cette histoire de la première nuit, c'est peut-être pour vous, pensez-y. J'y ai pensé, je me suis mis à écrire ce livre. Il y est revenu dès notre premier entretien en tête-à-tête, et j'ai noté aussi précisément que j'ai pu le récit de cette nuit à l'Institut Curie, avec le rat qui le dévore et la phrase mystérieuse qui, au matin, le sauve. Je n'y ai pas compris grand-chose mais j'ai pensé que oui, c'était important, et que nous y reviendrions un jour ou l'autre, qu'alors peut-être je comprendrais mieux. Et voilà : trois mois plus tard, toujours dans sa cuisine où nous sommes attablés devant nos expressos, il me raconte sa visite à Juliette le jour où elle a appris qu'elle avait un cancer. Il me répète ce qu'il lui a dit, c'est-à-dire qu'il refait le même récit, et je l'écoute avidement mais la phrase salvatrice se dérobe toujours. Je prends des notes. Le lendemain, je vais rechercher dans mon carnet précédent celles que j'avais prises la première fois. Elles sont identiques. Ce sont, au mot près, les mêmes phrases décevantes, privées de l'éclat d'oracle dont resplendissait, dit-il, *la* vraie phrase. Je pense, découragé : si on n'a pas vécu cette expérience, on ne peut rien en dire et même celui qui l'a vécue, les mots lui manquent. Je feuillette le carnet, je tombe quelques pages plus loin sur une autre phrase, recopiée dans *Mars*, que je relisais alors : « Comme on sait, les tumeurs cancéreuses ne font pas mal par elles-mêmes ; ce qui fait mal, ce sont les organes sains qui sont comprimés par les tumeurs cancéreuses. Je crois que la même chose s'applique à la maladie de l'âme : *partout où ça fait mal, c'est moi.* » Je reviens aux phrases d'Étienne, à celle-ci par exemple : « Ma maladie fait partie de moi. C'est moi. Je ne peux donc pas la haïr. » Cela se ressemble, ce n'est pas tout à fait pareil. Fritz Zorn enfonce le clou : « L'héritage de mes parents en moi est comme une gigantesque tumeur cancéreuse : tout ce qui en moi souffre, ma misère, mon tourment, mon désespoir, c'est moi. » Étienne ne dit pas cela, il ne dit pas qu'une névrose familiale ou sociale a pris pour peser sur son âme la forme d'une tumeur, mais il dit et répète sur tous les tons : ma maladie, c'est moi. Elle ne m'est pas extérieure. Or ce qu'il dit là, ce que dit en tout cas quelque chose ou quelqu'un au fond de lui, c'est le contraire de ce qu'il dit au grand jour, à voix haute. Au grand jour, à voix haute, il dit comme Susan Sontag, qui a écrit là-dessus un essai beau et digne, *La Maladie comme métaphore* : l'explication psychique du cancer est à la fois un mythe sans fondement scientifique et une vilenie morale, parce qu'elle culpabilise les malades. Cela, c'est la thèse officielle, la ligne du Parti. Dans le noir, en revanche, il dit ce que disent Fritz Zorn ou Pierre Cazenave : que son cancer n'était pas un agresseur étranger mais une partie de lui, un ennemi intime et peut-être même pas un ennemi. La première façon de penser est rationnelle, la seconde est magique. On peut soutenir que devenir adulte, à quoi est supposé aider la psychanalyse, c'est abandonner la pensée magique pour la pensée rationnelle, mais on peut soutenir aussi qu'il ne faut rien abandonner, que ce qui est vrai à un étage de l'esprit ne l'est pas à l'autre et qu'il faut habiter tous les étages, de la cave au grenier. J'ai l'impression que c'est ce que fait Étienne.

Avant de quitter Juliette, il lui a dit : je ne sais pas ce qui va se passer cette nuit, mais il va se passer quelque chose. Demain, tu seras différente. Quand il est revenu, le lendemain soir à la même heure, elle avait le visage tout déconfit. Elle lui a dit : ça n'a pas marché. Je n'ai pas réussi cette sorte de conversion dont tu parles. Je n'arrive pas à voir la maladie comme toi, en fait je n'ai pas bien compris comment tu la voyais. Moi, c'est ridicule, je la vois là, comme quelque chose qui me guetterait dans ce fauteuil.

Elle a montré le fauteuil de skaï noir, avec des tubulures en métal, où ce soir-là encore il ne s'était pas assis, préférant le radiateur.

(En lisant cette page, trois ans plus tard, Étienne m'a dit que cette chose tapie dans le fauteuil, aux aguets, l'avait fait penser à mon renard, sur le divan de François Roustang. Je pense, moi, que Juliette a dit ce jour-là le contraire de ce qu'il dit, lui : ma maladie m'est extérieure. Elle me tue, mais elle n'est pas moi. Et je pense aussi qu'elle ne l'a jamais vue autrement.)

Eh bien, tu as vécu ta première nuit, a dit Étienne. Tu commences ta relation avec la maladie. Tu lui as donné une place, pas toute la place. C'est bien.

Juliette n'a pas paru convaincue. Elle a soupiré, comme quelqu'un qui a échoué à un examen et qui préfère qu'on laisse tomber le sujet, puis dit, tristement : mes filles ne se souviendront pas de moi.

Tu ne te souviens pas non plus de ta mère quand tu étais petite. Ni moi de la mienne. On ne voit plus le visage qu'elles avaient. Pourtant, elles nous habitent.

Il se rappelle ces mots qui, dit-il, lui sont venus sans réfléchir. Et c'est sans réfléchir non plus que je lui dis : tu m'as beaucoup parlé de ton père, mais pas de ta mère. Parle-moi d'elle. Il me regarde, un peu étonné, il reste un moment silencieux, rien ne vient apparemment, puis il se lance. Il raconte une enfance solitaire à Jérusalem, où le grand-père dirigeait l'hôpital français. La petite fille n'allait pas à l'école, sa mère lui faisait la classe. Longtemps elle n'a connu du monde qu'un cercle familial anxieux et confiné. Le père d'Étienne aussi a été élevé dans une grande solitude, ce sont deux solitudes qui se sont rencontrées. Elle a aimé de tout l'amour dont elle était capable cet homme excentrique, insoumis, malheureux. Elle a su protéger leurs enfants de la dépression de son mari, leur transmettre une liberté et une aptitude au bonheur qu'elle et lui n'avaient pas, et Étienne l'en admire. Il était le troisième. Avant sa naissance, le second, Jean-Pierre, est mort à l'âge d'un an d'insuffisance respiratoire. On l'a transporté à l'hôpital où il a étouffé, dans une souffrance atroce et incompréhensible, loin de sa mère à qui on avait interdit de rester et qui tout le reste de sa vie n'a plus cessé de penser à cela : à son petit bébé mort tout seul, sans elle. Voilà, me dit Étienne, ce que je peux te raconter sur ma mère.

Juliette a demandé aux médecins de Lyon-Sud d'être francs avec elle, et ils l'ont été. Ils lui ont dit qu'elle ne guérirait pas, qu'elle mourrait de son cancer, qu'on ne pouvait prédire le temps qui lui restait mais qu'il pouvait a priori se compter en années. Il fallait s'attendre à ce que ces années soient très médicalisées et à ce que sa qualité de vie en souffre. Elle avait un mari, trois petites filles à accompagner aussi loin que possible, tout était bon à prendre et elle a décidé de se soumettre aux traitements avec docilité. Une semaine après le diagnostic, elle a commencé la chimiothérapie et l'herceptine, qu'on lui administrait à raison d'une séance hebdomadaire à l'hôpital de jour. Ça, c'était pour le cancer. Pour ses difficultés respiratoires, les anticoagulants avaient malheureusement démontré leur insuffisance, ses poumons étaient dévastés — du carton, avait dit le radiologue en secouant la tête avec tristesse : il n'avait jamais vu une femme de cet âge dans cet état —, il n'y avait pas d'autre solution que de l'appareiller. On a donc livré à Rosier, et monté sur un diable pour les transporter de la camionnette à la maison, deux énormes bouteilles d'oxygène, une pour la chambre et une pour le salon. Il y avait un curseur pour régler le débit, un long tuyau, une sorte de lunette qui passait derrière les oreilles et deux petits embouts pour aller dans le nez. Dès qu'elle sentait approcher une de ses crises d'étouffement, Juliette s'en harnachait et elle était aussitôt soulagée. On gardait le vague espoir que cette assistance soit provisoire, que les traitements anticancéreux aient aussi un effet sur ce front-là, mais elle y a au contraire recouru de plus en plus, vers la fin elle l'avait presque tout le temps et elle se désolait à l'idée que ses filles garderaient d'elle cette image d'infirme, ou de créature de science-fiction.

Quand Amélie lui a demandé : maman, est-ce que tu vas mourir ? elle a choisi d'être aussi franche que les médecins l'avaient été avec elle. Elle lui a dit : oui, tout le monde meurt un jour, même Clara, Diane et toi vous mourrez, mais dans très, très longtemps, et Papa aussi. Moi, je ne mourrai pas dans très longtemps, mais quand même dans un petit peu longtemps.

Dans combien de temps ?

Les docteurs ne savent pas, mais pas tout de suite. Je te promets, pas tout de suite. Alors il ne faut pas avoir peur.

Amélie et Clara avaient peur, forcément, mais moins, je pense, que si on leur avait menti. Et, d'une certaine façon, ces mots qui rassuraient les deux petites filles et leur permettaient de continuer à mener leur vie de petites filles remplissaient le même office pour leur père. Patrice vit dans le présent. Ce que les sages de tous les temps désignent comme le secret du bonheur, être ici et maintenant, sans regretter le passé ni s'inquiéter de l'avenir, il le pratique spontanément. Nous admettons tous en théorie qu'il est vain de se faire du souci pour des problèmes qui risquent de survenir dans cinq ans, parce que nous ne savons pas s'ils se présenteront dans cinq ans sous le même aspect, ni si nous serons là pour les affronter. Nous l'admettons, cela ne nous empêche pas de nous faire du souci quand même. Patrice, lui, ne s'en fait pas. Cette insouciance va avec la candeur, la confiance, l'abandon, toutes les vertus louées par les Béatitudes, et je me doute que ce que j'écris là le laissera perplexe, tant sa culture laïque est intransigeante, en revanche cela m'étonne que de fervents chrétiens comme ses beaux-parents ne voient pas que l'attitude devant la vie de cet anticlérical primaire, c'est simplement l'esprit de l'Évangile. Comme un enfant se répète, au fond de son lit, une formule magique qui l'apaise, comme ses filles, Patrice se répétait : pas tout de suite. Dans trois, quatre, cinq ans. Au cours de ces trois, quatre, cinq ans, Juliette deviendrait de plus en plus fragile, de plus en plus dépendante, et sa tâche à lui serait de s'occuper d'elle, de l'aider, de la porter comme depuis le début il la portait. Je ne veux pas être trop idyllique, l'insomnie et l'angoisse ont ravagé Patrice comme ils auraient ravagé n'importe qui, mais je crois, parce qu'il me l'a dit, qu'il a très tôt mis en place ce programme : être là, porter Juliette, vivre ce qu'il leur était donné de vivre ensemble en pensant le moins possible au moment où cela prendrait fin, et que faire tourner ce programme les a tous, lui, elle et leurs filles, immensément aidés.

À l'annonce de la maladie de Juliette, la mère de Patrice a sorti de sa manche un chercheur hétérodoxe nommé Beljanski, dont les médicaments à base de plantes auraient guéri — pas juste soulagé, guéri — des cancéreux et des sidéens. Troublé par les témoignages qu'elle citait, n'y croyant qu'à demi et peut-être moins qu'à demi mais préférant ne rien écarter, Patrice a voulu convaincre Juliette de prendre, parallèlement aux traitements chimiques, ces pilules qu'un médecin de la famille pouvait leur procurer. En bonne fille de ses parents, elle a répondu que s'il existait une pilule miracle contre le cancer ou le sida, cela se saurait. En bon fils des siens, Patrice lui a expliqué que si cela ne se savait pas davantage, c'est parce que la découverte de Beljanski menaçait les intérêts des laboratoires, qui faisaient tout pour l'étouffer. Ce genre de propos exaspérait Juliette. C'était un vieux sujet de querelle entre eux. Elle avait en horreur les théories du complot pour lesquelles il reconnaît de bonne grâce être bon public. Il a battu en retraite, mais pas renoncé pour autant : même si elle n'y croyait pas, il lui demandait d'essayer *pour lui* : pour qu'il ne se reproche pas, si elle mourait, d'avoir négligé une chance même infime de la sauver. Elle a soupiré : si c'est pour que tu te sentes mieux, c'est autre chose : je veux bien. Le médecin de la famille est venu avec les gélules, a expliqué le protocole, et elle s'y est pliée avec d'autant plus de réticence qu'elle n'osait pas l'avouer à ses médecins à elle. Quand elle a fini par s'y résoudre, craignant que le traitement Beljanski contrecarre l'effet de l'herceptine, on lui a juste dit en haussant les épaules que c'était un complément alimentaire qui, s'il ne faisait pas de bien, ne ferait pas de mal non plus. Elle a cessé de le prendre au bout de quelques semaines, Patrice n'a pas eu le cœur d'insister.

Elle était épuisée, dormait mal et, le jour, il était rare qu'une heure s'écoule sans qu'elle s'aide de sa bouteille pour respirer. Aucune des petites misères qui accompagnent une grande maladie ne manquait à l'appel : un jour une allergie au portacath, ce boîtier qu'on place sous la peau pour faciliter les piqûres, un autre une thrombose qui lui faisait le bras violet jusqu'à l'épaule, et il fallait encore l'hospitaliser en urgence. De l'avis des médecins, cependant, elle supportait bien la chimiothérapie — mieux qu'elle ne l'avait craint, mieux qu'Étienne, se rappelant la sienne, ne le craignait pour elle. C'était encourageant. Patrice se laissait aller à penser : et si ça marchait, après tout ? Si les médecins, par honnêteté, pour ne pas donner d'espoirs qui risquaient d'être déçus, avaient été trop pessimistes ? Si elle guérissait ? Si, au moins, elle avait une longue rémission, sans trop de traitements, sans trop de souffrances ? On pourrait faire des choses, les beaux jours venant : des promenades en forêt, des pique-niques.

Il y a eu une sorte d'éclaircie au mois de février, c'est pour cela que Juliette a accepté que nous venions, Hélène, Rodrigue et moi, avec la perruque dans nos bagages. Juliette, qui avait toujours porté longs ses beaux et épais cheveux noirs, venait de les faire couper mais elle n'avait pas encore commencé à les perdre et à avoir vraiment, selon ses propres mots, sa tête de cancéreuse. Quelques jours après notre visite, Patrice les lui a rasés. Par la suite, il l'a fait une fois par semaine, passant la tondeuse avec beaucoup de soin pour que son crâne ne soit pas râpeux. C'était entre eux, dit-il, un moment très intime, très doux. Ils attendaient que les filles ne soient pas là, aimaient avoir du temps devant eux, faisaient durer. Je pense : comme un couple qui se retrouve pour faire l'amour l'après-midi.

À la différence d'Étienne qui, sans y mettre jamais de grivoiserie, aime parler de sexe au point d'en faire un préalable pour qu'une conversation mérite ce nom, Patrice est assez prude et cela m'a surpris, en feuilletant les planches d'une de ses bandes dessinées pleines de graciles princesses et de preux chevaliers, d'y repérer un ange équipé d'une bite tout à fait apparente. Quand je lui pose la question, cela dit, il me répond sans gêne que pendant la grossesse et après la naissance de Diane le désir entre eux était en veilleuse, qu'il est doucement revenu à l'automne, ce qui les a rendus très heureux, mais qu'ensuite elle s'est mise à être de plus en plus fatiguée : il y a eu ses problèmes respiratoires, puis l'embolie, puis, bon... Ils ont refait l'amour une fois, juste après l'annonce du cancer. Ils étaient maladroits tous les deux, désaccordés. Il avait peur de lui faire mal. Il ne savait pas que c'était la dernière fois. En dehors du sexe proprement dit, ils avaient depuis le début une relation de tendresse très fusionnelle. Ils se touchaient beaucoup, dormaient blottis l'un contre l'autre, en cuillers. Quand l'un se retournait, l'autre dans son sommeil se retournait aussi, elle ramenant ses jambes avec ses mains, et ils se retrouvaient dans la même position, inversée : il s'était endormi tourné contre son dos à elle, quand il se réveillait elle se serrait contre son dos à lui, les genoux repliés aux creux des siens. Avec la maladie, c'est devenu impossible : il y avait la bouteille d'oxygène, il fallait qu'elle dorme surélevée, c'était à la maison comme une chambre d'hôpital. Cette intimité nocturne qui ne les avait jamais trahis au long de leur vie commune leur manquait, mais ils continuaient à se tenir la main, à se chercher dans le noir et, même si la surface de contact s'est amenuisée, Patrice ne se rappelle pas une seule nuit, jusqu'à la dernière, où un peu de la peau de l'un n'a pas touché un peu de la peau de l'autre.

Il y a eu un premier bilan, fin février, et il a fallu reconnaître qu'il était décevant. Pas de nouvelles métastases, le cancer ne progressait pas mais il ne régressait pas non plus. C'est ça qui est embêtant, a dit un médecin, chez les patients jeunes : les cellules prolifèrent plus vite. Honnêtement, on espérait plus du traitement qu'on a décidé de continuer sans grande conviction et un peu, a pensé Juliette, parce qu'on ne savait pas quoi faire d'autre.

Sur le trajet du retour, elle a dit à Patrice qu'elle avait assez fait l'autruche. Il fallait maintenant qu'elle se prépare.

Elle n'a pas fait mystère de sa maladie autour d'elle. Déjà, après son embolie, elle avait dit à sa voisine Anne-Cécile : écoute, j'ai eu très peur, j'ai cru que c'était grave, il semble que non mais si c'était oui il faut que tu saches que je compte sur toi, pour les filles. Quand, un mois plus tard, le diagnostic est tombé, elle a mis leurs amis au courant, à sa façon nette et carrée : j'ai un cancer, je ne suis pas sûre de m'en sortir, je vais avoir besoin de vous. Patrice et elle formaient avec deux autres couples du village, Philippe et Anne-Cécile, Christine et Laurent, une petite bande soudée. Ils avaient des enfants du même âge, le même style de vie. Ils venaient tous d'ailleurs, personne n'était de Rosier, du reste très peu de gens à Rosier sont de Rosier et c'est sans doute pour cela que les nouveaux venus s'y intègrent facilement. Leur société me rappelait celle que j'avais connue dans le pays de Gex et, en allant prendre le café chez les uns et les autres, dans ces maisons neuves meublées dans le même style gai et sans prétention, aux boîtes à lettres ornées d'un sticker humoristique dessiné par Patrice pour refuser les publicités, je pouvais me croire revenu au temps où je recueillais les témoignages des amis de Florence et Jean-Claude Romand. On faisait des barbecues dans les jardins, on se gardait mutuellement les enfants, on échangeait des DVD : films d'action pour les garçons, comédies romantiques pour les filles, que Patrice et Juliette regardaient sur l'écran de leur ordinateur car, seuls en cela dans le village, ils n'avaient pas la télévision. Ce choix militant, hérité de sa famille à lui, faisait l'objet dans leur cercle de blagues récurrentes, comme la propension de Patrice à prendre au pied de la lettre ce qu'on disait au second degré. Philippe et lui formaient un duo très au point, le faux cynique et l'idéaliste rêveur, et Patrice reconnaît en souriant qu'il lui arrivait, sous le regard affectueux de leurs femmes, d'en rajouter un peu dans le rôle du chien Rantanplan.

Quelques semaines avant que Juliette parle de son cancer, c'est Anne-Cécile qui avait annoncé une grande nouvelle : elle était enceinte. Elle se rappelle comme quelque chose de particulièrement affreux l'évolution parallèle de sa grossesse et de la maladie de sa voisine. Toutes deux avaient des nausées, mais Juliette c'était à cause de la chimiothérapie. L'une portait la vie, l'autre la mort. Pour accueillir leur quatrième enfant, Anne-Cécile et Philippe avaient entrepris de grands travaux dans leur maison et Patrice et Juliette parlé d'en faire aussi, d'abattre des cloisons, de repeindre, de transformer le sous-sol en vrai bureau. On en avait discuté tous les quatre en étalant sur la table des plans, des catalogues, des nuanciers, et maintenant, pour eux, ce n'était plus de saison. Anne-Cécile et Philippe avaient honte d'être heureux, de croître et de prospérer alors que le malheur s'était abattu sur leurs amis dont la vie jusqu'alors était si semblable à la leur. Anne-Cécile se disait qu'à la place de Juliette elle n'aurait pu s'empêcher de lui en vouloir, et il a failli se produire ce qui se produit souvent en pareil cas : de la gêne, un ton plus compassé, des visites de plus en plus rares. Mais elle a compris que Juliette ne lui en voulait pas de son bonheur, vraiment pas, qu'elle s'intéressait vraiment à sa grossesse, à leurs projets d'avenir, qu'il était possible d'en parler sans que ce soit dérisoire ou déplacé, et que pour être utile il n'était pas nécessaire d'avoir l'air triste.

Un soir du mois de mars, Patrice et Juliette sont passés chez eux assez tard, à l'improviste, au retour d'un dîner au restaurant chinois de Vienne. Jacques et Marie-Aude étaient venus pour quelques jours, ils gardaient les petites et les avaient poussés à cette sortie en tête-à-tête. On s'est assis tous les quatre dans le salon, on a rallumé le feu, Anne-Cécile a proposé une tisane et Philippe un whisky. Juliette a attendu que tout le monde soit bien installé pour dire que son dernier bilan était mauvais, que Patrice et elle avaient au cours du dîner parlé de deux choses importantes et qu'elle voulait leur en parler à eux. La première concernait son enterrement. Anne-Cécile et Philippe, à ces mots, ont eu le tact de ne pas se récrier et je suis sûr que Juliette leur en a su gré. Patrice n'est pas croyant, a-t-elle dit, moi je ne sais pas, c'est compliqué, mais vous, vous l'êtes. Vous êtes nos seuls amis croyants et j'aime votre façon de vivre votre foi. J'ai réfléchi, je préfère un enterrement chrétien : c'est moins sinistre, ça permet aux gens de se retrouver, et puis sinon ce sera trop dur pour mes parents, je ne peux pas leur faire ce coup-là. Alors je voudrais que ce soit vous qui vous en occupiez. D'accord ? D'accord, a répondu Anne-Cécile d'une voix aussi neutre que possible, et Philippe, toujours pince-sans-rire, a ajouté : on fera comme pour nous.

Bien, la seconde chose maintenant. Je sais que si je meurs, Diane n'aura pas de souvenir conscient de moi. Amélie oui, Clara un peu, elle non, et j'ai beaucoup de mal à l'accepter. Patrice prend des photos, bien sûr, mais toi, Philippe, tu es vraiment bon pour ça. Je voudrais que tu me photographies le plus possible, dans les temps qui viennent. Si tu en prends beaucoup, peut-être qu'il y en aura dans le tas quelques-unes pas trop moches.

Philippe a dit oui et l'a fait. Mais ce qui était terrible, se rappelle-t-il, c'est que le simple geste de sortir l'appareil photo et de le braquer sur elle s'est mis à signifier : tu vas mourir.

Il fallait que tout soit bouclé, les dossiers en ordre, comme à la veille des vacances judiciaires, et elle avait peur d'être à court de temps. Elle ne savait pas combien il lui en restait au juste, mais peu, de toute façon. Elle a réparti les tâches entre ses amis, demandé à chacun ce qu'il pouvait lui donner et quand une chose était dite, elle était dite, elle n'y revenait plus. Philippe était en charge des photos et de la messe. Anne-Cécile, qui est orthophoniste, prendrait soin du petit cheveu sur la langue de Clara, et Christine, professeur de collège, de l'orientation scolaire. Laurent, DRH en entreprise, a été promu conseiller pour les questions d'argent : capital-décès, crédit de la maison, couverture sociale de Patrice et des petites, qui la préoccupaient terriblement. Elle a examiné avec lui les deux hypothèses, décès à court terme ou longue maladie. La seconde l'inquiétait presque plus, du point de vue financier, parce que les arrêts de longue maladie impliquent une baisse de salaire et que le budget de la famille était déjà très juste. Une solution était de tricher, de reprendre une semaine pour arrêter de nouveau, une autre d'obtenir un quart de temps thérapeutique, mais elle craignait de ne pas en avoir la force. Dans le cas du décès, le crédit de la maison serait remboursé par l'assurance et le conseiller à la Caisse de prévoyance de la justice, que Laurent et elle sont allés voir ensemble, leur a dit que Patrice serait couvert pendant deux ans. Mais après ?

Elle le préparait, lui aussi, à la vie qui l'attendait sans elle. Au début, il refusait ces conversations, qu'il trouvait morbides, mais il s'est aperçu qu'elles leur faisaient du bien à tous les deux et il en est presque venu à les anticiper avec plaisir : elles relâchaient la tension, Juliette, après, était plus calme. Il y avait une espèce de douceur très conjugale et qui, par instants, lui semblait totalement irréelle, à s'asseoir à la table, sous la lampe, pour parler de ça. Dans leur couple, c'était elle qui travaillait à l'extérieur et lui qui assurait l'intendance, il n'avait pas besoin de consignes pour la vie domestique mais elle tenait quand même à tout passer en revue, comme un propriétaire un peu maniaque explique à son futur locataire où on range quoi dans la maison, quels jours on sort les poubelles, quand il faudra renouveler le contrat d'entretien de la chaudière. Le plus pénible a été le jour où elle a abordé la question des grandes vacances. Elle les avait déjà organisées, prévoyant que les filles passent quelques semaines dans chacune des deux familles. Elle pensait que ce serait bien que Patrice ait un peu de temps seul, pour se reposer : cet été serait dur pour lui. En comprenant qu'elle parlait de l'été prochain, il a eu un moment de vertige, qu'elle a perçu. Elle a pris sa main, dit qu'elle en parlait *au cas où*, mais ni l'un ni l'autre n'était dupe.

J'ai repensé à cet été, déjà derrière nous, quand Patrice m'a raconté cela. Nous avions pris Clara et Amélie une semaine, comme Juliette l'avait prévu, et fait de notre mieux pour les distraire. Clara s'accrochait à Hélène. Sur un cahier relié, de sa belle écriture scrupuleuse, Amélie a commencé un roman dont l'héroïne était, bien sûr, une princesse et dont je me rappelle la première phrase : « Il était une fois une mère qui avait trois filles. » Et tout à coup, ces images qui étaient pour moi des souvenirs, je me les suis représentées comme des anticipations. Quelques mois plus tôt, Juliette avait imaginé ces promenades à bicyclette, ces baignades, ces câlins submergés de chagrin, en pensant : je ne serai plus là. Ce sera le premier été de mes filles sans moi.

À un moment du stage que j'ai fait au tribunal d'instance, Mme Dupraz, la greffière avec qui Juliette s'entendait le mieux, m'a parlé de la tutelle des mineurs, dont elles s'occupaient toutes les deux chaque mardi. Quand dans une famille un parent meurt en laissant un héritage à ses enfants, le juge des tutelles a pour mission de sauvegarder leurs intérêts, pour cela de contrôler l'usage que fait du capital le parent survivant. C'est ce qu'il doit lui expliquer, un mois ou deux après la mort de son conjoint, et certains prennent mal ce qu'ils considèrent comme une ingérence dans la vie familiale. Le fait est que le veuf ou la veuve n'a pas le droit de prélever un centime sur le compte de son enfant sans l'autorisation du juge, les banques sont là-dessus d'autant plus strictes qu'au cas où elles s'en seraient passées elles peuvent être condamnées à rembourser la somme. La plupart des demandes ne posent pas de problème et Juliette a vite pris l'habitude de signer des liasses entières d'ordonnances en juin, pour les vacances, et en décembre, pour les cadeaux de Noël. Mais il y a des cas où la frontière entre l'intérêt de l'enfant et celui de l'adulte n'est pas claire. On peut autoriser la réfection d'une toiture parce qu'il vaut mieux pour l'enfant avoir au-dessus de sa tête un toit étanche. Mais il vaut mieux aussi pour lui avoir un père qui ne soit pas poursuivi par les huissiers, est-ce que cela signifie que son capital peut servir à régler les dettes paternelles ? Cela relève du pouvoir d'appréciation du juge et il faut beaucoup de tact pour rendre ces arbitrages aussi peu intrusifs que possible. Juliette, m'a dit Mme Dupraz, excellait dans cette justice très humaine, à laquelle Patrice vient d'avoir affaire. C'est en pensant à lui que Mme Dupraz s'est souvenue avec émotion d'un jeune homme qu'elles avaient reçu pour l'ouverture de son dossier. Il venait de perdre sa femme, il avait deux petits enfants, et sa façon de parler d'elle et d'eux, la noblesse et la simplicité de son chagrin les avaient bouleversées. En plus il était beau, tellement beau que c'est devenu entre elles une plaisanterie rituelle de dire : celui-là, tiens, on devrait le convoquer plus souvent. Je me demande si Juliette, avant de mourir, a repensé à cet épisode, à ce jeune veuf si beau, si doux, si désarmé. Je me demande si elle a imaginé l'entretien qu'aurait Patrice dans ce bureau du juge des tutelles qui avait été son bureau, et l'impression qu'il ferait à la personne qui l'occuperait, deux ou trois mois après sa mort. Sans doute.

Philippe, qui a l'habitude de faire du jogging tôt le matin, deux ou trois fois par semaine, a persuadé Patrice de l'accompagner : ça lui viderait la tête. Ils couraient sur les chemins de campagne autour de Rosier, à très petites foulées, à la fois parce que Patrice manquait d'entraînement et pour pouvoir parler. Patrice confiait à Philippe ce qu'il n'osait pas dire à Juliette. Il se reprochait de ne pas mieux la soutenir, par moments de la fuir. C'était dur, aussi, d'être tous les deux tout le temps à la maison, elle échouée sur le canapé du salon avec sa bouteille d'oxygène, essayant de lire, somnolant, souffrant et d'ailleurs ne réclamant pas sa présence, lui réfugié au sous-sol, dans la pièce qui lui servait d'atelier, à faire vaguement semblant de travailler et en réalité à s'étourdir sur des jeux vidéo. Martin, le fils de Laurent et Christine, qui avait treize ans, venait quelquefois le rejoindre, ils passaient des heures à faire décoller des avions ou à dégommer au bazooka des processions d'ennemis. Juliette n'aimait pas qu'il perde son temps comme ça, en même temps elle se rendait compte qu'il avait besoin de cette anesthésie. Dès qu'il arrêtait, le manège se remettait à tourner dans sa tête : peur, pitié, honte, amour sans bornes, et puis les questions sans réponse. Non plus : est-ce qu'elle va mourir ? mais : quand est-ce qu'elle va mourir ? Est-ce qu'on aurait pu faire quelque chose pour l'éviter ? Si on avait dépisté la tumeur plus tôt, est-ce que ça aurait changé quelque chose ? Est-ce que le premier cancer n'avait pas quelque chose à voir avec Tchernobyl, et le second avec la ligne à haute tension qui se trouvait à cinquante mètres de leur précédente maison ? Il avait lu une étude très alarmante là-dessus, dans la revue *Sortir du nucléaire* à laquelle il était abonné. Ce genre d'élucubrations, comme ils disent, rendait fous les parents de Juliette, Patrice avait appris sur ces sujets à la fermer mais il n'en pensait pas moins, et penser le minait.

Philippe, en l'écoutant, s'inquiétait. Il craignait qu'il ne tienne pas le choc, qu'à la mort de Juliette il n'arrive pas à s'en tirer. Lui-même, Philippe, pense qu'il ne le tiendrait pas, ce choc : si Anne-Cécile mourait, le monde s'effondrerait pour lui. Il ne serait pas seulement malheureux, mais perdu. Il ne saurait pas gérer. Et Philippe, aujourd'hui, est d'autant plus admiratif de voir que Patrice tient le choc, qu'il s'en tire, qu'il gère. À qui s'en étonne, il répond : moi, je prends la vie comme elle vient. J'ai trois filles à élever, je les élève. C'est très rare de le voir déprimé. Il tient. Chapeau, dit Philippe.

En dehors des missions qu'elle leur assignait, Juliette de son côté s'est peu confiée à ses amis, si on entend par se confier dire des choses qu'il ne sert à rien de dire, des choses à quoi l'autre ne peut rien. Elle aurait appelé cela se plaindre, et elle ne voulait pas se plaindre. Quand Anne-Cécile ou Christine passaient, l'après-midi, prendre une tasse de thé et bavarder, elle disait que les journées coulaient lentement, entre le fauteuil et le canapé, dans une perpétuelle sieste nauséeuse, qu'elle n'avait pas la force de lire, à peine de regarder un film de temps à autre, que la vie se rétrécissait et que ce n'était pas drôle, mais elle ne s'étendait pas davantage, à quoi bon ? Elle souffrait, et le disait, de n'être pas en état de s'occuper davantage des filles. Sans parler d'aller voir danser Amélie au théâtre de Vienne, l'épuisement était tel qu'elle n'arrivait même plus à leur lire d'histoires. Alors qu'il aurait fallu profiter de ces moments qui étaient sans doute les derniers de leur vie ensemble, elle n'avait qu'une envie, le soir, c'est qu'elles arrêtent de s'agiter, que Patrice les couche et qu'elles dorment. Elle en aurait pleuré. Et là-dessus, elle qui ne répétait jamais ses instructions revenait sans cesse à la charge : tu leur parleras de moi, hein ? Tu leur diras que je me suis battue ? Que j'ai fait tout ce que j'ai pu pour ne pas les laisser ?

Elle se faisait du souci aussi pour ses parents. S'il n'avait tenu qu'à eux, ils seraient venus s'installer à Rosier pour l'entourer, dans l'impuissance affreuse à laquelle ils étaient réduits être au moins là, près d'elle, mais au bout de quelques jours elle préférait qu'ils partent. Ils avaient beau faire des efforts, leur regard sur Patrice la blessait, le malaise de Patrice l'humiliait, et puis ce n'était pas leur place. Leur présence aurait refait d'elle la petite fille qu'elle ne voulait plus être, celle qu'on avait quinze ans plus tôt protégée de son premier cancer. En disant « ma famille », elle pensait à celle qu'elle avait fondée, pas à celle où elle était née. Le temps et l'énergie s'amenuisant, elle faisait dans sa vie le choix de ce qu'elle avait choisi, non de ce qu'elle avait hérité. Pourtant, elle aimait ses parents. Elle savait combien ils souffraient d'être tenus à l'écart de sa mort, elle aurait voulu les aider, eux aussi, à l'affronter, mais elle ne savait pas comment et ce n'étaient pas Christine ou Anne-Cécile qui allaient le savoir à sa place.

Ses amies auraient bien voulu, comme elles disaient, *parler*, mais chaque fois qu'elles faisaient allusion à l'angoisse qui devait l'étreindre face à la maladie, elle les rembarrait en disant : non, ça va. Pour ces trucs-là, j'ai Étienne.

Un jour, j'ai dit à Étienne : Juliette, je ne la connaissais pas, ce deuil n'est pas mon deuil, rien ne m'autorise à écrire dessus. Il m'a répondu : c'est ça qui t'y autorise, et moi, d'une certaine façon, c'est pareil. Sa maladie n'était pas ma maladie. Quand elle me l'a annoncée, j'ai pensé : ouf! c'est elle et pas moi, et c'est peut-être parce que j'ai pensé ça, parce que je n'ai pas eu honte de le penser, que j'ai pu lui faire un peu de bien. À un moment, pour lui être plus présent, j'ai voulu me rappeler mon second cancer, la peur que j'avais de la mort, la solitude terrifiante — et ça n'a pas marché. Je pouvais y penser, bien sûr, mais pas le ressentir. Je me suis dit : tant mieux. C'est elle qui allait mourir, pas moi. Sa mort me bouleversait, comme peu de choses dans ma vie m'ont bouleversé, mais elle ne m'envahissait pas. J'étais devant elle, près d'elle, mais à ma place.

C'est elle qui téléphonait, jamais lui. Il ne lui disait rien de réconfortant mais elle pouvait tout dire, elle, sans craindre de lui faire mal. Tout, c'est-à-dire l'horreur. L'horreur morale d'imaginer le monde sans soi, de savoir qu'on ne verra pas grandir ses filles, mais aussi l'horreur physique, qui prenait de plus en plus de place. L'horreur du corps qui se révolte parce qu'il éprouve qu'il va être anéanti. L'horreur d'apprendre à chaque bilan quelque chose de nouveau qui change la donne, toujours en pire : on essaie de penser qu'il ne peut pas y avoir *que* de mauvaises nouvelles, mais si. L'horreur des traitements, de souffrir sans arrêt et pour rien, sans espoir de guérir, juste pour mettre plus longtemps à crever. Au mois d'avril, elle lui a dit : je n'en peux plus, c'est trop dur, j'arrête. Il a répondu : tu as le droit. Tu as fait tout ce que tu as pu, personne ne peut te demander d'aller plus loin. Arrête, si tu veux.

L'autorisation d'Étienne lui a fait du bien. Elle l'avait en réserve, comme une ampoule de cyanure quand on risque la torture, et elle a décidé de continuer encore un peu. Elle s'attendait à être soulagée le jour où les médecins lui diraient : écoutez, il n'y a plus rien à faire, on vous laisse tranquille maintenant, et elle a été surprise d'être si accablée quand ce jour est venu, au mois de mai. On lui a annoncé qu'on arrêtait l'herceptine, qui lui créait des problèmes cardiaques sans qu'on observe en contrepartie aucun effet bienfaisant. Ce n'était pas dit aussi ouvertement qu'elle l'avait imaginé, mais cela revenait à baisser les bras et Juliette, qui ne pensait déjà plus en années mais en mois de sursis, a compris que maintenant il s'agissait de semaines, peut-être de jours.

Juste après l'arrêt de l'herceptine, Patrice et elle ont eu une violente dispute à propos du référendum sur la Constitution européenne. Patrice était mobilisé en faveur du « non » au point de délaisser les jeux vidéo pour des forums sur Internet. C'était sa nouvelle drogue. Il remontait du sous-sol avec, imprimés et surlignés au marqueur, des documents trouvés sur le site d'Attac. On pouvait et devait résister, plaidait-il, au règne sans partage du libéralisme, qu'il était pervers de présenter comme une fatalité. Juliette le laissait dire sans exprimer son opinion et il s'est rappelé son silence au temps de la première guerre du Golfe, quand ils venaient de se rencontrer. Lui était contre l'intervention, dénonçait la manipulation médiatique et, puisqu'elle se taisait, pensait qu'elle l'approuvait jusqu'à ce que, mise au pied du mur, elle reconnaisse que non. Sans être franchement pour, elle n'était pas aussi contre que lui, pas aussi sûre en tout cas de ce qu'elle pensait. Il est tombé des nues.

Pourquoi ne pas l'avoir dit ? Pourquoi ne pas *discuter* ? Parce qu'elle savait très bien qu'il ne changerait pas d'avis et ne voyait pas l'intérêt de s'engueuler pour rien, voilà. Ils ont rejoué la même scène au mois de mai 2005, chacun s'en prenant à la famille de l'autre et Patrice, non sans raison, à l'influence d'Étienne. C'est allé assez loin pour que Juliette lui souhaite, quand elle serait morte, de rencontrer une jolie altermondialiste cool et sympa au lieu d'une femme chiante, cancéreuse et de droite. Finalement, elle lui a donné procuration pour voter oui, ce qu'il a fait la semaine d'avant sa mort.

Si Patrice en est venu à me raconter cette dernière querelle, avec plus d'attendrissement que de regret, c'est parce que je lui avais demandé s'il imaginait sa vie amoureuse, dans l'avenir. La question, sans le choquer, le laissait songeur. Peut-être que Juliette avait raison, peut-être qu'il referait sa vie avec une altermondialiste cool et sympa, pourquoi pas ? C'est ce qui lui pendait au nez. Mais une des choses qu'il avait aimées chez Juliette, c'est qu'elle n'était pas la femme avec qui il aurait dû être normalement. Elle l'avait bousculé, sorti de son sillon. Elle était la différence, l'inattendu, le miracle, ce qui n'arrive qu'une fois dans une vie et encore, si on a beaucoup de chance. C'est pour ça que je ne vais pas me plaindre, conclut Patrice : j'ai eu cette chance.

Le mercredi 9 juin, il a loué au vidéoclub de Vienne le film d'Agnès Jaoui *Comme une image*. Après avoir couché les filles, ils l'ont regardé ensemble sur le canapé du salon, l'ordinateur posé sur le repose-pieds, devant eux. Juliette avait son masque d'assistance respiratoire mais elle ne se sentait pas trop mal. Elle s'est endormie avant la fin, sur son épaule, comme presque toujours désormais quand ils regardaient un film ou qu'il lui faisait la lecture à voix haute. Il est resté sans bouger, craignant de la réveiller. Pour ces moments de quiétude où il l'écoutait respirer et avait l'impression, par sa seule présence, de la protéger, il aurait été prêt à ce que cette vie terrible qu'ils menaient dure encore longtemps. Toujours, même. Avec mille précautions, il l'a portée dans la chambre, couchée dans le lit. Puis il s'est endormi en lui tenant la main. À quatre heures du matin, elle a été prise d'une toux soudaine, incoercible. Elle ne pouvait plus respirer, l'oxygène à haut débit ne la soulageait pas, on aurait dit qu'elle se noyait. Comme en décembre, il a appelé les urgences, puis Christine pour qu'elle vienne garder les petites. Christine a voulu entrer dans la chambre tandis qu'on attendait l'ambulance mais Juliette, à travers la porte, a dit non, non, et Christine aujourd'hui regrette de ne s'être pas écartée du passage quand les infirmiers l'ont emportée : en se trouvant nez à nez avec Juliette, elle estime n'avoir pas respecté sa volonté, qui était de n'être pas vue dans cet état. Mais elle a dit à

Patrice qu'elle s'occupait de tout, qu'il pouvait rester toute la journée et même la nuit à l'hôpital — ce qu'il a fait. En salle de réanimation, le taux de saturation de Juliette est redevenu normal, pourtant elle continuait à étouffer. On lui a donné de la morphine, qui l'a un peu soulagée. On a drainé en vain deux litres du liquide qui encombrait la plèvre de son poumon droit. Ainsi s'est écoulé le jeudi. Le vendredi matin, le chef du service d'oncologie est entré dans sa chambre et leur a annoncé qu'on ne pouvait plus rien, que le corps était arrivé au bout de ses défenses et qu'elle allait mourir dans les jours, peut-être les heures qui venaient. Juliette a répondu qu'elle était prête. Elle a fait appeler ses parents, son frère et ses sœurs : s'ils arrivaient dans l'après-midi ou en fin de journée, elle pourrait leur faire ses adieux. Quant aux filles, Juliette ne voulait pas compromettre la participation des aînées au spectacle de l'école et elle a demandé au médecin s'il pouvait faire en sorte qu'elle soit, dans vingt-quatre heures, en état de les voir. Il a assuré que oui, on doserait la morphine de telle sorte qu'elle ne soit ni trop dévastée par la souffrance ni trop abrutie par la sédation. Ces questions réglées, elle a réuni dans sa chambre toute l'équipe médicale qui depuis février la soignait et remercié ses membres, un par un. Elle ne leur en voulait pas si les traitements avaient échoué, elle était sûre qu'ils avaient fait tout ce qu'ils pouvaient, aussi humainement qu'ils pouvaient. Ensuite, elle a envoyé Patrice à la maison pour s'occuper des petites et leur parler. Pendant son absence, elle verrait Étienne.

Étienne : j'étais son aîné en matière de droit, je l'étais aussi en matière de cancer. On était sur le même chemin, et il était clair pour tous les deux que je l'y précédais. Mais ce vendredi après-midi, c'est elle qui est devenue l'aînée. Elle m'a dit : Étienne, tu fais partie des quelques personnes qui ont donné un sens à ma vie, grâce à qui je l'ai vraiment vécue. Je pense que, malgré la maladie, ça a été une bonne vie. Je la regarde, j'en suis contente. Et moi, reprend Étienne, moi qui parle toujours, je n'ai pas su quoi répondre. Elle était arrivée à un endroit où je ne pouvais plus la suivre. Alors j'ai dit : la lettre, tu l'as écrite ? C'est une chose dont nous avions beaucoup parlé, cette lettre qu'elle voulait laisser à ses filles. Elle avait fait et jeté des brouillons, chaque fois qu'elle s'y mettait elle était submergée parce qu'il y avait trop à dire, ou alors presque rien : je vous aime, je vous ai aimées, soyez heureuses. Elle a dit tristement : non, je ne l'ai pas écrite, et j'ai proposé de le faire. Là, tout de suite ? Oui, tout de suite, quand veux-tu ? Pour commencer, qu'est-ce que tu dirais à tes filles de Patrice ? Elle avait de plus en plus de mal à parler, mais elle a répondu sans hésiter : il était mon socle. Il me portait. Puis, après un temps : il est le père que je vous ai choisi. Vous aussi, dans la vie, choisissez. Vous pouvez tout lui demander, il vous donnera tout ce que vous lui demanderez tant que vous serez petites et, quand vous serez grandes, vous choisirez. Elle a réfléchi, puis dit : c'est tout.

Je n'ai rien noté, quand je suis rentré chez moi j'ai écrit la lettre en deux minutes : c'était fait. Je l'ai donnée à sa sœur Cécile, qui la lui a lue et m'a dit qu'elle avait hoché la tête pour dire que ça allait. Mais avant de sortir de la chambre, je me suis assis au bord de son lit et je lui ai pris la main. Je l'ai gardée quelques instants dans la mienne. Je lui avais serré la main quand elle était entrée dans mon bureau, six ans plus tôt, mais ensuite, et jusqu'à ce vendredi après-midi, nous ne nous étions plus jamais touchés.

Patrice a retrouvé les filles, à la maison, sous la garde de sa mère qui venait d'arriver et avait pris le relais de Christine. Elles n'étaient pas trop affolées, les séjours de Juliette à l'hôpital faisaient maintenant partie de la routine de leur vie. Ce qu'elles voulaient savoir, c'est si elle serait là pour la fête de l'école. Patrice a répondu que non, elle n'y serait pas, et elles ont protesté : elle leur avait promis. Alors Patrice a dit qu'elle ne rentrerait pas, qu'on irait tous ensemble la voir à l'hôpital demain, après la fête, et que ce serait la dernière fois parce qu'elle allait mourir. Il tenait Diane dans ses bras et s'adressait à elle, même si elle n'avait que quinze mois, autant qu'aux deux grandes. Il se rappelle qu'Amélie et Clara ont pleuré, crié, que cela a duré une heure puis qu'elles ont fait les folles jusqu'au coucher, totalement surexcitées. Étrangement, ils sont tous arrivés à dormir. Il est reparti pour l'hôpital très tôt le lendemain matin, de manière à être de retour pour le début du spectacle. L'état de Juliette s'était aggravé pendant la nuit. Elle était très agitée : son regard fuyait vers l'arrière, tout ce qui lui restait de force passait dans l'acte de respirer, rauque, douloureux, secouant tout le corps. Sentant sa présence, elle a agrippé son bras et dit plusieurs fois d'une voix mauvaise, assez fort, en se balançant d'avant en arrière : allez, maintenant, c'est fini ! Allez, maintenant, c'est fini ! Il a essayé de lui parler, très doucement, de lui dire que les petites allaient venir la voir après la fête, mais elle ne semblait pas le comprendre et répétait : allez, maintenant, c'est fini ! Patrice était consterné, à la fois parce que les petites risquaient de la voir ainsi et parce que, quand Juliette lui avait dit n'avoir pas peur de la mort, il l'avait crue. Ce qui lui était insupportable, assurait-elle, c'était de les laisser, tous les quatre, mais la mort, elle s'y était préparée : ça irait. Ce stoïcisme lui ressemblait, elle aurait voulu laisser d'elle cette image, et ce que Patrice voyait maintenant, c'était un corps pantelant de souffrance, livré à quelque chose qui ressemblait à de la panique. Finis l'esprit clair, la sérénité. Elle perdait le contrôle. Ce n'était plus elle. Il est allé voir les infirmières, qui lui ont dit que c'était l'effet de l'Atarax mais qu'on allait tout faire, comme on l'avait promis, pour qu'elle soit aussi calme et lucide que possible à l'arrivée de ses filles. On a certainement tout fait, mais cela n'a marché qu'à demi. Quand Patrice, accompagné de Cécile, a amené les filles devant elle, Juliette était à peine consciente. Si on lui parlait de très près, son regard se fixait une seconde avant de retomber dans le vide. Elle a eu un ou deux hochements de tête qui pouvaient passer pour un acquiescement. Amélie et Clara avaient fait des dessins pour elle, apporté la cassette du spectacle de l'école mais, en dépit de l'importance qu'elles y attachaient et qu'y attachait Juliette elle-même la veille encore, Patrice n'a pas eu le cœur de brancher comme prévu le caméscope sur le téléviseur de la chambre. C'était si pénible qu'on a écourté la visite. Clara a embrassé sa mère, Patrice a placé le visage de Diane contre sa joue, mais Amélie était si effrayée qu'elle n'a pas voulu quitter les bras de sa tante.

À ce point du récit de Patrice, elle est entrée dans le salon en pyjama, pieds nus. Elle était couchée depuis longtemps mais elle avait dû se réveiller et, par la porte entrouverte de sa chambre, écouter ce que nous disions. Cela n'a pas troublé Patrice qui avait de toute façon commencé à me raconter les derniers jours de Juliette en présence de ses filles, sans baisser la voix. Amélie s'est plantée devant nous et elle a dit : c'est encore plus dur pour moi que pour Clara et Diane que ma maman soit morte, parce que je ne lui ai pas dit au revoir, j'ai eu peur. Patrice a répondu calmement qu'elle ne l'avait pas embrassée mais qu'elle lui avait dit au revoir et que ce qui était important c'est qu'elle ait été là, que sa maman l'ait vue. J'ai compris à son ton qu'ils n'en parlaient pas pour la première fois et, pendant qu'il allait la recoucher, trouvé bien qu'Amélie puisse formuler ce reproche qu'elle se faisait : une fois exprimée, cette culpabilité risquait moins par la suite d'empoisonner sa vie sans qu'elle en connaisse même l'origine. Et comme j'ai de bonnes raisons de penser que la vulgate psychanalytique sur les bienfaits de la parole opposés aux ravages du silence est vraie, c'est très sincèrement que j'ai félicité Patrice, quand il est revenu, de permettre par toute son attitude envers ses filles que les choses soient nommées.

Les visites terminées, il est resté seul avec Juliette. Elle n'était plus aussi agitée, mais pas sereine non plus comme il l'avait espéré. Assis à son côté, sur le lit, il essayait de communiquer avec elle, de deviner ses désirs. Il lui a donné à boire, elle est parvenue à déglutir. À un moment, sa cage thoracique s'est remise à se soulever spasmodiquement, il a senti son corps se crisper et pensé que l'heure était venue mais non, elle ne mourait pas, elle souffrait. Aspirée par le néant, elle résistait. Il a demandé : tu as peur ? Elle a fait oui de la tête, distinctement. Attends, a-t-il dit, je vais t'aider. Je reviens. Surtout ne t'inquiète pas, je reviens. Il s'est détaché d'elle le plus doucement possible et il est allé dans le bureau du médecin pour lui dire que maintenant il fallait l'aider à partir. Une demi-heure plus tard, Hélène et moi sommes allés dans le même bureau demander la même chose au même médecin, qui nous a dit qu'on avait commencé à le faire. À Patrice, il avait déjà répondu : d'accord, attendez-moi ici. Il l'a laissé seul dans le bureau où il a passé cinq minutes qui lui ont paru éternelles. Il fixait avec une attention hébétée la peinture écaillée d'une plinthe, le tube de néon, au plafond, autour duquel un moucheron voletait, la nuit d'été qui dans le cadre de la fenêtre commençait à tomber, et il avait l'impression que toute la réalité du monde, c'était cela, qu'il n'existait rien d'autre, qu'il n'avait jamais existé et n'existerait plus jamais rien d'autre. Quand il est retourné dans la chambre, les yeux de Juliette, mi-clos quand il l'avait quittée, étaient fermés. Après coup, il a eu très peur qu'elle ait plongé dans le coma pendant sa brève absence. Qu'elle ait confusément vu entrer dans sa chambre un inconnu qui avait fait un geste, peu importe lequel, une piqûre ou une manipulation de la perfusion, tel que dans son état semi-conscient elle avait pu se dire : il est venu m'achever. Que sa dernière pensée, avant que tout s'éteigne, ait été : je meurs, et Patrice n'est pas là. Ce scénario d'épouvante, qu'heureusement il n'a pas imaginé sur le moment, l'a tourmenté les jours suivants au point qu'il a fini par appeler le médecin, qui l'a rassuré. Cela n'avait pas pu se passer ainsi : la dose de morphine met plus d'une heure à agir, la descente de Juliette dans l'inconscience avait été très progressive.

Il s'est de nouveau allongé près d'elle, mais cette fois plus confortablement, presque comme s'ils étaient dans leur lit, à la maison. Elle respirait sans heurt, ne semblait plus souffrir. Elle dérivait dans un état crépusculaire qui à un moment allait devenir la mort, et il l'a accompagnée jusqu'à ce moment. Il s'est mis à lui parler à l'oreille, très bas, et en parlant à toucher doucement sa main, son visage, sa poitrine, de temps en temps à l'embrasser, du bout des lèvres. Tout en sachant que son cerveau n'était plus en mesure d'analyser les vibrations de sa voix ni le contact de sa peau, il était certain que sa chair les percevait encore, qu'elle entrait dans l'inconnu en se sentant enveloppée par quelque chose de familier et d'aimant. Il était là. Il lui a raconté leur vie et le bonheur qu'elle lui avait donné. Il lui a dit combien il avait aimé rire avec elle, parler de tout et n'importe quoi avec elle, et même se disputer avec elle. Il lui a promis qu'il allait continuer sans faiblir, bien s'occuper des petites, il ne fallait pas qu'elle s'inquiète. Il penserait à leur mettre leurs écharpes, elles ne prendraient pas froid. Il lui a chanté des chansons qu'elle aimait, décrit l'instant de la mort comme un grand flash, une vague de paix dont on n'a pas idée, un retour bienheureux à l'énergie commune. Un jour il connaîtrait cela, lui aussi, il la rejoindrait. Ces paroles lui venaient facilement, il les déroulait d'une voix très basse, très calme, elles l'envoûtaient lui-même. C'est la vie qui fait mal en résistant, mais le tourment d'être vivant prenait fin. L'infirmière lui avait dit : les gens qui luttent meurent plus vite. Si cela durait si longtemps, pensait-il, c'est peut-être parce qu'elle avait cessé de lutter, que ce qui vivait encore en elle était tranquille, abandonné. Ne lutte plus, mon amour, lâche, lâche, laisse-toi aller.

Vers minuit, tout de même, il s'est dit que ce n'était pas possible, pas possible qu'elle soit encore demain dans cet état. À quatre heures du matin, a-t-il décidé, je débranche l'appareil respiratoire. Mais à une heure il n'en pouvait plus d'attendre, il a pensé que c'était elle qui lui communiquait cette impatience et il est allé voir l'infirmière de garde pour lui demander si on ne pouvait pas la débrancher parce qu'à son avis c'était le moment. Elle a dit que non, cela risquait d'être brutal, mieux valait laisser faire. Plus tard, il s'est endormi. Un hélicoptère l'a réveillé un peu avant trois heures. Il s'est stabilisé longtemps au-dessus de l'hôpital. Ensuite, il a gardé les yeux fixés sur le réveil. À quatre heures moins le quart, la respiration de Juliette qui n'était plus qu'un filet d'air s'est arrêtée. Il est resté un moment aux aguets mais il n'y avait plus rien, son cœur ne battait plus. Il s'est dit qu'elle avait deviné ce qu'il comptait faire à quatre heures et qu'elle le lui avait épargné.

Patrice raconte, raconte, j'ai l'impression qu'il n'a pas envie d'en finir.

Je n'ai pas eu à fermer ses paupières. Je la regardais, je trouvais son visage serein et beau, pas comme les derniers jours. Je pensais : c'est ma femme, et elle est morte. Ma femme est morte. J'ai senti contre moi sa chaleur s'en aller, j'ai été étonné que ça se passe si vite. Au bout d'un quart d'heure, elle était froide. Je me suis levé, j'ai prévenu les infirmières, j'ai appelé Cécile qui veillait à la maison, puis je suis sorti marcher autour de l'hôpital. On voyait un bout de ciel devenir plus clair à l'est, des nuages roses au-dessus de la ville, c'était magnifique. J'étais soulagé que ce soit fini mais surtout, à ce moment, j'avais une immense affection pour elle. Je ne sais pas comment dire, cela paraît faible comme mot, affection, mais c'était plus fort et plus grand que l'amour. Quelques heures plus tard, au funérarium, je ne ressentais déjà plus ça : l'amour, oui, mais cette espèce d'affection immense, c'était fini.

Avant de quitter Juliette, le vendredi, Étienne lui avait demandé si elle préférait qu'il revienne ou qu'il reste disponible et elle avait répondu : que tu restes disponible. Il a passé la nuit à attendre, en se doutant qu'elle n'appellerait plus : ils s'étaient tout dit, il n'y avait plus maintenant de place que pour Patrice. Dans la matinée, il a pris le bus pour l'hôpital, mais il est descendu deux stations avant l'arrêt et retourné à la maison. Il a passé le samedi en famille, fait des courses à Décathlon avec les enfants, essayé de travailler. Juliette avait demandé qu'on le fasse prévenir dès qu'elle serait morte, c'est la mère de Patrice qui l'a appelé, à cinq heures du matin. Ça l'a mis en colère, se rappelle-t-il, qu'elle le réveille et surtout qu'elle dise « Juliette est partie » au lieu de « Juliette est morte ». Il a grogné : je sais, je sais et, quand elle lui a proposé de venir voir le corps au funérarium, répondu que non, ça ne l'intéressait pas.

Nous avons déjeuné ensemble à Vienne, le lendemain de ma longue conversation nocturne avec Patrice, ensuite il m'a raccompagné à Rosier. La première chose qu'il a dite en arrivant, c'est qu'il devait repartir tout de suite. Patrice et lui ne s'étaient pas revus depuis l'enterrement, on sentait entre eux un peu d'embarras, mais j'ai proposé de faire du café et que nous le prenions dehors, sous le catalpa où, finalement, nous avons passé l'après-midi, de plus en plus contents d'être tous les trois ensemble.

Je me rappelle deux moments de cet après-midi.

Patrice parlait de la façon dont les filles et lui apprennent à vivre sans Juliette. Elle me porte, disait-il, son énergie me porte, et puis à certains moments elle ne me porte plus. Les nuits sont difficiles. J'ai pensé au début que je n'arriverais jamais à dormir sans elle, j'ai l'impression de la sentir contre moi, mon corps était tellement habitué au sien, et puis je me réveille, elle n'est pas là et je suis perdu, complètement perdu. Mais petit à petit je m'habitue à cette sensation. Je sais qu'avec le temps elle sera de moins en moins là. Qu'il s'écoulera un jour un quart d'heure sans que je pense à elle, et puis une heure... J'essaie d'expliquer ça aux petites... Quand je leur dis qu'on a eu de la chance d'être avec elle et de l'avoir aimée et qu'elle nous ait aimés, Clara dit que c'est Amélie qui a eu le plus de chance parce que c'est elle qui l'a eue le plus longtemps, et puis Diane parce qu'elle ne se rend pas bien compte, et donc que c'est pour elle, celle du milieu, que c'est le plus dur... Malgré tout, je pense qu'on est dans un bon cycle, tous les quatre. Je pense que ça va aller. Et toi ?

Il s'est tourné vers Étienne, que la question a pris au dépourvu.

Quoi, moi ?

Toi, a repris Patrice, c'est comment, pour toi, la vie sans Juliette ?

Étienne, par la suite, m'a dit avoir été stupéfait, puis bouleversé d'être ainsi placé devant le deuil, et par le veuf, sur un pied de quasi-égalité. Au fond de lui-même, il trouvait cette place justifiée (note d'Étienne : « Pas tout à fait : je trouvais justifié d'avoir une place »), mais jamais il ne l'aurait revendiquée. Il fallait l'incroyable générosité de Patrice pour la lui reconnaître comme allant de soi.

Il a eu un petit rire : pour moi ? Oh, c'est très simple. Ce qui me manque, c'est de ne plus pouvoir lui parler. C'est très égoïste, comme d'habitude je ne pense qu'à moi là-dedans et ce que je me dis, c'est que jusqu'à ma mort il y a des choses que je ne dirai plus à personne. C'est fini. La personne à qui je pouvais les dire sans que ce soit triste n'est plus là.

Plus tard, il a été question du diaporama que Patrice composait pour la famille et les amis en mémoire de Juliette. Il avait fait un premier choix de photos très large, maintenant il en était au second, plus serré. Certaines s'imposaient d'elles-mêmes, sur d'autres il hésitait longuement, n'en écartait aucune sans un pincement au cœur et l'impression, chaque fois, de condamner à l'oubli un instant de leur vie. Il s'y consacrait le soir dans son atelier du sous-sol, après avoir couché les filles. C'est un moment de la journée qu'il aimait, triste et doux. Il ne se pressait pas de le finir, ce diaporama, sachant que quand il l'aurait fini, copié, distribué, un cap serait passé qu'il n'avait pas tellement envie d'atteindre, en tout cas pas trop vite.

Un peu, a observé Étienne, comme la lettre que Juliette voulait écrire aux filles : elle se promettait de s'y mettre, en même temps elle la repoussait parce qu'elle savait qu'une fois qu'elle l'aurait faite il ne lui resterait plus rien à faire.

Nous nous sommes tus. De l'autre côté de la place, il y a eu une explosion de cris d'enfants. C'était la sortie de l'école. Amélie et Clara seraient de retour dans quelques minutes, il faudrait leur donner à goûter, puis aller chercher Diane. Étienne a dit alors : il y a une photo qui ne peut pas être dans ton diaporama parce qu'elle n'existe pas, mais si je ne devais en garder qu'une c'est celle-là que je choisirais, moi. Un soir, tu te rappelles, nous sommes allés tous les quatre au théâtre, à Lyon. Juliette et toi, Nathalie et moi. On est arrivés les premiers, on vous attendait au foyer. On vous a vus entrer dans le hall, vous avez monté le grand escalier, toi la portant. Elle avait les bras autour de ton cou, elle souriait, et ce qui était beau, c'est qu'elle n'avait pas seulement l'air heureuse mais fière, incroyablement fière, et toi aussi tu étais fier. Tout le monde vous regardait en s'écartant sur votre passage. C'était vraiment le chevalier qui portait la princesse.

Patrice est resté un instant silencieux, puis il a souri, du sourire étonné et songeur par lequel on accueille une évidence à laquelle on n'avait jamais pensé : c'est drôle, maintenant que tu le dis, j'ai toujours aimé ça, porter les gens... Même gamin, je portais mon petit frère. Je mettais les petits dans une brouette et je les poussais, ou alors je les prenais sur mes épaules...

Dans le train qui me ramenait à Paris, je me suis demandé s'il existait une formule aussi simple et juste — il aimait porter, il fallait qu'on la porte — pour définir ce qui nous unissait, Hélène et moi. Je n'ai pas trouvé, mais pensé que peut-être, un jour, elle nous apparaîtrait.

À mon retour de Rosier, les seins d'Hélène avaient grossi et elle m'a annoncé qu'elle était enceinte. J'aurais dû me réjouir, j'ai pris peur. La seule explication que je trouve à cette peur, c'est que je ne me sentais pas prêt : trop d'entraves subsistaient, trop de nœuds pas tranchés. Pour être à nouveau père dans la seconde moitié de ma vie, il aurait fallu que je sois un fils à peu près tranquille et je m'en croyais loin. Je me rends cette justice : malgré mon désarroi, j'ai pensé que mieux valait dire oui que non, et plus ou moins consciemment, à tâtons, travaillé à changer. Mon projet n'était plus de saison, j'ai appelé Étienne et Patrice pour les avertir que je l'abandonnais, ajoutant que peut-être je m'y remettrais un jour, mais j'en doutais. Étienne a dit : tu verras bien. Sans transposition, je me suis mis à écrire sur moi-même, sur le désastre de mes amours précédentes, sur le fantôme qui hantait ma famille et à qui j'ai voulu donner une sépulture. La gestation de mon livre a duré le temps de la grossesse, c'est un euphémisme de dire que ces mois ont été difficiles, mais j'en suis venu à bout peu de temps après la naissance de Jeanne et, du jour au lendemain, le miracle que j'espérais sans y croire a eu lieu : le renard qui me dévorait les entrailles est parti, j'étais libre. J'ai passé un an à jouir du simple fait d'être vivant et à regarder grandir notre fille. Je n'avais pas d'idées pour la suite, pas d'inquiétude pour autant. Freud définit la santé mentale d'une façon qui m'a toujours plu, même si elle me semblait inaccessible, comme la capacité d'aimer et de travailler. J'étais capable d'aimer, mieux encore d'accepter qu'on m'aime, le travail viendrait bien. Un peu au hasard, sans savoir où j'allais, j'ai commencé au printemps dernier à rassembler mes souvenirs du Sri Lanka, de là j'ai remis le nez dans mes notes sur Étienne, Patrice, Juliette et le droit de la consommation. J'ai repris ce livre trois ans après en avoir formé le projet, je l'achève trois ans après l'avoir abandonné.

Cette fois, j'ai résolu de le donner à lire avant de le publier à ceux qu'il concernait. Je l'avais fait déjà avec Jean-Claude Romand, mais en l'avertissant que *L'Adversaire* était achevé et que je n'y changerais plus une ligne. Soumettre *Un roman russe* à l'approbation de ma mère et à celle de Sophie serait revenu à le jeter tout droit au feu : je ne pouvais me permettre ce luxe, je les ai donc placées devant le fait accompli. Je ne le regrette pas, cela m'a sauvé la vie, mais je ne le ferais plus aujourd'hui. Hélène a été la première à lire ces pages. Elle avait accepté que je m'engage dans ce travail, mais plus il approchait de sa fin, plus elle avait peur de découvrir ce que j'aurais écrit sur Juliette. Elle n'arrive toujours pas à croire à sa mort, ni à parler d'elle, peut-être se reproche-t-elle d'être passée à côté de sa sœur. Sa lecture terminée, nous étions soulagés tous les deux, et j'ai envoyé le texte à Étienne et Patrice en leur disant le contraire de ce que j'avais dit à Romand : ils pouvaient me demander d'ajouter, de retirer ou de changer ce qu'ils voulaient, je le ferais. Cet engagement inquiétait Paul, mon éditeur. Il est sans exemple, me rappelait-il, que quelqu'un se soit jamais déclaré satisfait de ce qu'on raconte sur lui dans un livre : une fois que ses héros l'auraient corrigé, il ne resterait plus rien du mien. Il se trompait, en l'occurrence, et ma dernière visite à Lyon et à Rosier a finalement été pour moi et, je pense, pour eux, le moment le plus émouvant de toute cette entreprise. Je me sentais comme un portraitiste qui, en lui montrant sa toile, espère que le modèle sera content, et ils l'ont été tous les deux. Étienne m'a dit : il y a des trucs avec lesquels je ne suis absolument pas d'accord, mais je me garderais bien de te dire lesquels de peur que tu y touches. J'aime que ce soit *ton* livre et, globalement, j'aime aussi le type qui porte mon nom dans ton livre. Je peux même te le dire : je suis assez fier. Il ne m'a rien fait retirer, seulement demandé quelques ajouts, afin que chacun reçoive son dû : en racontant le raid sur la CJCE, j'avais par souci d'économie dramatique omis d'adjoindre à la troïka Juliette-Étienne-Florès la spécialiste du droit communautaire qui les avait conseillés, Bernadette Le Baut Ferrarese, et il aurait trouvé injuste qu'elle ne figure pas sur la photo. Patrice, lui, craignait que j'accorde trop d'importance aux désaccords politiques qu'il avait pu avoir avec Juliette. Il revenait sans cesse là-dessus, argumentait, nuançait, corrigeait. Ça ne le dérangeait pas de passer pour un naïf de gauche, mais il ne voulait à aucun prix qu'on la croie, elle, si peu que ce soit de droite, et j'avais l'impression, qui me bouleversait, de l'entendre à travers mon livre poursuivre la discussion confiante et passionnée qui avait été la leur pendant leurs treize années de vie commune. Quand, après notre séance de travail, nous sommes allés chercher les petites à l'école, plusieurs filles de la classe d'Amélie m'ont entouré et dit : c'est vrai que tu as écrit un livre sur Juliette ? On pourra le lire ? Mais Amélie elle-même, et ses deux sœurs, quand au dîner j'ai abordé le sujet, n'ont pratiquement pas réagi. Oui, je sais, disaient-elles, et elles regardaient ailleurs, passaient à autre chose.

Nous étions allés voir Philippe, Delphine et Jérôme à Saint-Émilion quelques mois après notre retour du Sri Lanka. La chambre de Juliette était un mausolée, c'était affreusement triste. Puis Philippe a écrit son livre, nous avons échangé quelques mails à la fois affectueux et lointains. Camille est née un an plus tard, dix jours après Jeanne, là aussi on s'est contenté d'échanger des faire-part. C'est donc après deux ans de silence que j'ai repris contact avec Philippe, à qui j'ai envoyé le manuscrit en lui demandant de le lire et d'y préparer sa fille et son gendre. À un détail topographique près, tout lui allait, mais il valait mieux, selon lui, que Delphine et Jérôme ne le lisent pas. Pas maintenant en tout cas, et peut-être jamais. Nous sommes allés tous les quatre — Hélène, Rodrigue, Jeanne et moi — passer un week-end chez eux, et ce week-end a été délicieux. Ils venaient d'avoir un garçon appelé Antoine, qui n'avait même pas un mois. Les deux petites filles se sont immédiatement bien entendues. Rodrigue, qui adore Delphine, était heureux de la revoir et elle aussi. J'ai donné des nouvelles de Jean-Baptiste, qui fait maintenant ses études dans une université en Irlande, et de son frère aîné, Gabriel, qui débute comme monteur de cinéma. Philippe a raconté comment s'est constituée, puis dissoute, son association d'aide aux pêcheurs de Medaketiya. Il y retourne toujours, trois ou quatre mois par an. De son bungalow sur la plage, il regarde l'océan. Il pense à sa vie, quelquefois il arrive à ne plus penser à rien. La soirée s'est passée comme se passent les soirées chez Delphine et

Jérôme, à commenter les vins qu'on déguste à l'aveugle, écouter des disques rares des Rolling Stones, fumer de l'herbe du jardin et rire, beaucoup rire. La chambre de Juliette n'est plus un mausolée, c'est devenu celle de Camille qui la partagera avec Antoine quand il aura un peu grandi, mais il y a une photo de Juliette sur la cheminée et on prononce son nom sans embarras. Ils n'ont pas deux enfants mais trois, simplement l'un des trois est mort. Quand on en est venus à parler de mon livre, Delphine a dit qu'elle avait bien l'intention de le lire, mais Philippe, avec cette voix soudain aiguë, tremblante, qu'il avait là-bas, l'a mise en garde : ce serait particulièrement difficile pour elle parce qu'elle y apprendrait des choses qu'on lui avait cachées. Je ne voyais pas à quoi il faisait allusion et je l'ai pris à part pour le lui demander. Il parlait du moment où Jérôme, revenant de la morgue à Colombo, dit à Delphine que Juliette est encore belle, puis à Hélène qu'il a menti, que leur petite fille se décompose. Tu imagines, disait Philippe, Delphine découvrant dans ton livre que Jérôme lui a menti ? J'ai proposé de retirer ce détail, s'il le croyait plus douloureux que les autres, mais il a répondu qu'il n'en était pas question et, au terme de notre aparté, admis que Delphine y verrait, plutôt qu'une trahison, une preuve de plus de l'amour de son mari. Il a été convenu, finalement, que Philippe passerait le texte à Jérôme, puis Jérôme à Delphine, s'il le jugeait possible. J'ai reconnu dans cet ordre de préséance la façon dont ses deux hommes, son mari et son père, s'étaient ligués là-bas pour la protéger, mais quand je l'ai dit à Hélène elle a secoué la tête et dit : c'est elle qui les protège, tu sais, c'est elle qui tient tout. S'ils sont restés ensemble, s'ils ont eu d'autres enfants, si la vie finalement a pu l'emporter, c'est grâce à elle. J'ai repensé alors à quelque chose que Delphine avait dit pendant le dîner : le moment où la vie, là-bas, l'a emporté, où elle a choisi de vivre au lieu de se laisser couler, c'est celui où elle a accepté, en notre absence, de garder Rodrigue. Elle a d'abord pensé : non, m'occuper d'un enfant deux jours après la mort de ma fille, je ne pourrai jamais, mais elle a dit oui, et à partir de cet instant elle a continué, malgré tout, à dire oui.

Ce matin, Jeanne s'est réveillée à sept heures, elle est sortie seule de son lit dont elle escalade désormais les barreaux et elle nous a rejoints dans le nôtre. Je suis allé à la cuisine lui préparer son biberon qu'elle a bu, couchée entre nous deux, sans trop de bruit ni d'agitation mais ce répit ne dure jamais très longtemps, bientôt il faut jouer et chanter. Sa chanson préférée en ce moment, c'est *Monsieur l'ours*. Le dos tourné, la couette remontée au-dessus de la tête et ronflant bruyamment, je tiens le rôle de monsieur l'ours. Hélène chante : monsieur l'ours, réveille-toi, tu as bien trop dormi comme ça, au bout de trois réveille-toi. Un. Deux. Trois. Monsieur l'ours ! tu dors ou tu sors ? Et la première fois, de ma voix la plus caverneuse, je réponds : je dors ! Hélène recommence : monsieur l'ours ! tu dors ou tu sors ? Cette fois je me retourne en grondant : je sors ! Hélène et Jeanne imitent, comme dans le disque, les cris de peur des enfants. Jeanne est aux anges. Monsieur l'ours n'aura qu'une saison, avant lui il y a eu les trois p'tits minous qui avaient perdu leurs mitaines, et quand par hasard elle ouvre encore le livre musical des trois p'tits minous, dont les piles donnent des signes d'épuisement, c'est déjà quelque chose comme de la nostalgie qui nous étreint : c'était la chanson de quand elle était toute petite, qu'elle marchait à peine, ne parlait pas encore, et ce temps-là, ce temps miraculeux est déjà passé, il ne reviendra plus. Je pense à toutes ces scies qui nous enchantent et à la torture que cet enchantement doit devenir une fois l'irrémédiable arrivé : les jouets, les comptines, les chaussons, quand la petite fille pourrit dans une boîte sous terre. Pourtant, cet enchantement est redevenu possible pour Delphine et Jérôme, avec leurs deux autres enfants. Ils n'ont rien oublié, mais ils ne sont pas restés dans le gouffre. Je trouve cela admirable, incompréhensible, mystérieux. C'est le mot le plus juste : mystérieux.

Plus tard, je vais préparer notre petit déjeuner tandis qu'Hélène habille Jeanne. Quand je dis qu'elle l'habille, ce n'est pas seulement qu'elle lui met ses habits, elle les choisit, prend à les lui acheter autant, sinon plus, de plaisir et de coquetterie que pour elle-même, ce qui fait de Jeanne la petite fille la mieux habillée du monde. Elles me rejoignent toutes les deux à la cuisine. Hélène, quant à elle, porte un pantalon de yoga et un pull léger, très échancré, le pantalon dessine ses fesses et le pull les pointes de ses seins. Je la trouve belle, sexy, tendre, je suis émerveillé par la quiétude de notre amour et par l'intensité de cette quiétude. Auprès d'elle, je sais où je suis. L'idée que je pourrais la perdre m'est insupportable, mais pour la première fois de ma vie je pense que ce qui pourrait me la ravir, ou me ravir à elle, ce serait un accident, la maladie, quelque chose qui nous tomberait dessus de l'extérieur et pas l'insatisfaction, la lassitude, l'envie de nouveauté. C'est imprudent de dire cela, mais vraiment, je n'y crois pas. Bien sûr, je me doute que s'il nous est accordé de durer il y aura des crises, des passages à vide, des orages, que le désir s'usera et ira voir ailleurs, mais je crois que nous tiendrons, que l'un de nous deux fermera les yeux de l'autre. Rien, en tout cas, ne me paraît plus désirable.

Dans l'entrée, Jeanne et moi mettons nos manteaux et elle s'empare fermement de sa poussette. Sa poussette n'est pas celle dans laquelle nous la poussons, nous, et où elle s'assied de moins en moins bonne grâce, mais celle, miniature, dans laquelle elle pousse, elle, une assez vilaine poupée chauve dont le corps en plastique sent le chewing-gum à la fraise. Depuis qu'Hélène lui a acheté cette poussette, elle veut à toute force sortir avec elle. D'une façon générale, elle veut tout faire comme nous et, puisque nous promenons notre enfant, promener le sien. On roule donc la poussette sur le palier, Hélène s'accroupit sur le seuil de l'appartement pour embrasser sa fille une dernière fois avant qu'elle parte, Jeanne fait mine d'entrer dans l'ascenseur dont je tiens la porte, puis se ravise, se retourne vers Hélène, fait au revoir de la main, revient dans l'ascenseur, se hausse sur la pointe des pieds pour appuyer sur le bouton. Juste avant que la cabine vitrée passe en dessous du palier, je vois Hélène nous sourire. On sort dans la rue, Jeanne poussant la poussette et moi marchant à côté d'elle en veillant à ce qu'elle ne descende pas sur la chaussée. Elle est si fière de nous imiter qu'elle en oublie de traîner et de s'arrêter à chaque porte cochère, chaque poteau, chaque scooter comme elle le fait habituellement : elle est responsable, elle file droit, nous descendons la rue d'Hauteville presque aussi vite que si je l'avais poussée, moi. De temps en temps, elle se retourne pour me prendre à témoin qu'elle fait tout bien. Nous arrivons devant l'immeuble de la nounou, je hisse Jeanne jusqu'au digicode sur les touches duquel je guide chaque matin ses doigts. La suite du rituel, c'est le bouton de la minuterie, dans l'escalier, puis celui de la sonnette et le guet, derrière la porte, des pas de Mme Laouni dans le couloir. Jeanne ne proteste jamais quand je l'emmène chez Mme Laouni. Elle s'y sent bien, Mme Laouni est à la fois affectueuse et ferme, on sent que chez elle tout tourne rond. L'année dernière, pourtant, elle a perdu son mari. Elle a téléphoné un matin pour dire en pleurant qu'elle ne pourrait pas prendre Jeanne parce que son mari était mort dans la nuit, elle l'avait retrouvé mort contre elle dans le lit, une crise cardiaque. Avant cela, elle donnait l'impression d'une femme heureuse, à sa place dans la vie. Jamais d'amertume, de lassitude, de laisser-aller. Ordre, bonne humeur, dynamisme, gentillesse. Rien de tout cela n'a changé depuis la mort de son mari. Je ne sais rien de leur vie de couple, je ne l'ai jamais rencontré, lui, il partait au travail avant que j'amène Jeanne et en revenait après que j'étais passé la reprendre, mais je suis certain qu'elle l'aimait, qu'ils étaient de bons partenaires, de bons parents pour leurs filles, qu'il lui manque cruellement, que la vie sans lui est triste, injuste, contre nature, et ce qui m'impressionne c'est que son chagrin, dont elle ne fait pas mystère quand on lui en parle, ne semble jamais peser sur les enfants dont elle s'occupe. Elle dit : c'est elles qui m'aident à tenir, et je la crois. Quelquefois, quand elle ouvre sa porte le matin, je vois bien que ses yeux sont gonflés, qu'elle a dû pleurer toute la nuit, qu'elle a eu de la peine à se lever, mais elle prend Jeanne dans ses bras et Jeanne rit, et elle rit avec elle, et je sais que ce sera comme cela jusqu'au soir.

Je remonte la rue d'Hauteville, je vais m'arrêter au café de la place Franz-Liszt, lire le journal, et puis rentrer à la maison. Rodrigue sera parti au collège, Hélène se sera peut-être remise au lit, alors je l'y rejoindrai, nous ferons l'amour de cette façon conjugale, paisible, un peu routinière, qui nous inspire à tous les deux un désir sans cesse renouvelé, et que j'espère inépuisable. Je referai du café que nous prendrons ensemble à la cuisine en parlant des enfants, de la marche du monde, de nos amis, de détails domestiques. Elle ira travailler, et il sera temps que je m'y mette moi aussi. Chaque jour depuis six mois, volontairement, j'ai passé quelques heures devant l'ordinateur à écrire sur ce qui me fait le plus peur au monde : la mort d'un enfant pour ses parents, celle d'une jeune femme pour ses enfants et son mari. La vie m'a fait témoin de ces deux malheurs, coup sur coup, et chargé, c'est du moins ainsi que je l'ai compris, d'en rendre compte. Elle me les a épargnés, je prie pour qu'elle continue. J'ai quelquefois entendu dire que le bonheur s'appréciait rétrospectivement. On pense : je ne m'en rendais pas compte mais, alors, j'étais heureux. Cela ne vaut pas pour moi. J'ai longtemps été malheureux, et très conscient de l'être ; j'aime aujourd'hui ce qui est mon lot, je n'y ai pas grand mérite tant il est aimable, et ma philosophie tient tout entière dans le mot qu'aurait, le soir du sacre, murmuré Madame Letizia, la mère de Napoléon : « Pourvou que ça doure. »

Ah, et puis : je préfère ce qui me rapproche des autres hommes à ce qui m'en distingue. Cela aussi est nouveau.

Arrivé à la fin de ce livre, je pense qu'il y manque quelque chose, à propos de Diane. Amélie et Clara y ont un peu la parole, chacune une scène à elle comme une chambre à soi, mais elle, quand tout cela est arrivé, elle était si petite qu'elle apparaît seulement comme un bébé muet ou braillard dans les bras de son père. Elle a quatre ans maintenant, et je pense qu'elle se dit ce que pour d'autres raisons se sont dit ses deux sœurs : que c'est encore plus dur pour elle que pour les autres. Parce qu'elle est la dernière, parce qu'elle n'a eu sa mère auprès d'elle que quinze mois, parce qu'elle ne se la rappelle même pas. Nathalie, la femme d'Étienne, m'a raconté qu'à leur dernière visite en famille à Rosier, Diane réclamait tout le temps que Juliette la prenne dans ses bras et que Juliette la remettait tout le temps dans ceux de Patrice. Elle n'avait plus qu'un mois à vivre et elle disait : il ne faut pas qu'elle s'habitue, ça va trop lui manquer, après. Patrice raconte, lui, que ses premiers mots ont été : où est Maman ? et que le premier film qu'elle a aimé, c'est *Bambi*. Elle a revu cent fois la scène où Bambi comprend que sa maman ne se relèvera pas, c'est l'image la plus juste qu'elle se fait de sa propre histoire. Patrice dit aussi que, des trois filles, c'est elle qui aujourd'hui parle le plus de Juliette, et la seule qui lui demande, très souvent, à regarder le diaporama. Ils descendent tous les deux au sous-sol, ils prennent place tous les deux devant l'ordinateur qu'il met en marche. La musique commence, les images défilent. Patrice regarde sa femme. Diane regarde sa mère. Patrice regarde Diane la regarder. Elle pleure, il pleure aussi, il y a de la douceur à pleurer ainsi tous les deux, le père et sa toute petite fille, mais il ne peut pas et ne pourra jamais plus lui dire ce que les pères voudraient dire à leurs enfants, toujours : ce n'est pas grave. Et moi qui suis loin d'eux, moi qui pour le moment et en sachant combien c'est fragile suis heureux, j'aimerais panser ce qui peut être pansé, tellement peu, et c'est pour cela que ce livre est pour Diane et ses sœurs.

Le livre de Philippe Gilbert, *Les Larmes de Ceylan*, est paru aux Éditions des Équateurs, et *Le Livre de Pierre*, de Louise Lambrichs, aux Éditions du Seuil.

Merci à Colette Le Guay, Philippe Le Guay et Belinda Cannone pour nos séjours studieux à Montgoubert et pour leur amitié ; et à Nicole, Pascale et Hervé Clerc, pour le Levron et pour la leur.

DU MÊME AUTEUR

Aux Éditions P.O.L

BRAVOURE, prix Passion 1984, prix de la Vocation 1985 (Folio n° 4770)

LA MOUSTACHE, 1986 (Folio n° 1883)

LE DÉTROIT DE BEHRING, Grand Prix de la Science-fiction 1987, prix Valery Larbaud 1987

HORS D'ATTEINTE ?, prix Kléber Haedens 1988 (Folio n° 2116)

LA CLASSE DE NEIGE, prix Femina 1995 (Folio n° 2908)

L'ADVERSAIRE, 1999 (Folio n° 3520)

L'AMIE DU JAGUAR, 2007 (1re parution, Flammarion, 1983)

UN ROMAN RUSSE, 2007 (Folio n° 4771)

D'AUTRES VIES QUE LA MIENNE, 2009 (Folio n° 5131)

LIMONOV, prix Renaudot, prix des Prix, prix de la Langue française 2011 (Folio n° 5560)

LE ROYAUME, prix littéraire *Le Monde*, lauréat-palmarès *Le Point*, Meilleur Livre de l'année *Lire* 2014 (Folio n° 6169)

IL EST AVANTAGEUX D'AVOIR OÙ ALLER, 2016

Chez d'autres éditeurs

WERNER HERZOG, *Edilig*, 1982 (épuisé)

JE SUIS VIVANT ET VOUS ÊTES MORTS : PHILIP K. DICK, 1928-1982, *Le Seuil*, 1993

COLLECTION FOLIO

Dernières parutions

6045. Posy Simmonds	*Literary Life*
6046. William Burroughs	*Le festin nu*
6047. Jacques Prévert	*Cinéma* (à paraître)
6048. Michèle Audin	*Une vie brève*
6049. Aurélien Bellanger	*L'aménagement du territoire*
6050. Ingrid Betancourt	*La ligne bleue*
6051. Paule Constant	*C'est fort la France !*
6052. Elena Ferrante	*L'amie prodigieuse*
6053. Éric Fottorino	*Chevrotine*
6054. Christine Jordis	*Une vie pour l'impossible*
6055. Karl Ove Knausgaard	*Un homme amoureux, Mon combat II*
6056. Mathias Menegoz	*Karpathia*
6057. Maria Pourchet	*Rome en un jour*
6058. Pascal Quignard	*Mourir de penser*
6059. Éric Reinhardt	*L'amour et les forêts*
6060. Jean-Marie Rouart	*Ne pars pas avant moi*
6061. Boualem Sansal	*Gouverner au nom d'Allah* (à paraître)
6062. Leïla Slimani	*Dans le jardin de l'ogre*
6063. Henry James	*Carnets*
6064. Voltaire	*L'Affaire Sirven*
6065. Voltaire	*La Princesse de Babylone*
6066. William Shakespeare	*Roméo et Juliette*
6067. William Shakespeare	*Macbeth*
6068. William Shakespeare	*Hamlet*
6069. William Shakespeare	*Le Roi Lear*
6070. Alain Borer	*De quel amour blessée* (à paraître)
6071. Daniel Cordier	*Les feux de Saint-Elme*
6072. Catherine Cusset	*Une éducation catholique*

6073. Eugène Ébodé — *La Rose dans le bus jaune*
6074. Fabienne Jacob — *Mon âge*
6075. Hedwige Jeanmart — *Blanès*
6076. Marie-Hélène Lafon — *Joseph*
6077. Patrick Modiano — *Pour que tu ne te perdes pas dans le quartier*
6078. Olivia Rosenthal — *Mécanismes de survie en milieu hostile*
6079. Robert Seethaler — *Le tabac Tresniek*
6080. Taiye Selasi — *Le ravissement des innocents*
6081. Joy Sorman — *La peau de l'ours*
6082. Claude Gutman — *Un aller-retour*
6083. Anonyme — *Saga de Hávardr de l'Ísafjördr*
6084. René Barjavel — *Les enfants de l'ombre*
6085. Tonino Benacquista — *L'aboyeur*
6086. Karen Blixen — *Histoire du petit mousse*
6087. Truman Capote — *La guitare de diamants*
6088. Collectif — *L'art d'aimer*
6089. Jean-Philippe Jaworski — *Comment Blandin fut perdu*
6090. D.A.F. de Sade — *L'Heureuse Feinte*
6091. Voltaire — *Le taureau blanc*
6092. Charles Baudelaire — *Fusées – Mon cœur mis à nu*
6093. Régis Debray – Didier Lescri — *La laïcité au quotidien. Guide pratique*
6094. Salim Bachi — *Le consul* (à paraître)
6095. Julian Barnes — *Par la fenêtre*
6096. Sophie Chauveau — *Manet, le secret*
6097. Frédéric Ciriez — *Mélo*
6098. Philippe Djian — *Chéri-Chéri*
6099. Marc Dugain — *Quinquennat*
6100. Cédric Gras — *L'hiver aux trousses. Voyage en Russie d'Extrême-Orient*
6101. Célia Houdart — *Gil*
6102. Paulo Lins — *Depuis que la samba est samba*
6103. Francesca Melandri — *Plus haut que la mer*

6104. Claire Messud	*La Femme d'En Haut*
6105. Sylvain Tesson	*Berezina*
6106. Walter Scott	*Ivanhoé*
6107. Épictète	*De l'attitude à prendre envers les tyrans*
6108. Jean de La Bruyère	*De l'homme*
6109. Lie-tseu	*Sur le destin*
6110. Sénèque	*De la constance du sage*
6111. Mary Wollstonecraft	*Défense des droits des femmes*
6112. Chimamanda Ngozi Adichie	*Americanah*
6113. Chimamanda Ngozi Adichie	*L'hibiscus pourpre*
6114. Alessandro Baricco	*Trois fois dès l'aube*
6115. Jérôme Garcin	*Le voyant*
6116. Charles Haquet – Bernard Lalanne	*Procès du grille-pain et autres objets qui nous tapent sur les nerfs*
6117. Marie-Laure Hubert Nasser	*La carapace de la tortue*
6118. Kazuo Ishiguro	*Le géant enfoui*
6119. Jacques Lusseyran	*Et la lumière fut*
6120. Jacques Lusseyran	*Le monde commence aujourd'hui*
6121. Gilles Martin-Chauffier	*La femme qui dit non*
6122. Charles Pépin	*La joie*
6123. Jean Rolin	*Les événements*
6124. Patti Smith	*Glaneurs de rêves*
6125. Jules Michelet	*La Sorcière*
6126. Thérèse d'Avila	*Le Château intérieur*
6127. Nathalie Azoulai	*Les manifestations*
6128. Rick Bass	*Toute la terre qui nous possède*
6129. William Fiennes	*Les oies des neiges*
6130. Dan O'Brien	*Wild Idea*
6131. François Suchel	*Sous les ailes de l'hippocampe. Canton-Paris à vélo*

6132. Christelle Dabos — *Les fiancés de l'hiver. La Passe-miroir, Livre 1*
6133. Annie Ernaux — *Regarde les lumières mon amour*
6134. Isabelle Autissier – Erik Orsenna — *Passer par le Nord. La nouvelle route maritime*
6135. David Foenkinos — *Charlotte*
6136. Yasmina Reza — *Une désolation*
6137. Yasmina Reza — *Le dieu du carnage*
6138. Yasmina Reza — *Nulle part*
6139. Larry Tremblay — *L'orangeraie*
6140. Honoré de Balzac — *Eugénie Grandet*
6141. Dôgen — *La Voie du zen. Corps et esprit*
6142. Confucius — *Les Entretiens*
6143. Omar Khayyâm — *Vivre te soit bonheur ! Cent un quatrains de libre pensée*
6144. Marc Aurèle — *Pensées. Livres VII-XII*
6145. Blaise Pascal — *L'homme est un roseau pensant. Pensées (liasses I-XV)*
6146. Emmanuelle Bayamack-Tam — *Je viens*
6147. Alma Brami — *J'aurais dû apporter des fleurs*
6148. William Burroughs — *Junky* (à paraître)
6149. Marcel Conche — *Épicure en Corrèze*
6150. Hubert Haddad — *Théorie de la vilaine petite fille*
6151. Paula Jacques — *Au moins il ne pleut pas*
6152. László Krasznahorkai — *La mélancolie de la résistance*
6153. Étienne de Montety — *La route du salut*
6154. Christopher Moore — *Sacré Bleu*
6155. Pierre Péju — *Enfance obscure*
6156. Grégoire Polet — *Barcelona !*
6157. Herman Raucher — *Un été 42*
6158. Zeruya Shalev — *Ce qui reste de nos vies*
6159. Collectif — *Les mots pour le dire. Jeux littéraires*

6160. Théophile Gautier	*La Mille et Deuxième Nuit*
6161. Roald Dahl	*À moi la vengeance S.A.R.L.*
6162. Scholastique Mukasonga	*La vache du roi Musinga*
6163. Mark Twain	*À quoi rêvent les garçons*
6164. Anonyme	*Les Quinze Joies du mariage*
6165. Elena Ferrante	*Les jours de mon abandon*
6166. Nathacha Appanah	*En attendant demain*
6167. Antoine Bello	*Les producteurs*
6168. Szilárd Borbély	*La miséricorde des cœurs*
6169. Emmanuel Carrère	*Le Royaume*
6170. François-Henri Désérable	*Évariste*
6171. Benoît Duteurtre	*L'ordinateur du paradis*
6172. Hans Fallada	*Du bonheur d'être morphinomane*
6173. Frederika Amalia Finkelstein	*L'oubli*
6174. Fabrice Humbert	*Éden Utopie*
6175. Ludmila Oulitskaïa	*Le chapiteau vert*
6176. Alexandre Postel	*L'ascendant*
6177. Sylvain Prudhomme	*Les grands*
6178. Oscar Wilde	*Le Pêcheur et son Âme*
6179. Nathacha Appanah	*Petit éloge des fantômes*
6180. Arthur Conan Doyle	*La maison vide* précédé du *Dernier problème*
6181. Sylvain Tesson	*Le téléphérique*
6182. Léon Tolstoï	*Le cheval* suivi d'*Albert*
6183. Voisenon	*Le sultan Misapouf et la princesse Grisemine*
6184. Stefan Zweig	*Était-ce lui ?* précédé d'*Un homme qu'on n'oublie pas*
6185. Bertrand Belin	*Requin*
6186. Eleanor Catton	*Les Luminaires*
6187. Alain Finkielkraut	*La seule exactitude*
6188. Timothée de Fombelle	*Vango, I. Entre ciel et terre*
6189. Iegor Gran	*La revanche de Kevin*

6190. Angela Huth — *Mentir n'est pas trahir*
6191. Gilles Leroy — *Le monde selon Billy Boy*
6192. Kenzaburô Ôé — *Une affaire personnelle*
6193. Kenzaburô Ôé — *M/T et l'histoire des merveilles de la forêt*
6194. Arto Paasilinna — *Moi, Surunen, libérateur des peuples opprimés*
6195. Jean-Christophe Rufin — *Check-point*
6196. Jocelyne Saucier — *Les héritiers de la mine*
6197. Jack London — *Martin Eden*
6198. Alain — *Du bonheur et de l'ennui*
6199. Anonyme — *Le chemin de la vie et de la mort*
6200. Cioran — *Ébauches de vertige*
6201. Épictète — *De la liberté*
6202. Gandhi — *En guise d'autobiographie*
6203. Ugo Bienvenu — *Sukkwan Island*
6204. Moynot – Némirovski — *Suite française*
6205. Honoré de Balzac — *La Femme de trente ans*
6206. Charles Dickens — *Histoires de fantômes*
6207. Erri De Luca — *La parole contraire*
6208. Hans Magnus Enzensberger — *Essai sur les hommes de la terreur*
6209. Alain Badiou – Marcel Gauchet — *Que faire ?*
6210. Collectif — *Paris sera toujours une fête*
6211. André Malraux — *Malraux face aux jeunes*
6212. Saul Bellow — *Les aventures d'Augie March*
6213. Régis Debray — *Un candide à sa fenêtre. Dégagements II*
6214. Jean-Michel Delacomptée — *La grandeur. Saint-Simon*
6215. Sébastien de Courtois — *Sur les fleuves de Babylone, nous pleurions. Le crépuscule des chrétiens d'Orient*

6216. Alexandre Duval-Stalla — *André Malraux - Charles de Gaulle : une histoire, deux légendes*
6217. David Foenkinos — *Charlotte*, avec des gouaches de Charlotte Salomon
6218. Yannick Haenel — *Je cherche l'Italie*
6219. André Malraux — *Lettres choisies 1920-1976*
6220. François Morel — *Meuh !*
6221. Anne Wiazemsky — *Un an après*
6222. Israël Joshua Singer — *De fer et d'acier*
6223. François Garde — *La baleine dans tous ses états*
6224. Tahar Ben Jelloun — *Giacometti, la rue d'un seul*
6225. Augusto Cruz — *Londres après minuit*
6226. Philippe Le Guillou — *Les années insulaires*
6227. Bilal Tanweer — *Le monde n'a pas de fin*
6228. Madame de Sévigné — *Lettres choisies*
6229. Anne Berest — *Recherche femme parfaite*
6230. Christophe Boltanski — *La cache*
6231. Teresa Cremisi — *La Triomphante*
6232. Elena Ferrante — *Le nouveau nom. L'amie prodigieuse, II*
6233. Carole Fives — *C'est dimanche et je n'y suis pour rien*
6234. Shilpi Somaya Gowda — *Un fils en or*
6235. Joseph Kessel — *Le coup de grâce*
6236. Javier Marías — *Comme les amours*
6237. Javier Marías — *Dans le dos noir du temps*
6238. Hisham Matar — *Anatomie d'une disparition*
6239. Yasmina Reza — *Hammerklavier*
6240. Yasmina Reza — *« Art »*
6241. Anton Tchékhov — *Les méfaits du tabac* et autres pièces en un acte
6242. Marcel Proust — *Journées de lecture*
6243. Franz Kafka — *Le Verdict – À la colonie pénitentiaire*
6244. Virginia Woolf — *Nuit et jour*

6245. Joseph Conrad	*L'associé*
6246. Jules Barbey d'Aurevilly	*La Vengeance d'une femme* précédé du *Dessous de cartes d'une partie de whist*
6247. Victor Hugo	*Le Dernier Jour d'un Condamné*
6248. Victor Hugo	*Claude Gueux*
6249. Victor Hugo	*Bug-Jargal*
6250. Victor Hugo	*Mangeront-ils ?*
6251. Victor Hugo	*Les Misérables. Une anthologie*
6252. Victor Hugo	*Notre-Dame de Paris. Une anthologie*
6253. Éric Metzger	*La nuit des trente*
6254. Nathalie Azoulai	*Titus n'aimait pas Bérénice*
6255. Pierre Bergounioux	*Catherine*
6256. Pierre Bergounioux	*La bête faramineuse*
6257. Italo Calvino	*Marcovaldo*
6258. Arnaud Cathrine	*Pas exactement l'amour*
6259. Thomas Clerc	*Intérieur*
6260. Didier Daeninckx	*Caché dans la maison des fous*
6261. Stefan Hertmans	*Guerre et Térébenthine*
6262. Alain Jaubert	*Palettes*
6263. Jean-Paul Kauffmann	*Outre-Terre*
6264. Jérôme Leroy	*Jugan*
6265. Michèle Lesbre	*Chemins*
6266. Raduan Nassar	*Un verre de colère*
6267. Jón Kalman Stefánsson	*D'ailleurs, les poissons n'ont pas de pieds*
6268. Voltaire	*Lettres choisies*
6269. Saint Augustin	*La Création du monde et le Temps*
6270. Machiavel	*Ceux qui désirent acquérir la grâce d'un prince...*
6271. Ovide	*Les remèdes à l'amour* suivi de *Les Produits de beauté pour le visage de la femme*

6272. Bossuet	*Sur la brièveté de la vie* et autres sermons
6273. Jessie Burton	*Miniaturiste*
6274. Albert Camus – René Char	*Correspondance 1946-1959*
6275. Erri De Luca	*Histoire d'Irène*
6276. Marc Dugain	*Ultime partie. Trilogie de L'emprise, III*
6277. Joël Egloff	*J'enquête*
6278. Nicolas Fargues	*Au pays du p'tit*
6279. László Krasznahorkai	*Tango de Satan*
6280. Tidiane N'Diaye	*Le génocide voilé*
6281. Boualem Sansal	*2084. La fin du monde*
6282. Philippe Sollers	*L'École du Mystère*
6283. Isabelle Sorente	*La faille*
6284. George Sand	*Pourquoi les femmes à l'Académie ?* Et autres textes
6285. Jules Michelet	*Jeanne d'Arc*
6286. Collectif	*Les écrivains engagent le débat. De Mirabeau à Malraux, 12 discours d'hommes de lettres à l'Assemblée nationale*
6287. Alexandre Dumas	*Le Capitaine Paul*
6288. Khalil Gibran	*Le Prophète*
6289. François Beaune	*La lune dans le puits*
6290. Yves Bichet	*L'été contraire*
6291. Milena Busquets	*Ça aussi, ça passera*
6292. Pascale Dewambrechies	*L'effacement*
6293. Philippe Djian	*Dispersez-vous, ralliez-vous !*
6294. Louisiane C. Dor	*Les méduses ont-elles sommeil ?*
6295. Pascale Gautier	*La clef sous la porte*
6296. Laïa Jufresa	*Umami*
6297. Héléna Marienské	*Les ennemis de la vie ordinaire*
6298. Carole Martinez	*La Terre qui penche*
6299. Ian McEwan	*L'intérêt de l'enfant*
6300. Edith Wharton	*La France en automobile*
6301. Élodie Bernard	*Le vol du paon mène à Lhassa*

Impression Novoprint
à Barcelone, le 25 septembre 2017
Dépôt légal: septembre 2017
Premier dépôt légal : février 2017

ISBN 978-2-07-272232-5./Imprimé en Espagne.

329478